Collection dirigée par Glenn Tavennec

L'AUTEUR

Kass Morgan est titulaire d'une licence de la Brown University et d'un master de l'Oxford University. Elle travaille actuellement en tant qu'éditrice et vit à Brooklyn, New York. *Les 100* est son premier roman.

**Retrouvez *Les 100* adapté en série TV
par les producteurs de *The Vampire Diaries*
et *Gossip Girl***

the100series.com

Retrouvez tout l'univers de
LES 100
sur la page Facebook de la collection R :
www.facebook.com/collectionr

Vous souhaitez être tenu(e) informé(e)
des prochaines parutions de la collection R
et recevoir notre newsletter ?

Écrivez-nous à l'adresse suivante,
en nous indiquant votre adresse e-mail :
servicepresse@robert-laffont.fr

KASS MORGAN

LES 100

Livre I

traduit de l'anglais (États-Unis) par Fabien Le Roy

roman

Titre original : THE 100
© Alloy Entertainment, 2013
Traduction française : © Éditions Robert Laffont, S.A., Paris, 2014
Produced by Alloy Entertainment, New York
Published by arrangement with Rights People, London
En couverture : Design Elizabeth H. Clark et Liz Dresner
Photos : © Tetra images, Rollover, Stocktrek Images / Getty Images,
et © Krivosheev Vitaly, col, Bruce Rolff, nostal6ie, Digital Media Pro /
Shutterstock

ISBN 978-2-221-13972-1   ISSN 2258-2932
(édition originale : ISBN : 978-0-316-23447-4, Little, Brown and
Company, a publishing house of Hachette Book Group, New York.)

À mes parents et à mes grands-parents,
avec amour et gratitude.

CHAPITRE 1

CHAPITRE 1

Clarke

Lorsque la lourde porte coulisse, Clarke sait que l'heure est venue pour elle de mourir.

Les yeux rivés sur les bottes du gardien, elle se prépare mentalement au déferlement de peur panique qui ne va pas manquer de la submerger. Pourtant, tout ce qu'elle ressent lorsqu'elle se redresse sur son lit exigu et décolle de sa peau son chemisier trempé de sueur, c'est du soulagement.

Parce qu'elle a tué un garde, elle a été transférée à l'Isolement. Clarke n'est pourtant jamais vraiment seule. Où qu'elle soit, elle entend des voix. Ces dernières l'appellent de chaque coin de sa cellule sombre. Elles s'immiscent dans les silences qui séparent les battements de son cœur. Elles crient en permanence du tréfonds de son âme. Ce n'est pas qu'elle veuille mourir, mais si c'est la seule manière de faire taire ces voix, alors Clarke est prête à franchir le pas.

On l'a condamnée pour trahison. La vérité est toutefois bien pire. Même si, par miracle, elle était acquittée lors de son second procès, elle ne connaîtrait pas de véritable répit. Ses souvenirs sont plus oppressants que n'importe quelle prison.

Le gardien se racle la gorge, manifestement mal à l'aise.

— Prisonnier matricule 319, levez-vous s'il vous plaît !

Il est plus jeune que ce à quoi elle s'attendait. Son uniforme bleu trop large, pendouillant par endroits sur son corps maigre, trahit son statut de recrue récente. Quelques mois de rations militaires ne suffisent pas à gommer les effets de la malnutrition qui sévit à bord des deux vaisseaux extérieurs de la Colonie, *Walden* et *Arcadia*.

Clarke inspire à fond, puis se met debout.

— Tendez les mains ! lui ordonne le gardien en tirant de sa poche une paire de menottes métalliques.

Clarke ne peut s'empêcher de frissonner en effleurant sa main. Elle n'a vu personne depuis son transfèrement, et a encore moins été touchée.

— Elles ne sont pas trop serrées ? demande-t-il d'un ton bourru.

La note de pitié qui y affleure néanmoins lui donne un pincement au cœur. Cela fait si longtemps qu'à part Thalia, son ex-compagne de cellule et seule amie au monde, personne ne lui a témoigné ne serait-ce qu'un brin de compassion.

Elle fait non de la tête.

— Vous pouvez vous asseoir sur votre lit, le médecin ne va pas tarder à arriver.

— Ils... ils le font ici ? s'inquiète Clarke, la voix rauque – cela fait si longtemps, aussi, qu'elle n'a pas parlé.

Si le médecin vient directement dans sa cellule, cela signifie qu'ils ne vont même pas prendre la peine de la juger. Voilà qui ne devrait pourtant pas la surprendre. Selon la loi de la Colonie, les adultes sont exécutés dès la condamnation prononcée. Les mineurs, eux, sont isolés jusqu'à ce qu'ils atteignent dix-huit ans. On leur donne alors une ultime opportunité de plaider leur cause. Mais ces derniers temps, la peine de mort a été appliquée dans les heures qui suivent le verdict, pour des crimes qui valaient acquittement il y a quelques années à peine.

Elle a toutefois du mal à croire qu'ils vont passer à l'acte ici même. Dans un accès de nostalgie un peu masochiste, elle espérait marcher une dernière fois jusqu'à l'hôpital. Elle y a passé tellement de temps comme apprentie médecin... Ce serait sa dernière occasion de goûter à un environnement familier, ne serait-ce que pour sentir à nouveau l'odeur de désinfectant et entendre le bourdonnement de la ventilation, avant d'être privée de ses sens à tout jamais.

— Il *faut* que vous vous asseyiez, précise le gardien sans oser croiser son regard.

Il suffit de deux petits pas à Clarke pour atteindre le bord de sa couchette. Elle a beau savoir que l'Isolement altère la perception du temps, elle ne peut pas imaginer avoir vécu là durant presque six mois. L'année passée avec Thalia et leur troisième codétenue, Lise, une fille aux traits durs qui a souri pour la première fois lorsque Clarke fut transférée ici, lui paraît avoir duré une éternité en comparaison. Mais il n'y a pas d'autre explication qui tienne. C'est forcément son dix-huitième anniversaire aujourd'hui. En guise de cadeau, une seringue qui lui paralysera les muscles jusqu'à ce que son cœur s'arrête. Après, comme le veut la coutume au sein de la Colonie, son corps sera jeté dans l'espace où il dérivera à travers la galaxie jusqu'à la fin des temps...

Une silhouette se dresse dans l'encadrement de la porte ; un homme élancé de bonne taille pénètre dans la cellule. Bien que sa longue chevelure grise masque partiellement le badge accroché au col de sa blouse, Clarke le reconnaît immédiatement : le conseiller médical en chef du Conseil. Elle a passé le plus clair de l'année précédant son isolement à suivre le moindre déplacement du docteur Lahiri et elle ne compte plus les heures où elle s'est tenue à ses côtés lors des opérations chirurgicales. Les autres apprentis enviaient à Clarke son poste de choix et ils avaient crié au favoritisme en découvrant que le docteur Lahiri était l'un des plus proches amis de son père. Tout du moins, il l'avait été avant que les parents de Clarke ne soient exécutés.

— Bonjour Clarke, dit-il comme s'il la saluait au réfectoire de l'hôpital et non dans une cellule de détention. Comment ça va ?

— Mieux que dans quelques minutes, j'imagine.

Le docteur Lahiri était d'habitude friand de l'humour noir de Clarke, mais cette fois, il accuse le coup et fait la grimace. Il se tourne vers le gardien.

— Pourriez-vous lui retirer les menottes et nous laisser seuls un moment, je vous prie ?

— Je ne suis pas censé la laisser sans surveillance…, répond le jeune homme, visiblement mal à l'aise.

— Eh bien, vous n'avez qu'à vous poster juste derrière la porte, insiste le docteur avec une patience exagérée. Il s'agit d'une jeune fille de dix-sept ans, et elle ne porte aucune arme. Je pense que je devrais pouvoir la maîtriser si besoin est.

D'abord hésitant, le gardien finit par enlever les bracelets métalliques en évitant soigneusement le regard de Clarke, puis, après un petit signe de tête au docteur Lahiri, il sort de la cellule.

— Vous vouliez dire une jeune fille désarmée de *dix-huit ans*, corrige Clarke avec ce qu'elle croit être un sourire. À moins que vous ne deveniez comme ces savants fous qui ne savent plus en quelle année ils sont ?

Son père était comme ça. Il lui arrivait d'oublier de programmer les lumières circadiennes de leur appartement, si bien qu'il était encore debout à 4 heures du matin, trop absorbé par ses recherches pour s'apercevoir que les couloirs étaient déserts.

— Tu as toujours dix-sept ans, Clarke, répond le docteur du ton calme et posé qui est d'usage avec les patients en salle de réveil après une opération. Cela fait trois mois jour pour jour que tu es à l'Isolement.

— Dans ce cas, que faites-vous ici ? demande-t-elle, incapable de contenir la note de panique qui se glisse dans sa voix. La loi stipule que vous devez attendre ma majorité.

— Il y a eu un changement de programme. C'est tout ce que je suis autorisé à te dire.

— Vous êtes autorisé à m'*exécuter*, mais pas à me parler ?

Lui revient alors à l'esprit l'attitude du docteur Lahiri au procès de ses parents. À l'époque, elle avait interprété sa bouche pincée comme un désaveu de la procédure judiciaire employée, mais elle n'en est plus si sûre à présent. Il n'avait pas pris la parole pour les défendre. Personne ne l'avait fait, d'ailleurs. Il s'était contenté de rester assis sans desserrer les lèvres tandis que le Conseil jugeait ses parents, deux des savants les plus brillants que comptait *Phoenix*. Ils étaient coupables d'avoir désobéi à la Doctrine Gaia, ce recueil de lois établies après le Cataclysme, pour assurer la pérennité de l'espèce humaine.

— Et mes parents ? C'est vous aussi qui les avez tués ?

Le docteur Lahiri ferme les yeux, comme si les mots de Clarke s'étaient mués en images insoutenables.

— Je ne suis pas ici pour te tuer…, lâche-t-il à voix basse. (Il rouvre les yeux et pointe du doigt le tabouret au pied du lit.) Puis-je ?

Clarke ne répondant pas, le docteur Lahiri s'y assied de sorte à lui faire face.

— Je peux voir ton bras, s'il te plaît ?

La poitrine de Clarke se contracte douloureusement et elle doit se forcer à prendre une grande inspiration. Il ment, c'est cruel et mesquin de sa part, mais au moins, d'ici une minute, tout sera terminé.

Résignée, elle le lui tend et l'homme sort de la poche de sa blouse un tissu qui sent l'antiseptique à plein nez. Il le passe sur l'intérieur de son avant-bras et le contact froid la fait frissonner.

— Ne t'inquiète pas, ça ne fait pas mal.

Au tour de Clarke de fermer les yeux.

Elle se rappelle le regard angoissé que lui a lancé Wells alors que les gardes l'escortaient, elle, hors de la chambre de tribunal du Conseil. Si la terrible colère qui avait menacé de la consumer durant le procès est depuis longtemps éteinte, le fait de repenser au jeune homme fait monter en elle une nouvelle bouffée de chaleur, semblable au dernier éclair que produit une supernova avant de retourner au néant.

Ses parents sont morts, et par la faute de ce docteur.

Les doigts experts lui palpent le bras à la recherche de la meilleure veine.

À très bientôt, papa et maman…

L'étreinte s'affermit. L'heure est venue.

Clarke respire à fond lorsqu'elle sent l'aiguille lui transpercer la peau du poignet.

— Et voilà, tu es fin prête.

Les yeux de Clarke se rouvrent d'un coup. Hébétée, elle les baisse et découvre un bracelet métallique qui lui enserre le poignet. Elle caresse d'un doigt sa surface et laisse échapper une grimace, ayant la désagréable sensation qu'une dizaine d'aiguilles minuscules sont fichées dans sa peau.

— Qu'est-ce que c'est que ça ? demande-t-elle d'une voix étranglée en s'éloignant brusquement du médecin.

— Détends-toi, lui souffle-t-il, sans se départir de son calme exaspérant. Ce n'est qu'un transpondeur. Il nous dira tout à distance sur ta respiration, la composition de ton sang, ton biorythme et autres données utiles.

— Utiles pour qui ? interroge Clarke.

Elle a peur de ne pas aimer la réponse, quelle qu'elle soit.

— Il se trouve que les choses ont pris une tournure des plus… intéressantes, déclare le docteur Lahiri d'une voix aussi creuse que l'était celle du père de Wells, le chancelier Jaha, lors du discours annuel pour le Jour du Souvenir. Tu devrais être fière. C'est au travail de tes parents qu'on doit les avancées récentes.

— Mes parents ont été exécutés pour trahison.

Le docteur lui jette aussitôt un regard désapprobateur qui l'aurait faite se recroqueviller de honte il y a un an à peine, mais qui aujourd'hui la laisse de marbre.

— Ne va pas tout foutre en l'air, Clarke ! Tu as l'occasion de remettre les pendules à l'heure, de racheter le crime affreux qu'ont commis tes parents…

Un craquement sourd résonne lorsque le poing de Clarke vient percuter le visage de Lahiri, suivi d'un bruit plus métallique quand sa tête heurte le mur de la cellule. Une poignée de secondes s'écoule avant que le gardien ne fasse irruption et menotte les mains de Clarke derrière son dos.

— Tout va bien, monsieur ? Rien de cassé ?

Le docteur Lahiri se redresse lentement et se frotte la mâchoire en dévisageant Clarke avec un mélange de colère et d'amusement.

— Au moins, j'ai maintenant la preuve formelle que tu sauras te défendre, une fois lâchée là-bas avec les autres délinquants.

— Là-bas ? grogne Clarke en se démenant pour se dégager de l'étreinte du jeune gardien. Où c'est, *là-bas* ?

— Nous faisons le ménage dans le centre de rétention aujourd'hui. Cent criminels chanceux ont l'immense honneur de pouvoir écrire une nouvelle page de l'Histoire.

Soudain les lèvres du docteur se soulèvent en un simulacre de sourire :

— Là-bas... c'est sur Terre.

CHAPITRE 2

Wells

Le chancelier a pris un coup de vieux. Cela ne fait que six semaines que Wells n'a pas vu son père, et pourtant il semble avoir pris dix ans. De nouvelles mèches grises lui ornent les tempes, et les rides qui lui cerclent les yeux se sont creusées.

— Vas-tu enfin me dire pourquoi tu as fait ça ? lui demande son père d'une voix lasse.

Wells se tortille dans son fauteuil. Il sent la vérité qui cherche à franchir ses lèvres malgré lui. Il donnerait quasiment n'importe quoi pour effacer la déception qui se lit sur les traits de son père. Mais il ne peut pas courir ce risque. Pas avant d'avoir la certitude que son plan fou a bel et bien fonctionné.

Il évite le regard paternel en passant la pièce en revue. Il essaie de mémoriser toutes ces reliques qu'il voit peut-être pour la dernière fois : le squelette d'aigle conservé sous une grande cloche de verre, les quelques peintures qui ont survécu à l'immense incendie du Louvre, ainsi que les photos de ces villes jadis superbes, mais désormais détruites et désertes, dont le nom provoque toujours chez Wells les mêmes frissons.

— C'était un pari, hein ? Tu voulais te faire mousser devant tes amis ?

Le chancelier s'exprime du ton bas et monocorde qu'il emploie lors des audiences du Conseil. Seul son sourcil levé indique à Wells que c'est à son tour de parler.

— Non, monsieur.

— As-tu été pris d'un coup de folie passager ? Étais-tu sous l'influence de drogues ?

Dans d'autres circonstances, la pointe d'espoir qui transparaît dans la voix de son père aurait fait sourire Wells. Aucune trace d'humour toutefois dans ses yeux, juste une combinaison de grande fatigue et de confusion que Wells n'y a pas lue depuis les funérailles de sa mère.

— Non, monsieur.

Pendant un instant, Wells est saisi de l'envie de toucher le bras du chancelier, mais ce ne sont pas les menottes lui entravant les poignets qui l'empêchent de céder à son impulsion. En effet, même le jour où ils s'étaient tenus côte à côte près du portail de libération pour faire leurs derniers adieux silencieux à sa mère, fils et père n'étaient pas parvenus à combler l'infime dizaine de centimètres qui les séparait. C'est comme si Wells et son père étaient deux aimants, le poids de leur chagrin respectif agissant comme repoussoir.

— Était-ce alors une sorte de geste politique ? demande le chancelier en grimaçant à cette idée. Quelqu'un d'*Arcadia* ou de *Walden* t'aurait poussé à le commettre ?

— Non, monsieur, répond Wells qui ravale avec peine son indignation. Apparemment, son père a passé ces six dernières semaines à l'imaginer en rebelle, ressassant ses souvenirs afin de comprendre pourquoi son propre fils, étudiant brillant puis élève officier major de sa promotion, a commis l'infraction la plus publique de l'histoire de la Colonie. Or, même la vérité n'enlèverait pas grand-chose à la confusion qui habite son père. Pour le chancelier, rien ne peut justifier qu'il ait mis le feu à l'Arbre d'Éden, la jeune pousse embarquée sur le *Phoenix* juste avant l'Exode. Et pourtant, Wells n'a pas eu le choix. Une fois que le jeune homme a eu découvert que Clarke était l'une des cent personnes envoyées sur Terre, il a dû trouver une idée pour faire partie du groupe. Et en tant que fils du chancelier, seul le délit le plus grave possible pouvait garantir sa condamnation directe à l'Isolement.

Wells se rappelle fendre la foule lors de la cérémonie du Souvenir, le poids d'une centaine d'yeux braqués sur lui et sa main tremblant en sortant le chalumeau de sous ses vêtements, puis la vive lumière dans la pénombre ambiante lorsqu'il a approché la flamme puissante des feuilles de l'arbre. Tous les participants étaient restés sans réaction pendant de longues secondes, comme pétrifiés, regardant s'embraser le seul arbre de la station orbitale. Quand, finalement, les gardes s'étaient rués sur lui au milieu d'un chaos généralisé, personne n'avait pu se méprendre sur son identité.

— Qu'est-ce qui a bien pu te passer par la tête ? fulmine le chancelier, le regard chargé d'incrédulité. Tu aurais pu mettre le feu à la salle et tout le monde aurait trouvé la mort !

Le mieux serait encore de mentir. Son père aurait plus de facilité à croire qu'il avait fait ça pour gagner un pari. Ou peut-être pourrait-il prétendre avoir pris de la drogue ? Ces deux scénarios seraient certainement plus du goût du chancelier que la vérité : c'est pour une fille qu'il avait pris tous ces risques.

La porte de l'hôpital se referme derrière lui, mais le sourire de Wells demeure figé, comme si l'effort requis pour soulever le coin de ses lèvres lui avait endommagé les muscles faciaux de manière irréversible. Dans le brouillard médicamenteux où elle se trouve, la mère de Wells a sans doute cru à la sincérité de son sourire, et c'est ça l'important. Durant de longues minutes, elle lui a tenu la main pendant qu'il lui débitait toutes sortes de mensonges, amers certes, mais inoffensifs. « Oui, tout se passe très bien avec papa. » Pas la peine qu'elle apprenne qu'ils n'ont échangé que quelques mots ces dernières semaines. « Quand tu iras mieux, on pourra finir

Histoire du déclin et de la chute de l'Empire romain. » Mais tous deux savent pertinemment qu'elle ne vivra pas assez longtemps pour qu'ils entament le dernier volume.

Wells s'éloigne de l'hôpital et emprunte le pont B qui, par chance, est désert. À l'heure qu'il est, la plupart des gens sont à leur formation, au travail ou à la Bourse d'échange. Lui est censé assister à une conférence d'histoire, sa matière favorite en temps normal. Il a toujours adoré les récits fondateurs des villes antiques comme Rome ou New York dont les succès étincelants n'ont eu d'égal que leur effondrement brutal. Mais il n'a aucune envie de passer deux heures entouré de ces mêmes camarades qui ont abreuvé sa messagerie de vagues et maladroits élans de compassion. La seule personne à qui il puisse parler de sa mère, c'est Glass, or elle s'est montrée étrangement distante ces dernières semaines.

Wells ne sait pas trop combien de temps il est resté planté devant la porte avant de se rendre compte qu'il était arrivé à la bibliothèque. Il présente ses yeux devant le scanner rétinien, attend le signal de reconnaissance, puis appose le pouce sur le lecteur. La porte coulisse en laissant juste assez d'espace à Wells pour passer, puis se referme aussi sec dans un sifflement d'air comprimé, comme si elle lui avait fait une grande faveur en lui accordant l'accès.

Il expire longuement en s'imprégnant de la paisible semi-obscurité qui règne dans ces lieux. Les livres qui ont pu être évacués à bord du *Phoenix* avant le Cataclysme sont conservés dans de grandes armoires en verre à l'abri de l'oxygène, de manière à ralentir au maximum leur détérioration. C'est pour cette raison qu'ils doivent être consultés à l'intérieur de la bibliothèque exclusivement, et jamais plus de quelques heures d'affilée. L'immense salle est dépourvue d'éclairage circadien, ce qui la laisse dans un crépuscule permanent.

Aussi loin qu'il s'en souvienne, Wells y a passé tous ses dimanches soir, sa mère lui faisant la lecture à haute voix quand il était petit, puis lisant à ses côtés lorsqu'il sut se débrouiller seul. À mesure que sa maladie a progressé et que ses migraines ont empiré, Wells s'est mis à lire pour elle. Ils venaient de commencer le deuxième volume de l'*Histoire du déclin et de la chute de l'Empire romain* le soir précédant son admission à l'hôpital.

Il navigue à travers les rangées étroites vers la section « langue anglaise », puis vers l'armoire dédiée à l'histoire, cachée dans un recoin. Le nombre d'ouvrages disponibles est inférieur à ce qu'il aurait dû être. Le premier gouvernement de la Colonie avait décidé de numériser l'essentiel de ses textes, mais un siècle plus tard un virus détruisit la quasi-intégralité des archives digitales. Les seuls livres restants appartenaient alors à des collectionneurs privés, la plupart les ayant reçus en guise d'héritage de leurs ancêtres. Lors des cent dernières années, la grande majorité de ces reliques avait été léguée à la bibliothèque.

Wells s'accroupit au niveau de la lettre G et presse son pouce contre le verrou électronique. Les deux battants s'ouvrent avec lenteur sur leurs vérins pneumatiques, rompant temporairement le vide protecteur. Il tend la main vers l'*Histoire* de Gibbon Edward, mais retient son geste. Il pensait lire un nouveau chapitre pour le raconter à sa mère, avant de s'apercevoir que cela revenait presque à lui demander de l'aider à formuler la future épitaphe de sa plaque funéraire.

— Tu n'es pas censé laisser l'armoire ouverte, lui annonce soudain une voix derrière lui.

— Je sais, merci ! réplique-t-il d'un ton plus sec qu'il ne l'aurait voulu.

Il se lève, se retourne et découvre une fille au visage familier : l'apprentie médecin qu'il a croisée à l'hôpital. Wells ressent un élan de colère confronté à ce mélange incongru des deux mondes : c'est dans la bibliothèque qu'il se réfugie désormais pour oublier l'odeur écœurante de désinfectant et les bips du moniteur cardiaque qui sonnent à ses oreilles plus comme un compte à rebours vers la mort que comme un signe de vie.

La fille recule d'un pas et incline la tête, une de ses mèches claires lui tombant devant l'œil.

— Oh, c'est toi.

Wells se prépare d'instinct à détecter une intense activité de la pupille qui trahirait le fait que la jeune fille communique avec des amis via le système de messagerie implanté sur sa cornée. Mais non, elle garde les yeux rivés sur lui, comme si elle avait un accès direct à son cerveau, l'épluchant couche après couche jusqu'à atteindre ses pensées les plus intimes.

— Tu ne voulais pas prendre ce livre ? lui demande-t-elle en indiquant le volume massif d'un geste du menton.

Wells secoue la tête.

— Je le lirai une autre fois.

Elle garde le silence pendant un moment.

— Je pense que tu devrais le prendre maintenant.

La mâchoire de Wells se crispe, et voyant qu'il ne desserre pas les lèvres, la fille poursuit.

— Je t'ai souvent vu le lire ici avec ta mère. Tu devrais le lui apporter.

— Ce n'est pas parce que mon père est à la tête du Conseil que j'ai le droit d'enfreindre une loi vieille de trois siècles, rétorque-t-il, notant au passage qu'il emploie malgré lui un ton condescendant.

— Il ne va rien arriver à ce livre en l'espace de quelques heures. Les effets destructeurs de l'air sont largement exagérés.

— Et le pouvoir de détection du scanner à la sortie, il est largement exagéré aussi ?

La plupart des portes publiques de *Phoenix* sont équipées de scanners programmables à volonté. Celui de la bibliothèque analyse ainsi la composition moléculaire de ceux qui en sortent, s'assurant ainsi que personne ne parte un livre à la main, ou caché sous ses vêtements.

Le visage de l'apprentie médecin se fend alors d'un large sourire.

— Ça fait des plombes que j'ai trouvé la parade !

Elle jette un coup d'œil derrière elle pour vérifier que personne n'arpente les allées, puis tire de sa poche un morceau de tissu gris.

— Si tu emballes ton livre là-dedans, le scanner ne pourra pas détecter la cellulose présente dans le papier. Tiens, prends-le !

Wells ne peut réprimer un mouvement de recul : il y a beaucoup plus de chances que cette fille lui tende un piège plutôt qu'elle ait un morceau de tissu magique planqué au fond de sa poche.

— Pourquoi tu te balades avec ça ?

Elle hausse les épaules.

— J'aime bien aller lire ailleurs…

Voyant qu'il ne lui répond pas, elle lui sourit et se rapproche de lui.

— Donne-moi le livre alors, c'est moi qui vais le sortir et je te l'apporterai à l'hôpital.

Wells se surprend à lui passer le gros volume.

— Tu t'appelles comment ?

— C'est pour savoir envers qui tu auras une dette éternelle ?

— Non, pour savoir qui dénoncer si je me fais arrêter.

La fille se coince le livre sous le bras et lui tend la main.

— Clarke.

— Wells, répond-il en la lui serrant.

Il lui sourit, et cette fois sans ressentir la moindre douleur.

— Ils ont réussi à sauver de justesse l'Arbre, annonce le chancelier à Wells, scrutant son visage à la recherche du moindre signe de remords ou de fierté, n'importe quoi pourvu que cela l'aide à comprendre ce geste sacrilège envers le dernier arbre qu'il leur reste de leur planète ravagée. Certains membres du Conseil ont suggéré de t'exécuter sur-le-champ, sans égards pour le fait que tu sois encore mineur. Je n'ai pu te sauver la vie qu'en les convainquant de t'envoyer sur Terre avec les autres.

Wells pousse un soupir de soulagement. Moins de cent cinquante mineurs sont enfermés à l'Isolement en ce moment, et il a beau avoir compté sur le fait qu'ils sélectionnent les plus âgés d'entre eux, rien jusque-là ne lui avait garanti d'être intégré à la mission.

En étudiant son expression, les yeux du chancelier s'éclairent d'une lueur de surprise et de compréhension.

— C'est donc cela que tu recherchais ?!

Wells hoche lentement la tête.

— Si j'avais su que ça te tenait tant à cœur de voir la Terre, j'aurais facilement pu t'inscrire dans l'équipage de la deuxième expédition, celle qui partira lorsqu'on se sera assurés qu'on ne coure aucun risque.

— Je ne voulais pas attendre. Je veux faire partie des cent premiers.

Les yeux du père s'étrécissent imperceptiblement tandis qu'il scrute les traits redevenus impassibles de son fils.

— Pourquoi ? Tu es quand même suffisamment bien placé pour connaître les risques !

— Avec tout le respect que je vous dois, père, c'est tout de même vous qui avez convaincu le Conseil que l'hiver nucléaire était terminé. C'est *vous* qui avez déclaré que la planète était sûre !

— Oui, suffisamment sûre pour y envoyer cent criminels qui auraient péri de toute manière, rétorque le chancelier avec un mélange de morgue et d'incrédulité. Je n'ai jamais dit qu'elle était sûre pour mon fils !

La colère que Wells était parvenu à juguler resurgit de plus belle, réduisant tout sentiment de culpabilité à néant. De frustration, il tire sur ses menottes, menaçant d'emporter la chaise.

— Je fais désormais partie de ces cent criminels.

— Ta mère n'aurait jamais voulu que tu participes à ça, Wells. Ce n'est pas parce qu'elle aimait rêver de la Terre qu'elle t'aurait permis de mettre ta vie en danger.

Wells se penche vers l'avant, insensible à la morsure du métal dans ses chairs.

— Ce n'est pas pour elle que je le fais, lâche-t-il en regardant son père dans les yeux pour la première fois depuis qu'il s'est assis, mais je suis certain qu'elle aurait été fière de moi.

C'est partiellement vrai. Sa mère avait un côté romantique et elle aurait salué le fait qu'il se sacrifie pour protéger la fille qu'il aime. Mais à l'idée que sa mère ait pu savoir ce qu'il avait vraiment commis pour rejoindre Clarke, un nœud se forme dans le creux de son estomac. La vérité ferait passer l'incendie de l'Arbre d'Éden pour une blague de potache.

Son père le dévisage durement :

— Serais-tu en train de me dire que ce fiasco monumental est à mettre au compte de *cette fille* ?

— C'est ma faute si elle est envoyée en bas comme un vulgaire cobaye. Je veux être là en personne pour m'assurer qu'elle a toutes les chances de s'en sortir vivante.

Le chancelier ne répond pas tout de suite, mais lorsqu'il reprend la parole, son ton est de nouveau calme et posé.

— Ce ne sera pas nécessaire, lance-t-il en retirant un objet du tiroir de son bureau qu'il pose devant les yeux de Wells : un anneau d'acier orné d'une puce de la taille d'un ongle. Chaque membre de l'expédition est en train de se faire poser ce bracelet. Il permet de recueillir et d'envoyer les données jusqu'à la station pour que nous puissions contrôler votre localisation et vos indicateurs vitaux. Ainsi, dès que nous aurons la preuve chiffrée que la planète est à nouveau habitable, nous commencerons la recolonisation.

Le chancelier marque une pause, mais le sourire qu'il affiche désormais s'apparente plutôt à une grimace.

— Si tout se passe comme prévu, il ne s'écoulera que peu de temps avant que le reste d'entre nous ne vienne vous rejoindre, et tout cela…, dit-il en désignant les mains menottées de Wells, ne sera plus qu'un mauvais souvenir.

La porte de la pièce s'ouvre pour laisser entrer un garde.

— C'est l'heure, monsieur.

Le chancelier hoche la tête et le garde traverse la pièce pour aider Wells à se mettre debout.

— Bonne chance, fils, lâche le père de Wells avec sa rudesse légendaire. S'il y a quelqu'un qui peut mener cette mission à bien, c'est toi.

Il tend la main pour serrer celle de Wells une dernière fois, puis laisse aussitôt retomber son bras en réalisant son erreur : les mains de son fils unique sont toujours liées derrière son dos.

CHAPITRE 3

Bellamy

Bien sûr, cet enfoiré est en retard. Bellamy bat nerveusement de la jambe, se moquant éperdument de l'écho qui résonne à travers la salle de stockage. Personne n'y descend plus de toute façon, tout ce qui pouvait avoir de la valeur a été dérobé depuis des années. Chaque centimètre carré du sol est jonché de débris en tout genre : des pièces de rechange pour des machines dont plus personne ne sait à quoi elles servent, de la monnaie papier, des longueurs et des longueurs de corde et de fil électrique, des écrans et autres moniteurs fendus.

Bellamy sent une main se poser sur son épaule et se retourne instantanément, les poings levés pour se protéger le visage.

— Relax ! l'enjoint Colton avant de braquer le faisceau de sa lampe torche dans les yeux de Bellamy. Il l'observe, un sourire narquois éclairant son long visage en lame de couteau.

— Pourquoi tu m'as donné rendez-vous dans ce trou à rats ? T'es à la recherche de porno préhistorique sur l'un des ordinateurs ? Non pas que je te juge... Si j'étais coincé sur *Walden* avec ces mochetés que vous appelez des filles, je me laisserais sans doute aussi aller à une pratique dégoûtante dans le genre.

Bellamy ne réagit pas à la provocation. Malgré la fonction de garde qu'exerce désormais son ancien ami, celui-ci n'a toujours aucune chance de se dégotter une copine, quelle que soit la partie du vaisseau où il se trouve.

— Dis-moi juste ce qui se passe, OK ? lui lance Bellamy en tâchant de garder un ton léger.

Adossé contre le mur, Colton lui décoche un nouveau sourire horripilant.

— Ne te fie pas à l'uniforme, mon frère. J'ai pas oublié la première règle quand on fait affaire : donne-la-moi d'abord.

— C'est toi qui as les idées embrouillées, Colt. Tu sais que je suis toujours réglo, rétorque Bellamy en tapotant la poche contenant la puce de rationnement pleine qu'il a volée. Maintenant, tu me dis où elle est.

Le garde sourit d'un air suffisant, et Bellamy sent son cœur se serrer irrépressiblement. Depuis l'arrestation d'Octavia, il a soutiré des informations à Colton sur son état de santé, et cet imbécile semble prendre un malin plaisir à lui annoncer de mauvaises nouvelles.

— C'est aujourd'hui qu'ils les envoient.

Les mots font à Bellamy l'effet d'un coup de poing.

— Ils ont rafistolé un des vieux vaisseaux de sauvetage du pont G. Bon, tu sais que cette mission est top secret et que je risque ma peau pour ta petite gueule. C'est bien la dernière fois que je t'aide.

Bellamy a des nœuds à l'estomac en voyant défiler devant ses yeux une série d'images insoutenables : sa petite sœur propulsée à travers l'espace à plus de mille kilomètres-heure dans une boîte de conserve datant de Mathusalem. Son visage violacé tandis qu'elle essaie de respirer un air empoisonné. Son corps gisant au sol, désarticulé comme celui d'une poupée…

— Je suis désolé, mec, dit soudain Bellamy en avançant vers Colton.

— Pour quoi ? demande celui-ci, le sourcil arqué.

— Pour ça !

Bellamy arme son bras, puis décoche au garde un puissant direct dans la mâchoire. Le sang coule immédiatement, mais il ne ressent aucune culpabilité, rien que son cœur qui bat la chamade, tandis que Colton s'écroule par terre.

Trente minutes plus tard, Bellamy tente de se faire à l'irréalité de la scène qui se joue devant ses yeux. Adossé au mur d'un large couloir qui mène à une passerelle pentue, il observe le flot de détenus en uniforme gris qui descendent la rampe en file indienne, flanqués par une poignée de gardes. Au bout de la rampe, le vaisseau de sauvetage, un engin circulaire équipé de plusieurs rangées de sièges munis de sangles. C'est là-dedans qu'ils envoient sur Terre ces cent pauvres gamins ignorants de leur sort.

Toute cette opération l'écœure, mais ça reste quand même préférable à l'autre alternative. Bien qu'ils aient normalement droit à un second procès le jour de leurs dix-huit ans, quasiment tous les jeunes accusés ont été jugés coupables ces douze derniers mois. Sans cette mission, une grande majorité des 100 en seraient à compter les jours avant leur exécution.

C'est alors que Bellamy repère une deuxième rampe d'accès au vaisseau, et il a un pincement au cœur en se disant qu'il a manqué Octavia. Mais peu importe qu'il la voie embarquer, l'important est qu'ils soient réunis dans quelques moments à peine.

Il tire sur les manches de l'uniforme de Colton, trop petit pour ses larges épaules, mais les autres gardes ne lui ont accordé aucune attention jusqu'à maintenant. Ils sont tous focalisés sur la rampe d'accès où le chancelier Jaha s'adresse aux prisonniers.

— Nous vous accordons une opportunité unique de tirer un trait sur votre passé. La mission que vous vous apprêtez à mener est périlleuse, mais votre bravoure sera récompensée. Si vous réussissez, vos crimes vous seront pardonnés, et vous pourrez commencer une nouvelle vie sur Terre.

Bellamy doit se retenir de pouffer nerveusement. Le chancelier ne manque vraiment pas d'air à leur débiter les prétextes qu'il s'est inventés pour dormir la conscience tranquille.

— Nous suivrons votre progression de très près, dans le but d'assurer votre sécurité au maximum, poursuit le chancelier alors qu'un groupe de dix prisonniers descend la rampe à la queue leu leu, accompagné d'un garde. Celui-ci lui adresse un salut militaire avant de guider les détenus à l'intérieur du vaisseau.

Bellamy cherche Luke des yeux dans la foule, le seul ressortissant de *Walden* qui ne soit pas devenu un parfait connard après avoir été recruté comme garde. Mais il ne se trouve pas parmi la petite dizaine de militaires présente sur la rampe de lancement. Apparemment, le Conseil a préféré jouer la carte du secret plutôt que celle de la sécurité.

Bellamy tâche de rester impassible tandis qu'un nouveau groupe de détenus est escorté le long de la rampe. Si jamais on l'attrape déguisé en garde, la liste des chefs d'inculpation sera longue comme le bras : corruption, chantage, usurpation d'identité, conspiration, et tout ce que le Conseil jugera bon d'y ajouter. Et puisqu'il a vingt ans, il n'y aura pas de période d'Isolement pour lui. Dans les vingt-quatre heures suivant son procès, il sera exécuté…

C'est avec des papillons dans le ventre qu'il repère alors au bout du couloir un ruban rouge familier coiffant une épaisse frange de cheveux noir de jais. Octavia.

Depuis plus de dix mois, il se fait un sang d'encre en imaginant ce qu'il peut lui arriver au quotidien à l'Isolement. Lui donne-t-on suffisamment à manger ? Parvient-elle à s'occuper ? À ne pas devenir folle ? Bellamy sait pertinemment que l'Isolement traumatiserait n'importe qui, mais pour O, c'est forcément bien pire encore.

C'est plus ou moins lui qui a élevé sa petite sœur. Ou au moins qui a essayé de. Après l'accident de leur mère, Octavia et lui ont été placés sous la tutelle du Conseil. Il n'y avait aucun précédent permettant de savoir quoi faire d'eux. Avec la loi de l'enfant unique appliquée inflexiblement, voire l'interdiction d'en avoir même un, aucun membre de la Colonie ne comprenait ce que cela signifiait d'avoir un frère ou une sœur. Bellamy et Octavia ont donc vécu chacun de leur côté dans des foyers successifs pendant plusieurs années, et il s'est toujours débrouillé pour veiller sur elle, soit en lui apportant quelques rations supplémentaires rapportées de ses « balades » dans un des entrepôts sécurisés, soit en promettant mille tortures aux filles plus âgées qui trouvaient amusant de se moquer de la petite orpheline aux grosses joues et aux grands yeux bleus.

Bellamy ne peut s'empêcher de se faire constamment du souci pour elle. Octavia n'est pas une gamine comme les autres, et il est prêt à tout pour pouvoir lui offrir une nouvelle vie. Pour lui faire oublier les atrocités qu'elle a dû endurer...

Il réprime un sourire en la voyant emprunter la rampe à côté du garde : si les autres détenus se laissent conduire passivement vers le vaisseau en traînant des pieds, Octavia, elle, imprime la cadence. Elle avance d'un pas assuré, forçant le garde à allonger sa foulée. Elle a en outre meilleure mine que la dernière fois qu'il l'a aperçue. D'un certain point de vue, ça se comprend : elle a été condamnée à quatre ans d'Isolement jusqu'à un second procès à sa majorité qui la conduirait sans le moindre doute à la peine de mort immédiate. On lui donne la chance de revivre, et Bellamy se jure intérieurement de tout faire pour qu'elle profite à fond de cette chance.

Peu lui importe le moyen qu'il va devoir employer, il partira sur Terre avec elle.

La voix du chancelier tonne par-dessus le bruit des bottes et les chuchotements nerveux. Il a toujours cette raideur qui rappelle sa carrière de soldat, mais toutes ses années à siéger au Conseil lui ont donné le vernis et l'aisance verbale d'un homme politique.

— Aucun membre de la Colonie n'est au courant de ce que vous vous apprêtez à faire, mais si vous réussissez, nous vous devrons tous notre vie. Je suis persuadé que vous ferez de votre mieux en votre nom propre, au nom de votre famille, et de tous les habitants de cette station : de votre mission dépend l'avenir de l'espèce humaine !

Quand le regard d'Octavia finit par se poser sur Bellamy, elle masque à grand-peine sa surprise. Il lit sur ses traits les marques d'une intense réflexion. Elle le connaît trop bien pour croire qu'il a pu être recruté par la garde, il est donc ici incognito. Mais à l'instant où elle tente de communiquer par gestes subtils avec lui, le chancelier reprend son discours. Les épaules d'Octavia s'affaissent et elle se retourne, impuissante.

Le cœur de Bellamy bat à tout rompre lorsque, enfin, le chancelier en termine avec ses ultimes recommandations, faisant signe aux gardes d'escorter le dernier groupe dans les entrailles du vaisseau. Le jeune homme n'a qu'une fenêtre d'action très limitée. S'il y va trop tôt, les gardes auront le temps de le sortir manu militari de la navette. S'il y va trop tard, Octavia sera catapultée à travers l'espace vers une planète toxique, tandis qu'il devra répondre de la perturbation du lancement.

Le tour d'Octavia arrive finalement, et elle glisse un coup d'œil furtif par-dessus son épaule à son frère, secouant légèrement la tête pour le supplier de ne rien tenter de stupide.

Mais Bellamy a toujours pris des risques insensés, et il n'a aucune intention d'arrêter aujourd'hui.

Le chancelier adresse un signe de tête à une femme en uniforme noir. Elle se tourne vers le tableau de commandes du vaisseau de sauvetage et pianote sur une série de boutons pour enclencher la mise à feu. De gros chiffres se mettent alors à défiler sur l'écran de contrôle.

Le compte à rebours a commencé.

Il reste trois minutes à Bellamy pour passer la première porte, descendre la rampe et s'introduire à bord, sans quoi il va perdre sa sœur à tout jamais.

Lorsque les derniers prisonniers franchissent le seuil du vaisseau, l'atmosphère change sensiblement dans le hall d'embarquement. Les gardes proches de Bellamy se détendent et commencent à discuter à voix basse. Bellamy entend même un rire gras s'élever de l'autre rampe d'accès.

2 : 48... 2 : 47... 2 : 46...

Bellamy sent la colère monter en lui et il se retrouve à deux doigts de perdre son calme. Comment ces enfoirés peuvent-ils se permettre de *rire* alors que sa petite sœur et quatre-vingt-dix-neuf autres gamins sont sur le point de partir pour une expédition qui a tout de la mission suicide ?

2 : 32... 2 : 31... 2 : 30...

Le sourire aux lèvres, la femme qui a déclenché le compte à rebours murmure à l'oreille du chancelier, mais celui-ci la fusille aussitôt du regard et s'éloigne d'elle.

Les gardes commencent à remonter tranquillement la rampe, le dos tourné au vaisseau. Soit ils pensent qu'ils ont mieux à faire que d'être parmi les rares témoins de cette première tentative de retour sur Terre, soit ils craignent que l'engin millénaire n'explose au décollage et préfèrent aller se mettre à l'abri.

2 : 14... 2 : 13... 2 : 12...

Bellamy prend une profonde inspiration. C'est maintenant ou jamais.

Il se fraye un chemin à contre-courant dans la foule et se glisse derrière un garde costaud dont le holster à la taille n'est pas fermé, laissant la crosse à découvert. Il s'empare de l'arme dans un geste fluide, puis dévale la rampe en quelques grandes enjambées.

Avant que quiconque ne puisse réagir, Bellamy décoche un violent coup de coude dans le ventre du chancelier et lui immobilise la tête d'une clé de bras. S'ensuivent une cavalcade et des cris dans tous les sens, mais les gardes se figent à nouveau lorsque Bellamy appuie le canon de l'arme contre la tempe du chancelier. Bien sûr qu'il ne butera pas ce salaud, mais il doit être le plus convaincant possible pour que les gardes n'interviennent pas.

1 : 12... 1 : 11... 1 : 10...

— Tout le monde recule ! crie Bellamy. Il resserre sa prise, arrachant au chancelier un grognement étranglé. Un bip sonore résonne alors, et les gros chiffres verts virent au rouge sur l'écran. Il reste moins d'une minute. Il n'a plus qu'à attendre que la porte commence à se refermer, à pousser son otage hors du chemin et à se glisser dans le vaisseau. Ils n'auront plus le temps de l'arrêter.

— Vous me laissez monter à bord ou je tire !

Un silence de plomb se fait dans le hall, juste troublé par le bruit caractéristique d'armes dont on retire la sécurité.

Dans trente secondes, il sera soit en partance pour la Terre aux côtés d'Octavia, soit de retour à *Walden* dans une housse mortuaire.

CHAPITRE 4

Glass

À peine Glass a-t-elle bouclé son harnais de sécurité qu'elle entend des cris provenant de l'extérieur du vaisseau. Elle aperçoit une meute de gardes avançant en tenaille sur deux silhouettes à contre-jour. Elle a du mal à distinguer qui est qui dans la mer mouvante d'uniformes gris, mais lorsqu'une moitié des gardes mettent un genou à terre et brandissent leur arme, Glass découvre avec stupéfaction la scène : le chancelier a été pris en otage.

— Tout le monde recule ! crie le forcené, la voix tremblante. Malgré son uniforme, il ne ressemble pas du tout à un militaire : ses cheveux n'ont pas la longueur réglementaire, son uniforme est manifestement trop petit et la manière dont il tient son arme montre qu'il n'a jamais été entraîné à son maniement.

Aucun des gardes ne bouge.

— Reculez, j'ai dit !

La brume où elle est plongée depuis son transfèrement de sa cellule au vaisseau se dissipe comme
une comète glacée qui fond au soleil, laissant une
vaporeuse traîne d'espoir dans son sillage. Glass n'est
pas à sa place ici. Elle ne peut plus faire semblant
de vouloir partir en mission historique sur Terre.
Au moment où le vaisseau quittera la station, son
cœur commencera à se fissurer. C'est ma chance !
se dit-elle soudain, une poussée d'adrénaline la forçant à passer à l'action. Elle détache son harnais et
se lève d'un bond. À peine quelques codétenus lui
jettent-ils un coup d'œil, captivés qu'ils sont par la
scène surréaliste qui se joue sous leurs yeux. Elle
se précipite vers l'arrière du vaisseau où se situe la
deuxième rampe.

— Je pars avec eux ! s'écrie le jeune homme en
reculant à petits pas vers la porte tout en maintenant fermement le chancelier à la gorge. Je pars
avec ma sœur !

Un silence incrédule s'abat alors sur le hall de
lancement. *Sœur.* Le mot résonne dans la tête
de Glass, mais avant que son cerveau n'ait le temps de
mettre des images dessus, une voix familière la tire
de sa rêverie passagère.

— *Relâche-le !*

Glass jette un regard vers l'arrière du vaisseau et
se fige en découvrant le visage de son meilleur ami.
Bien sûr, les rumeurs ridicules selon lesquelles Wells
aurait été mis à l'Isolement lui étaient parvenues,

mais elle n'y avait pas cru une seconde. Qu'est-ce qu'il fabrique ici ? C'est dans les yeux gris de Wells, rivés sur son père, qu'elle trouve la réponse à son interrogation : il s'est fait enfermer pour Clarke... Wells a toujours été prêt à tout pour protéger ceux qui lui sont chers, au premier rang desquels Clarke.

Soudain une détonation se fait entendre – *un coup de feu ?* – et c'est comme si quelque chose en elle lâchait tout à coup. Sans prendre le temps de penser ni même de respirer, elle pique alors un sprint jusqu'à la porte du vaisseau, puis poursuit son effort jusqu'en haut de la rampe. Elle s'interdit de se retourner, courant plus vite que jamais elle n'a couru auparavant. Son timing est parfait : pendant quelques secondes, les gardes restent pétrifiés sur place, comme transformés en statue par les échos de la détonation. Puis ils recouvrent l'usage de leurs membres.

— Une détenue s'évade ! hurle l'un d'eux, faisant se retourner ses camarades comme un seul homme dans sa direction. La silhouette en mouvement de Glass semble réveiller chez eux des réflexes travaillés inlassablement à l'entraînement. Peu importe que la cible soit une jeune fille de dix-sept ans. Ils sont programmés pour faire fi de cette épaisse chevelure blonde et de ces grands yeux bleus qui ont toujours donné envie aux gens de protéger Glass. Ils ne voient en elle qu'un détenu qui essaie de s'enfuir.

Elle passe enfin la porte, ignorant les cris de plus en plus irrités de ses poursuivants. Elle enfile à toute vitesse le long passage qui mène tout droit à *Phoenix*, le souffle court et le cœur en surrégime.

— Eh ! Arrêtez-vous ! lui lance un garde dont les bruits de pas font écho aux siens.

Glass tente de remettre un coup d'accélérateur. Si elle court assez vite assez longtemps, et que la chance qui l'a toujours fuie décide enfin de se manifester, elle pourra peut-être revoir Luke une dernière fois. Et peut-être, oui, peut-être réussira-t-elle à se faire pardonner…

Au bord de l'asphyxie, Glass emprunte une voie de traverse, bordée de portes toutes similaires. Son genou droit se dérobe soudain et elle est obligée de se rattraper au mur. Sa vision se brouille, mais un rapide examen du couloir lui révèle les contours flous d'une grille de ventilation. Elle glisse le bout de ses doigts entre deux lames de métal et tire d'un coup sec. La satanée grille ne bouge pas. Encore un effort et elle se descelle du mur dans un grincement aigu. Glass la fait pivoter sur ses gonds, révélant un tunnel étroit et sombre, tapissé de vieux tuyaux rouillés. Elle s'y hisse sur des bras tremblants et rampe sur le ventre jusqu'à pouvoir ramener ses jambes à l'intérieur. Elle accueille avec délice le contact froid du métal sur sa peau brûlante, puis rassemble ses toutes dernières forces pour refermer la plaque de ventilation. Elle tend l'oreille, mais ne perçoit plus aucun signe de poursuite, ni cris, ni bruits de pas, juste les battements affolés de son cœur.

Glass cligne des yeux dans l'obscurité presque totale et tâche de se repérer. L'étroit conduit semble continuer tout droit à l'horizontale, recouvert sur sa longueur d'une épaisse couche de poussière. Elle doit se trouver dans l'un des puits d'aération originels, ceux qui datent d'avant la rénovation du système de filtration par la Colonie. Elle n'a aucune idée d'où ils peuvent bien mener. À court d'options, elle se retourne sur le ventre et se met à ramper.

Après ce qui lui semble des heures, les genoux et les coudes brûlants du frottement incessant contre la tôle, elle parvient à une fourche dans le tunnel. Si son sens de l'orientation ne lui fait pas défaut, la bifurcation vers la gauche devrait mener jusqu'à *Phoenix* tandis que l'autre, longeant la passerelle en verre, la conduirait vers *Walden*, et vers Luke.

Luke, le garçon qu'elle aime et qu'elle a dû abandonner il y a déjà tant de mois. Luke à qui elle a pensé toutes les nuits dans sa cellule à l'Isolement, au contact de ses mains qu'elle pouvait presque se persuader de sentir sur sa peau...

Glass prend une profonde inspiration et choisit l'embranchement de droite, ne sachant pas si elle se dirige vers la liberté... ou une mort certaine.

Dix minutes plus tard, la voilà qui se glisse hors de la bouche d'aération et atterrit en douceur sur le sol. Elle lâche une quinte de toux tandis que le nuage de poussière dans son sillage retombe lentement. Elle est arrivée dans une sorte d'entrepôt. Le temps que ses yeux s'ajustent à la pénombre ambiante, les formes floues qu'elle distingue gagnent peu à peu en netteté jusqu'à devenir des lettres. Elle réalise alors qu'elle est entourée de messages gravés à même le mur.

Repose en paix.
In memoriam.
Des étoiles jusqu'au Ciel.

Glass se trouve sur le ponton de quarantaine, la plus ancienne partie de *Walden*. À l'époque où les armes atomiques et biochimiques menaçaient de détruire la Terre, l'espace avait été la seule option pour les rares qui avaient eu la chance de survivre aux premiers temps du Cataclysme. Hélas, certains survivants contaminés qui étaient parvenus jusqu'à la station en capsules de transport s'étaient vu refuser l'entrée de *Phoenix* et avaient dû aller mourir sur *Walden*. Depuis, au moindre signe de maladie, la personne soupçonnée d'être infectée était mise immédiatement en quarantaine, bien à l'écart de la population vulnérable de la Colonie, les derniers représentants sains de l'espèce humaine.

Glass ne peut réprimer un frisson en se dirigeant à grandes enjambées vers la porte de la salle. Pourvu qu'elle n'ait pas rouillé avec les siècles... À son grand soulagement, elle réussit à l'ouvrir dès la première tentative et elle prend le soin d'enlever sa veste trempée de sueur et grise de crasse avant de s'engager dans le couloir au petit trot. En T-shirt blanc et pantalon de détenu, elle pourra avec un peu de chance passer pour une ouvrière, une femme de ménage peut-être. Elle jette un regard inquiet au bracelet qui lui enserre le poignet : n'est-il conçu que pour fonctionner sur Terre ou marche-t-il déjà à bord de la station ? Dans les deux cas, il va lui falloir trouver un moyen de s'en débarrasser le plus vite possible. Même si elle évite tous les passages nécessitant un scan de la rétine, l'ensemble des gardes de la Colonie doit être à sa recherche à l'heure qu'il est.

Son seul espoir est qu'ils l'attendent sur *Phoenix*. Jamais ils n'iront imaginer qu'elle est revenue ici. Elle gravit quatre à quatre l'escalier principal de *Walden* jusqu'à l'étage de l'unité résidentielle de Luke. Elle emprunte le couloir qui y mène et essuie ses mains moites sur son pantalon, soudain encore plus nerveuse que tout à l'heure à bord du vaisseau de sauvetage.

Comment va-t-il réagir en la découvrant sur le pas de sa porte après plus de neuf mois sans nouvelles ?

Peut-être qu'il n'aura même pas besoin de parler et que, dès qu'elle ouvrira la bouche pour déverser un torrent d'excuses, il la fera taire d'un long baiser, lui prouvant que tout va bien. Qu'il l'a pardonnée...

Glass regarde par-dessus son épaule avant de sortir sans un bruit. A priori personne ne l'a vue, mais elle doit prendre un maximum de précautions. Il est terriblement impoli de quitter une cérémonie d'Association avant la bénédiction finale, mais Glass n'a pas le courage de supporter une seconde de plus l'haleine immonde de Cassius et ses pensées encore plus dégoûtantes. Ses mains baladeuses lui rappellent Carter, le colocataire de Luke aux deux visages et dont le côté pervers ne ressort que lorsque Luke va prendre son tour de garde.

Glass monte l'escalier qui mène au pont d'observation, prenant soin de soulever l'ourlet de sa robe à chaque marche. Quelle idée stupide d'avoir été dépenser tant de points de rationnement pour quelques bouts de tissu et de bâche qu'il lui a fallu tant d'efforts pour transformer en une robe-fourreau argentée ! Sans Luke présent pour la voir, ça lui semble un tel gâchis...

Elle déteste passer la soirée avec un autre garçon, mais la mère de Glass refuse de la laisser assister à quelque événement que ce soit sans un chaperon. À ce qu'elle sache, sa fille est toujours célibataire. Et elle n'arrive pas à comprendre pourquoi cette dernière n'a pas « gagné le cœur » de Wells. Peu importe le nombre de fois où Glass a expliqué à sa mère qu'elle n'éprouvait pas ce type de sentiment envers lui, celle-ci finit toujours par marmonner qu'elle ne laissera pas une fille de scientifiques habillée comme un sac voler cet excellent parti à sa propre fille. Glass, elle, est ravie que Wells soit tombé amoureux de la belle Clarke Griffin, même si elle la trouve un peu trop sérieuse. Elle souhaite seulement pouvoir dire la vérité à sa mère : qu'elle est amoureuse d'un jeune homme beau et intelligent qui ne peut jamais l'accompagner au concert ou aux cérémonies d'Association.

— M'accorderez-vous cette danse ?

Glass manque s'étrangler lorsqu'elle fait volte-face, mais les yeux bruns qui plongent dans les siens font éclore un large sourire sur ses lèvres.

— Que fais-tu ici ? chuchote-t-elle en jetant un regard furtif autour d'elle pour s'assurer qu'ils sont bien seuls.

— Je ne pouvais pas te laisser en pâture à tous les garçons de *Phoenix*, lui murmure-t-il à l'oreille avant de reculer d'un pas pour mieux admirer sa robe. Pas quand tu es habillée comme ça...

— Tu sais pourtant ce que tu risques si jamais ils t'attrapent ici...

— Encore faudrait-il qu'ils arrivent à me suivre, répond-il en la prenant par la main et en la faisant tournoyer au gré de la musique qui monte de l'auditorium.

— Repose-moi ! dit-elle en riant à moitié et en lui décochant un petit coup de poing sur l'épaule.

— Est-ce là, pour une jeune fille, une manière de s'adresser à un prétendant ? demande-t-il en imitant très mal l'accent snob de *Phoenix*.

— Allez, viens, tu ne devrais vraiment pas être là, lui glisse Glass entre deux gloussements.

Luke s'arrête soudain et la dévisage d'un air sérieux.

— Où que tu sois, c'est là ma place.

— Trop risqué..., susurre-t-elle à mi-voix en se mettant sur la pointe des pieds.

— Dans ce cas, autant en profiter à fond, exhale-t-il avant de plaquer ses lèvres contre celles de Glass.

Glass s'apprête à toquer une nouvelle fois lorsque la porte s'ouvre. Son cœur en oublie de battre un instant. Il se tient devant elle, ses cheveux blonds comme les blés et ses iris bruns deux puits sans fond, exactement comme elle les a rêvés tant de fois dans sa cellule. À l'évidence, Luke ne peut masquer sa surprise et la regarde avec des yeux ronds.

— Luke…, soupire-t-elle, toutes les émotions qu'elle a gardées en elle pendant ces interminables neuf mois affleurant dans ce simple mot. Elle a désespérément besoin de lui raconter ce qui s'est passé et pourquoi elle a rompu avec lui avant de disparaître. Qu'elle a passé chaque minute de ces derniers mois cauchemardesques à ne penser qu'à lui. Qu'elle n'a jamais cessé de l'aimer.

— Luke, répète-t-elle, une larme silencieuse lui coulant le long de la joue.

Après toutes ces fois où elle s'est effondrée en larmes à l'Isolement, chuchotant son prénom entre deux sanglots, Glass éprouve un fort sentiment d'ir-réalité à enfin pouvoir le lui dire en face.

Mais avant qu'elle ait le temps de trier le flot de mots qui lui traversent l'esprit, une autre sil-houette apparaît à la porte, une fille aux cheveux roux ondulés.

— Glass ?

Glass essaie d'adresser un sourire à Camille, l'amie d'enfance de Luke, une fille qui était aussi proche de lui que Glass l'était de Wells. Et voilà qu'elle est… dans l'appartement de Luke. *Bien sûr*, se dit Glass intérieurement, luttant contre l'amertume qui menace de la submerger. Elle s'est toujours demandé s'il n'y avait pas plus dans leur relation amicale que Luke n'avait bien voulu l'avouer.

— Tu vas bien te donner la peine d'entrer, propose Camille avec une politesse surjouée. Lorsqu'elle entrelace ses doigts à ceux de Luke, Glass a plutôt l'impression qu'elle les lui plonge dans le cœur. Pendant qu'elle se languissait de Luke dans sa cellule, jusqu'à en éprouver une intolérable douleur physique, lui s'était mis avec une autre fille.

— Non… merci, non, balbutie Glass, la voix enrouée. Même si elle parvenait à trouver les mots justes, il lui serait à présent impossible de dire la vérité à Luke. De les voir ainsi ensemble rend soudain son évasion ridicule : tout ce chemin parcouru et les risques insensés qu'elle a pris pour un garçon qui a déjà tourné la page…

— Je passais juste dire bonjour.

— Tu passais pour dire *bonjour* ? répète Luke, incrédule. Après presque un an où tu as ignoré tous mes messages, tu t'es dit : « Tiens, et si je passais voir Luke ? » !

Il n'essaie même pas de masquer sa colère et Camille lui lâche la main qu'il crispe désormais en un poing rageur. Son sourire se fige en une grimace hostile.

— Je… je sais, je suis désolée, je vais vous laisser.

— Dis-moi au moins ce qu'il se passe vraiment ! s'emporte Luke avant d'échanger un regard interloqué avec Camille, lequel fait se sentir Glass ridicule et tellement seule.

— Rien, s'empresse-t-elle de répondre en essayant sans succès de masquer le chevrotement dans sa voix. Je te parlerai… je te verrai…

Glass s'interrompt et leur adresse un petit sourire forcé avant de prendre une profonde inspiration pour combattre son envie de se jeter dans les bras de Luke.

Au moment où elle s'apprête à tourner les talons, elle aperçoit un garde dans sa vision périphérique et baisse la tête le temps qu'il passe derrière elle.

Lorsque Glass relève le menton, elle voit le visage de Luke se fermer. Les mouvements de ses yeux lui indiquent qu'il lit un message à l'écran implanté sur sa cornée. À en croire la crispation de sa mâchoire, Glass pressent avec angoisse que ce message la concerne.

Une lueur de compréhension éclaire alors les traits de Luke, laissant rapidement place à l'horreur.

— Glass, lui dit-il dans un souffle, tu étais à l'Isolement.

Ce n'est pas une question et elle hoche la tête pour confirmer.

Luke scrute longuement son visage, comme s'il pouvait lui apporter des réponses aux questions qui se bousculent dans sa tête, puis il soupire et lui pose une main dans le dos. En sentant la pression de ses doigts à travers le tissu fin de son T-shirt, et malgré sa profonde appréhension, Glass ne peut s'empêcher d'être traversée d'un frisson d'aise.

— Viens, lâche-t-il en l'attirant à lui.

Sans faire le moindre effort pour dissimuler son agacement, Camille s'efface pour laisser passer Glass. Luke claque la porte d'un geste brusque.

Le petit salon est plongé dans l'obscurité : Glass a dérangé Luke et Camille dans le noir… Elle essaie de ne pas s'appesantir sur ce que cela implique tandis que Camille va s'asseoir dans le fauteuil que l'arrière-grand-mère de Luke avait dégotté à la Bourse d'échange. Embarrassée, Glass ne sait pas trop si elle doit aussi prendre un siège. D'une certaine manière, être l'ex de Luke la trouble plus encore que son statut de détenue en cavale. Ses six mois passés à l'Isolement lui ont certes permis de digérer son casier judiciaire, mais elle ne s'était jamais imaginée se sentir étrangère dans cet appartement pourtant si familier.

— Comment as-tu réussi à t'échapper ?

Glass prend le temps de composer sa réponse. Elle a répété mille fois en cellule le discours qu'elle tiendrait à Luke si elle avait la chance de le revoir. Mais maintenant qu'elle est en face de lui, toutes les phrases qu'elle a ressassées lui semblent égoïstes et mesquines. Force est de constater qu'il a l'air de bien aller. Pourquoi irait-elle lui dire la vérité, à part pour le reconquérir et se sentir moins seule ? D'une voix mal assurée, elle lui fait alors un bref compte-rendu de la mission secrète des 100, de la prise d'otage et de la course-poursuite dans les couloirs du vaisseau.

— Il y a quelque chose que je n'arrive toujours pas à comprendre, dit Luke en jetant un coup d'œil à Camille qui ne prend plus la peine de faire semblant de ne pas écouter. Comment as-tu atterri à l'Isolement ?

Glass détourne le regard, incapable de soutenir le sien, tout en se creusant la cervelle pour trouver une explication satisfaisante. Elle ne peut pas lui dire, pas maintenant qu'il a commencé une nouvelle vie. Pas quand il est clair que ses sentiments pour elle ont changé du tout au tout.

— Je ne peux pas t'en parler, murmure-t-elle dans un souffle. Tu ne comprendrais...

— OK ! l'interrompt-il sèchement. J'ai bien compris qu'il y a plein de choses que je ne peux pas comprendre.

L'espace d'un instant, Glass regrette de ne pas être restée à bord du vaisseau aux côtés de Clarke et de Wells. Elle se sentirait à coup sûr moins seule sur une Terre abandonnée qu'à un mètre à peine du garçon qu'elle aime.

CHAPITRE 5

Clarke

Les dix premières minutes, les prisonniers sont toujours sous le choc de la fusillade qui s'est déroulée sous leurs yeux. Ils n'ont pas encore pris conscience qu'ils allaient flotter à travers l'espace, les premiers humains à quitter la Colonie depuis presque trois cents ans. Le garde renégat a réussi son coup de poker : il a repoussé le corps inanimé du chancelier au dernier moment pour s'engouffrer par la porte qui se refermait. Il s'est alors affalé dans un siège, la pâleur de son visage laissant comprendre à Clarke que les coups de feu ne faisaient manifestement pas partie de son plan.

Et pourtant, elle était moins choquée du fait que le chancelier se soit fait tirer dessus, que d'avoir vu Wells en chair et en os à bord du vaisseau.

Clarke était persuadée dans un premier temps que son apparition à la porte de la navette ne pouvait être qu'une hallucination due au stress de la situation.

La probabilité qu'elle soit devenue folle pendant son confinement était largement plus haute que celle que le fils du chancelier se retrouve condamné à l'Isolement. Elle avait déjà été suffisamment choquée en voyant Glass, la meilleure amie de Wells, se faire enfermer dans la cellule en face de la sienne. Et maintenant, Wells aussi ? Cela semble impossible, mais ses sens lui confirment pourtant l'inconcevable. Elle l'a vu bondir de son siège lors de la prise d'otage, puis s'effondrer quand l'un des vrais gardes a tiré et que l'imposteur a sauté dans l'habitacle du vaisseau, l'uniforme couvert de sang. Un instinct enfoui l'a même fait hésiter à aller le réconforter, mais un poids autrement plus lourd que celui du harnais de sécurité l'a retenue dans son fauteuil. À cause de lui, elle a dû voir ses parents emmenés à la chambre d'exécution. Il a bien mérité de souffrir à son tour.

— *Clarke !*

Un coup d'œil sur le côté lui révèle la présence de Thalia quelques rangs devant elle. Sa vieille amie, entortillée dans son harnais, lui sourit de toutes ses dents. Elle est bien la seule à ne pas avoir les yeux rivés sur le faux garde. Malgré la gravité de la situation, elle ne peut s'empêcher de lui renvoyer son sourire. Thalia produit cet effet-là. Dans les jours qui ont suivi l'arrestation de Clarke et l'exécution de ses parents, alors que son chagrin était si intense qu'elle avait du mal à respirer, Thalia avait réussi à la faire rire en imitant un garde prétentieux dont le pas traînant se transformait en démarche de paon chaque fois qu'il savait que les filles le regardaient.

— *C'est lui ?* articule Thalia exagérément en désignant Wells d'un geste du menton. Elle est la seule au courant, à propos des parents de Clarke bien sûr, mais aussi du geste indicible qu'elle a commis.

Clarke secoue la tête pour indiquer à son amie que ce n'est pas le moment d'évoquer ce sujet, mais Thalia insiste. Clarke est sur le point de l'envoyer balader plus violemment lorsque la mise en marche bruyante des réacteurs lui rappelle où elle se trouve.

Ce n'est donc pas un rêve. Pour la première fois depuis des siècles, des humains s'aventurent en dehors de la Colonie. Elle balaye les rangées de sièges du regard et constate que tout le monde s'est tu. C'est comme une minute de silence en hommage au monde qu'ils laissent derrière eux.

Ce moment solennel ne dure toutefois pas longtemps, et les conversations excitées reprennent de plus belle pendant les vingt minutes qui suivent. Et dire qu'il y a quelques heures à peine, ces cent personnes n'avaient jamais imaginé aller un jour sur Terre… Clarke voit Thalia essayer de lui crier quelque chose, mais sa voix est noyée dans le brouhaha ambiant.

La seule conversation que Clarke parvienne à entendre est celle de ses deux voisines de devant, en plein débat pour savoir si l'atmosphère terrestre sera respirable ou non.

— Je préférerais encore tomber raide morte plutôt que d'agoniser pendant des jours, conclut l'une d'un air sombre.

Clarke a beau être d'accord, elle garde la bouche fermée : rien ne sert de spéculer, ils seront de toute façon très vite fixés sur leur sort puisque l'objectif Terre n'est plus qu'à quelques minutes de vol.

À travers les vitres, elle voit de gros nuages gris s'amasser autour du vaisseau, puis perçoit un choc soudain. La rumeur de la conversation se mue en une nuée de cris aigus.

— Tout va bien, ne paniquez pas ! s'écrie Wells qui ouvre la bouche pour la première fois du voyage. Il est normal de rencontrer une zone de turbulences quand on pénètre dans l'atmosphère.

Mais ses paroles de réconfort se perdent dans la cacophonie.

Les secousses redoublent alors d'intensité, avant de laisser place à un bourdonnement inquiétant. Clarke se retrouve ballottée dans son harnais comme une poupée désarticulée, de droite et de gauche d'abord, puis de haut en bas. Une odeur nauséabonde vient ensuite lui emplir les narines, et elle réalise avec un haut-le-cœur que la fille assise devant elle a vomi. Clarke décide de fermer les yeux et d'attendre que ça passe. Tout va bien. Ce sera terminé d'ici une minute.

Le bourdonnement monte en puissance pour se transformer en un sifflement perçant. Un terrible craquement résonne alors : Clarke rouvre les yeux et découvre avec horreur qu'on ne voit plus de nuages à travers les vitres brisées, mais des flammes.

Des débris de métal en fusion pleuvent à l'intérieur de l'habitacle, et elle a beau se protéger le visage de ses deux bras, Clarke sent une brûlure intense lui mordre le cou.

Le vaisseau vibre de plus en plus et dans un rugissement assourdissant, le toit de l'habitacle se déchire comme un vulgaire morceau de carton. S'ensuit un fracas insoutenable qui lui perce les tympans, puis un choc ultraviolent qui fait vibrer tous les os de son corps.

Aussi rapidement que l'infernale cohue a commencé, elle cesse.

La cabine se retrouve dans le noir et le silence le plus complet. Un nuage de fumée s'élève de là où trônait la console de contrôle, et une odeur puissante de métal fondu mêlée à des effluves de sueur et de sang sature les sens de Clarke.

Elle fait bouger ses membres un à un. En dépit de la douleur, elle semble ne rien avoir de cassé. Elle défait la sécurité de son harnais et se lève sur des jambes tremblantes, se tenant au dossier calciné de son siège pour ne pas tomber.

La plupart des occupants du vaisseau sont encore sanglés, mais certains sont affalés dans des positions incongrues, et Clarke en remarque même qui gisent au pied de leur fauteuil. Elle cherche frénétiquement Thalia des yeux, son cœur manquant la lâcher à chaque nouveau siège vide qu'elle rencontre. La confusion qui règne dans son esprit se dissipe peu à peu pour laisser place à une terrible prise de conscience : certains des passagers ont été éjectés de leur siège lors du crash.

Elle avance en claudiquant et se mord la lèvre à chaque pas pour ignorer du mieux qu'elle peut la douleur aiguë qui la lance dans la jambe. Elle atteint enfin le mécanisme d'ouverture du vaisseau et tire de toutes ses forces. Au déclic, elle prend une grande goulée d'air vicié, fait coulisser la porte, puis franchit le seuil.

D'emblée, elle est frappée par les couleurs vives, sans même distinguer de formes. Des bandes bleues, vertes et brunes d'une radiance si intense que son cerveau a du mal à en faire sens. Une bourrasque de vent vient lui flatter les narines, charriant une fraîcheur et des odeurs que Clarke n'arrive pas à identifier. Lorsque sa vision se stabilise enfin, elle ne voit que les arbres. Il y en a des centaines, des milliers, comme s'ils s'étaient tous donné rendez-vous pour accueillir leur retour sur Terre. Leurs énormes branches sont dressées vers le ciel d'un bleu éclatant tels les bras levés d'une foule en délire. Et que dire du sol… Il s'étend de tous côtés à perte de vue, d'une superficie au moins dix fois supérieure à celle du pont le plus long de la Colonie. Cette quantité d'espace disponible reste encore inconcevable pour Clarke et elle se sent proche de l'étourdissement, comme si elle s'apprêtait à s'envoler et flotter.

Des voix derrière elle la tirent bientôt de sa contemplation. Elle se retourne et voit d'autres passagers descendre à leur tour.

— C'est magnifique, soupire une fille à la peau mate en s'accroupissant pour passer la main dans une touffe d'herbe où perle la rosée.

Un garçon trapu esquisse quelques pas hésitants vers l'avant. La force gravitationnelle de la Colonie qui était censée imiter celle de la Terre n'était manifestement pas tout à fait au point.

— Il n'y a aucun problème ! s'exclame-t-il dans un mélange de soulagement et d'incrédulité. On aurait pu revenir depuis longtemps !

— T'en sais rien, réplique la fille. C'est pas parce qu'on arrive à respirer que l'air n'est pas toxique.

Elle lui montre d'un doigt le bracelet qu'ils portent tous au poignet.

— C'est pas pour qu'on soit présentables que le Conseil nous a donné ces beaux bijoux, ils veulent savoir comment nos organismes supportent l'atmosphère heure après heure.

Une fille plus jeune plaque sa veste contre sa bouche en poussant un petit gémissement angoissé.

— C'est bon, tu peux respirer normalement, la rassure Clarke en cherchant Thalia des yeux. Elle aimerait bien pouvoir justifier sa réponse instinctive, mais ils n'ont aucun moyen de savoir si l'air contient encore des radiations et des émanations toxiques. Il ne leur reste plus qu'à attendre et espérer...

— On ne sera pas absents longtemps, lui dit son père en enfilant les manches d'une veste que Clarke ne l'avait jamais vu porter.

Il s'approche du canapé où elle est allongée avec sa tablette et lui ébouriffe les cheveux.

— Ne sors pas trop tard ce soir. Le couvre-feu est appliqué très strictement ces derniers temps. À cause de problèmes sur *Walden*, il me semble.

— J'ai pas l'intention de bouger, répond Clarke en montrant ses pieds nus et le pantalon chirurgical qui lui sert de pyjama.

Pour l'un des scientifiques les plus brillants de la station, son père fait preuve de capacités de déduction laissant parfois à désirer. Bien qu'il soit toujours la tête dans ses recherches, il n'a pas dû lui échapper que les blouses médicales ne sont pas le top du glamour pour une ado de seize ans.

— Il vaudrait mieux en tout cas que tu n'ailles pas traîner du côté du labo, hein, lui dit-il d'un air faussement détaché, comme si cette idée venait juste de lui traverser l'esprit.

En fait, il le lui a répété au moins cinq fois par jour depuis qu'ils se sont installés dans leur nouvel appartement. Le Conseil a approuvé leur demande d'avoir un labo privé monté sur mesure, étant donné que le nouveau projet de ses parents requiert qu'ils interviennent aussi de nuit sur leurs expériences.

— C'est promis ! leur assure-t-elle pour la énième fois.

— C'est à cause des substances radioactives, tu sais que c'est dangereux de s'en approcher, explique sa mère en train de se coiffer devant la glace du salon. Surtout quand on ne porte pas la tenue de sécurité.

Clarke réitère sa promesse et peut enfin se reconcentrer sur sa tablette une fois la porte fermée sur eux. En même temps, elle ne peut s'empêcher de penser à ce que diraient Glass et ses copines si elles savaient qu'elle passe son vendredi soir à rédiger une dissertation. En général, elle est au mieux indifférente aux devoirs que leur donne leur tuteur de littératures terrestres, mais le sujet en question a piqué sa curiosité cette fois. Au lieu de l'habituelle question sur la transformation de la représentation de la nature dans la poésie précataclysmique, il leur a cette fois demandé de comparer la mode des romans sur les vampires au XIXe et au XXIe siècle.

Bien que la lecture soit passionnante, elle a dû piquer du nez un moment car elle se réveille en sursaut et voit que l'éclairage circadien a baissé en intensité, faisant naître des zones d'ombre inquiétantes dans le salon. Elle s'étire et se lève pour regagner sa chambre lorsqu'un bruit étrange vient percer le silence. Clarke se fige. On aurait presque dit un cri. Elle se force à prendre une profonde inspiration pour calmer son pouls qui s'emballe. Ça lui apprendra à lire des histoires de vampires avant d'aller se coucher.

Clarke emprunte le couloir qui mène à sa chambre lorsqu'un nouveau bruit retentit, un cri qui lui glace le sang. *Arrête !* se sermonne-t-elle. Elle ne deviendra jamais médecin si elle laisse son esprit lui jouer des tours. Elle est juste un peu perturbée par cet environnement encore peu familier et plongé dans la pénombre qui plus est. Tout rentrera dans l'ordre demain matin. Clarke passe sa main devant le scanner de sa chambre et est sur le point de se jeter sur son lit lorsqu'elle entend cette fois un gémissement étouffé.

Le cœur battant la chamade, elle fait demi-tour et s'engage dans le long corridor au bout duquel est installé le labo. Au lieu du scanner rétinien attendu se trouve un digicode. Clarke laisse planer ses doigts au-dessus des touches en se demandant si elle va réussir à deviner le mot de passe, puis elle s'accroupit et colle l'oreille contre la lourde porte.

Celle-ci se met à vibrer légèrement sous l'impulsion d'un autre son. Clarke déglutit à grand-peine. *Ce n'est pas possible !* Et pourtant, quand le bruit recommence, il lui parvient encore plus clairement. Il ne s'agit pas d'une plainte sourde, ce sont des mots.

— *S'il vous plaît.*

Ni une, ni deux, Clarke tape frénétiquement sur le clavier le premier mot qui lui passe par la tête. *Pangée.* C'est le code que sa mère utilise pour ses dossiers protégés. La console clignote rouge et émet un bip d'erreur. Elle décide de rentrer ensuite le mot *Elysium*, le nom de la mythique ville souterraine où, selon les histoires que les parents aiment raconter à leurs enfants, les derniers humains se seraient réfugiés après le Cataclysme. Nouveau message d'erreur. Clarke se creuse la cervelle à la recherche de mots qu'affectionnent ses parents. Ça y est ! *Lucy*, le nom célèbre d'un des plus vieux ossements hominidés découverts par des archéologues nés sur Terre. Ses doigts tapent le nom à toute vitesse sur le clavier, et cette fois la console émet une série de bips avant que les pênes ne se désengagent.

Le laboratoire s'avère beaucoup plus spacieux qu'elle ne l'imaginait, plus grand même que leur appartement, et il est rempli de rangées de lits étroits, comme à l'hôpital.

Clarke n'en croit pas ses yeux tandis qu'elle balaye la pièce du regard : chaque lit contient… *un enfant* ! La plupart d'entre eux dorment, reliés qu'ils sont à diverses machines et cathéters, mais certains sont adossés contre leur oreiller et consultent leur tablette. Une fillette de guère plus de deux ans est assise par terre au pied de son lit et s'amuse avec un ours en peluche miteux pendant qu'un liquide translucide lui coule en intraveineuse dans le bras.

Le cerveau de Clarke se met immédiatement en quête d'une explication rationnelle : ce sont sans doute des enfants malades qui ont besoin de soins vingt-quatre heures sur vingt-quatre. Peut-être souffrent-ils d'une affliction rare que seule sa mère est en mesure de guérir ? ou peut-être que son père finalise l'élaboration d'un nouveau vaccin et a besoin d'y travailler nuit et jour ? Ils ont dû se douter que Clarke serait curieuse, mais puisque la maladie est certainement contagieuse, ils ont préféré mentir pour sa sécurité.

Le même cri qu'elle a entendu de sa chambre reprend, cette fois beaucoup plus audible. Elle en repère la source à l'autre bout du laboratoire.

Une jeune fille de son âge – l'une des plus âgées de la salle, constate Clarke – est allongée sur le dos, ses cheveux châtains étalés sur l'oreiller autour de son visage pâle en forme de cœur. La fille reste à dévisager Clarke sans mot dire pendant un instant.

— S'il vous plaît, articule-t-elle enfin, aidez-moi.

Clarke consulte l'étiquette attachée à la feuille de soins de l'adolescente : « SUJET 121 ».

— Comment t'appelles-tu ? lui demande-t-elle d'une voix douce.

— Lilly.

Clarke est un peu mal à l'aise de rester debout, et lorsque Lilly se pousse sur le côté pour lui faire de la place, elle s'assoit sur le bord du lit. Elle vient à peine de commencer sa période d'interne à l'hôpital et n'a pas encore été directement en contact avec les patients, mais elle sait que la première rencontre est un des points cruciaux de la formation des médecins.

— Je suis sûre que tu pourras bientôt rentrer à la maison, lui dit-elle d'une voix qu'elle veut apaisante, dès que tu te sentiras mieux.

La fille ramène ses genoux contre sa poitrine et y colle sa tête avant de marmonner des paroles inintelligibles.

— Qu'est-ce que tu as dit ? demande Clarke en cherchant des yeux une éventuelle infirmière ou un aide-soignant présent pour pallier l'absence de ses parents. Personne apparemment... S'il devait arriver quelque chose à l'un de ces enfants, personne ne pourrait intervenir.

La fille relève la tête sans croiser le regard de Clarke. Elle se mord nerveusement la lèvre tandis que ses yeux embués se vident de toute expression. Lorsqu'elle reprend la parole, c'est dans un murmure :

— Personne ne va jamais mieux.

Clarke réprime un frisson. Les maladies sont extrêmement rares à bord de la Colonie. Il n'y a eu aucune épidémie depuis la fois où ils ont dû instaurer une zone de quarantaine sur *Walden*. Elle inspecte du regard les murs du labo en espérant y découvrir quelque indication du mal que ses parents y traitent, et ses yeux finissent par s'arrêter sur un écran massif accroché à un mur. Des données y défilent en permanence en dessous d'un graphique évolutif. *Sujet 32. Âge 7. Jour 189. 3,4 Gy. Décompte rouge. Décompte blanc. Respiration. Sujet 33. Âge 11. Jour 298. 6 Gy. Décompte rouge. Décompte blanc. Respiration.*

Rien de bien choquant à première vue, il est après tout normal que ses parents surveillent l'évolution de leurs jeunes patients. Sauf que *Gy* ne renvoie à aucune statistique vitale. C'est l'abréviation de *Gray*, l'unité de mesure des doses radioactives absorbées par un corps, Clarke le sait pour avoir suivi depuis des années les travaux de ses parents sur l'irradiation. Leur étude doit à terme déterminer s'il est prudent ou non de retourner sur Terre.

Le regard de Clarke se repose sur Lilly tandis qu'une terrible pensée s'extirpe en rampant de son inconscient. Elle tâche de la combattre, de la faire repartir, mais l'idée vient étouffer toute dénégation dans l'œuf, ne lui laissant plus qu'une seule et insoutenable certitude à l'esprit : le champ de recherche de ses parents ne se limite plus aux cellules souches, ils sont passés à la phase de test sur des cobayes humains. Et ils n'essaient aucunement de sauver ces enfants… ils sont en train de les tuer à petit feu.

Ils ont atterri dans une sorte de clairière en forme de L entourée d'arbres massifs.

La plupart des blessures sont sans gravité, mais leur nombre fournit à Clarke de quoi grandement s'occuper. Pendant presque une heure, elle utilise des bandes de tissu arrachées à divers pantalons et vestes pour confectionner des garrots. Elle a ordonné aux rares passagers à souffrir de fractures de demeurer allongés sans bouger, d'ici à ce qu'elle trouve de quoi leur fabriquer des attelles de fortune. Les provisions jonchent un large périmètre autour du vaisseau, mais bien qu'elle ait envoyé plusieurs petits groupes à la recherche des malles à pharmacie, celles-ci n'ont toujours pas été retrouvées.

Le vaisseau encore fumant s'est crashé dans la partie étroite de la clairière, et les 100 sont restés regroupés autour durant les dix premières minutes suivant l'atterrissage, trop groggy et effrayés pour oser s'éloigner de plus de quelques mètres. Ils ont désormais pris davantage d'assurance et s'emploient à diverses tâches. Clarke n'a toujours pas revu ni Thalia ni Wells, et hésite encore entre l'appréhension et le soulagement. Peut-être ce dernier est-il parti avec Glass. Clarke ne l'a pas vue à bord, mais elle doit bien être quelque part.

— Comment tu te sens à présent ? demande Clarke après avoir terminé de strapper le mollet gonflé d'une jeune fille toute mignonne aux cheveux bruns attachés par un chouchou rouge défraîchi.

— Mieux, merci, répond-elle en s'essuyant le nez du revers de la main, étalant malgré elle le sang qui coule de sa coupure à la joue. Clarke va devoir dénicher au plus vite du désinfectant et de vrais

pansements. Ils sont tous exposés à des germes auxquels leur corps n'a jamais dû faire face, multipliant
les risques d'infection.

— Je reviens tout de suite, lui dit Clarke en lui
adressant un sourire. Si les malles à pharmacie ne
se trouvent pas dans la clairière, ça signifie qu'elles
sont sans doute encore dans le vaisseau.

Elle presse le pas jusqu'à la carcasse fumante,
puis en fait le tour à la recherche de l'entrée la
plus praticable. Lorsqu'elle atteint le train arrière,
à quelques mètres à peine de la lisière de la forêt,
elle est prise de chair de poule. Les troncs d'arbres
sont tellement resserrés de ce côté que leur feuillage
empêche presque la lumière de passer, créant des
zones d'ombre mouvantes au gré des rafales de vent.

Ses yeux s'étrécissent quand elle remarque une
masse totalement immobile : ce n'est pas une ombre.
Une fille est couchée par terre, pelotonnée contre
les racines d'un arbre. Elle a dû être expulsée par
l'arrière du vaisseau lors de l'atterrissage en catastrophe. Clarke titube jusqu'à la silhouette, les sanglots
lui montant à la gorge : elle reconnaîtrait entre
mille les cheveux courts bouclés de cette fille et les
taches de rousseur sur son nez. *Thalia.*

Clarke franchit les derniers mètres en courant
et s'agenouille à côté d'elle. Du sang s'écoule de
son flanc droit, donnant une teinte rouge foncé à
l'herbe, comme si la Terre elle-même était en train
de saigner. Clarke entend que son amie respire

toujours, mais ses halètements rauques et rapides n'ont rien pour la rassurer.

— Ça va aller, lui chuchote-t-elle en prenant sa main froide et molle dans la sienne. Je te le promets Thalia, ça va aller, tu verras.

Cela sonne plus comme une prière que comme un véritable réconfort, même si elle ne sait pas à qui cette prière s'adresse. Les humains ont abandonné la Terre à ses heures les plus sombres. Cette dernière se fiche sans doute éperdument de combien mourront en tentant d'y revenir.

CHAPITRE *6*

Wells

La fraîcheur du début de soirée fait frissonner Wells. La température a bien baissé depuis qu'ils ont atterri il y a quelques heures. Il se rapproche du feu de camp, ignorant les regards méprisants que lui jettent les deux garçons d'*Arcadia* assis de chaque côté de lui. Toutes les nuits qu'il a passées à l'Isolement ont été peuplées de fantaisies figurant son arrivée sur Terre avec Clarke. Mais au lieu de découvrir en tenant sa main les merveilles que la planète recèle, il n'a eu de cesse de trier les plaques de tôle et les provisions encore valables tout en tâchant d'oublier l'expression qui a traversé le visage de Clarke quand elle l'a reconnu. Non pas qu'il se soit attendu à ce qu'elle lui saute au cou, mais rien ne l'avait préparé à ce dégoût viscéral qu'il avait lu dans ses yeux.

— Tu crois que ton père a déjà clamsé ? le provoque un jeune originaire de *Walden*, déclenchant une salve de rires méchants de la part des garçons à proximité.

Sa poitrine se serre douloureusement, mais Wells se force à ne pas mordre à l'hameçon. Il pourrait facilement régler leur compte à deux gamins de ce gabarit sans dépenser une seule goutte de sueur. Ce n'est pas pour rien qu'il a gagné haut la main le concours de corps-à-corps lors de sa préparation militaire. Mais il est seul et ils sont quatre-vingt-quinze encore vivants, quatre-vingt-seize en comptant Clarke qui est loin d'être sa plus grande fan ces derniers temps.

Lorsqu'on les a fait monter à bord du vaisseau, il a eu un pincement au cœur en n'y voyant pas Glass. Tout *Phoenix* avait été sous le choc quand elle avait été conduite à l'Isolement, quelques jours à peine après la condamnation de Clarke. Mais peu importe les supplices qu'il avait adressés à son père, celui-ci n'avait jamais voulu lui donner la moindre explication la concernant. Il aimerait bien savoir pourquoi elle n'a pas été sélectionnée pour cette mission. Et il a beau essayer de se convaincre qu'elle a pu être graciée, la probabilité qu'elle croupisse encore à l'Isolement dans l'attente de son dix-huitième anniversaire, et donc de sa mort, lui semble hélas beaucoup plus élevée. Voilà qui vient en rajouter à la boule d'angoisse qui lui noue l'estomac.

— Je me demande si Chancelier Junior s'attend à être prem's sur le choix de la bouffe ? lance un jeune Arcadien dont les poches sont pleines à craquer de rations protéinées qu'il a ramassées dans la ruée sur les provisions qui a suivi le crash.

D'après les calculs de Wells, ils ont été envoyés sur Terre avec grosso modo un mois de vivres, lesquels disparaîtront encore plus vite si chacun se constitue ses propres réserves dans son coin. C'est vraiment trop peu, il doit rester un ou deux containers qu'ils n'ont pas encore retrouvés. Ils tomberont forcément dessus en finissant de fouiller l'épave…

— Peut-être qu'il veut aussi qu'on lui fasse son lit, renchérit une fille menue reconnaissable à sa cicatrice sur le front.

Wells prend le parti de les ignorer, préférant se plonger dans la contemplation de ce ciel bleu sombre qui s'étend à perte de vue. C'est pour lui une vision extraordinaire. Il a beau avoir contemplé des photos, il n'aurait jamais imaginé que les couleurs puissent être si profondes. Ça lui fait bizarre de se dire que seule une fine couverture bleue – faite de rien de plus substantiel que des cristaux d'azote et de la lumière réfractée – le sépare de la mer d'étoiles et du seul monde qu'il ait jamais connu. Son cœur se serre en pensant aux trois gamins qui n'ont pas survécu assez longtemps pour profiter de ce spectacle grandiose. Leurs corps sont pour le moment allongés sous des bâches de l'autre côté du vaisseau.

— Des lits ? ricane amèrement un garçon. Si tu vois des lits quelque part, tu me fais signe !

— On est censés dormir où, alors ? rétorque la fille à la cicatrice en balayant la clairière du regard, dans l'espoir peut-être de voir se matérialiser un dortoir aménagé.

Wells se racle la gorge avant de prendre la parole :

— Nos provisions incluent normalement des tentes. Il va falloir qu'on finisse de tout trier pour récupérer tous les accessoires et les monter. Pendant qu'une partie du groupe se charge de ça, ce serait bien qu'un autre groupe parte à la recherche d'un point d'eau pour savoir où établir le campement.

— Ben, ici, ça m'a l'air parfait ! déclare la fille après avoir tourné exagérément la tête de droite et de gauche, déclenchant une nouvelle salve de ricanements.

Wells prend sur lui pour ne pas s'énerver.

— Le fait est que si on est à côté d'un lac ou d'un ruisseau, on pourra…

— Ah, très bien, on dirait que j'arrive à temps pour le cours magistral ! annonce un garçon en se joignant au cercle autour du feu.

Graham.

En dehors de Clarke et de Wells, Graham est le seul originaire de *Phoenix*. Il semble pourtant connaître tous les Arcadiens et les Waldénites par leur prénom, et jouir d'un respect non négligeable auprès d'eux. Wells n'est pas sûr de vouloir savoir ce qu'il a fait pour gagner ce respect.

— Je ne suis pas là pour faire la leçon, j'essaie juste de nous maintenir en vie.

— Intéressant comme point de vue, réplique Graham, un sourcil levé, surtout quand ton père passe son temps à condamner nos amis à mort. Mais te fais pas de bile, je sais que tu es de notre côté, pas vrai ? dit-il en glissant un sourire carnassier à Wells.

Wells jauge un temps l'attitude de son adversaire, avant de faire un petit signe de tête.

— Bien entendu.

— Alors, poursuit Graham, son ton amical démenti par la lueur farouche qui luit dans ses yeux, c'est quoi, l'infraction qui t'a mené direct au trou ?

— C'est pas très poli comme question, si ? répond Wells en tâchant d'adopter un sourire qu'il espère mystérieux.

— Oh, je suis désolé, s'écrie Graham, l'air faussement horrifié. Tu voudras bien m'excuser. C'est juste qu'après huit cent quarante-sept jours à croupir à l'Isolement, on a tendance à oublier les règles de politesse en vigueur sur *Phoenix*.

— Huit cent quarante-sept jours ? répète Wells. On peut donc raisonnablement supposer que tu n'as pas été condamné à l'Isolement pour avoir mal compté les herbes que tu as volées dans l'entrepôt.

— Non, dit Graham en avançant d'un pas vers Wells, en effet.

La foule retient son souffle et Wells voit du coin de l'œil que si certains sont manifestement mal à l'aise, d'autres attendent clairement la suite avec impatience.

— J'ai été condamné pour meurtre.

Ils se défient du regard et Wells fait de son mieux pour demeurer impassible, refusant de donner à Graham la satisfaction de voir combien il est choqué.

— Ah bon ? demande-t-il d'un ton léger, et tu as tué qui ?

— Si tu avais passé un minimum de temps parmi nous, tu saurais que *ça*, c'est pas considéré comme une question très polie, réplique Graham, un sourire glacial aux lèvres.

La tension monte encore d'un cran avant qu'il ne reprenne.

— Mais de toute façon, je sais déjà ce que tu as fait. Lorsque le fils du chancelier se fait foutre en taule, la rumeur court deux fois plus vite. Pas étonnant que tu ne veuilles rien dire. Par contre, maintenant qu'on est là à discuter sympathique-ment entre amis, tu peux peut-être nous expliquer ce qu'on vient foutre ici. Tu sais peut-être aussi pourquoi tant de nos *amis* sont exécutés après leur second procès.

Le sourire de façade est toujours figé sur les lèvres de Graham, mais son ton est désormais chargé de menace.

— Et pourquoi maintenant ? Pourquoi ton père a-t-il décidé de nous expédier ici du jour au len-demain ?

Son père. Pendant toute la journée, absorbé qu'il était par la nouveauté d'être sur Terre, Wells a presque réussi à se persuader que la scène dans le hall d'embarquement – le choc du coup de feu, le sang de son père dessinant une rosace macabre à travers sa chemise – n'avait été qu'un affreux cauchemar.

— Bien sûr qu'il ne va rien nous dire ! Hein, soldat ? le moque Graham en lui adressant un salut militaire.

Les Arcadiens et Waldénites qui ont bu les paroles de Graham se retournent aussitôt vers Wells pour voir comment il va réagir. L'intensité de toutes ces paires d'yeux braquées sur lui lui donnerait presque la chair de poule. Il est effectivement au courant de ce qui se passe. Il sait pourquoi tant de gamins se sont fait exécuter le jour de leur dix-huitième anniversaire, pour des crimes qui valaient acquittement quelques années auparavant. Il sait aussi pourquoi la mission a été bricolée à la hâte sans prendre le temps d'établir une véritable feuille de route.

Il est au courant du moindre détail. Sans doute parce que tout est de sa faute.

— Quand est-ce qu'on pourra rentrer à la maison ? demande un garçon qui ne doit pas avoir plus de douze ans.

Wells est assailli par un élan de pitié envers la mère inconsolable qui doit pleurer pour son enfant quelque part sur la Colonie. Elle ne sait pas qu'il a été propulsé à travers l'espace vers une planète que l'espèce humaine avait anéantie.

— Nous sommes à la maison, lui répond doucement Wells, s'efforçant de mettre le plus de sincérité possible dans sa voix.

En le répétant suffisamment souvent, il parviendra peut-être lui-même à y croire.

Il a été à deux doigts de ne pas assister au concert cette année. Ça a toujours été son événement favori, la seule soirée de l'année où des instruments de musique séculaires sont exhumés de leur caisson sous vide. Regarder les joueurs – qui passent le plus clair de leur temps à s'entraîner sur des simulateurs – tirer de si belles mélodies de ces reliques lui fait l'effet d'être le témoin d'une résurrection. Sculptés et polis par des mains retombées depuis longtemps en poussière, les seuls instruments encore existants dans l'univers produisent les mêmes mélopées envoûtantes qui emplissaient jadis les salles de concert d'une civilisation aujourd'hui disparue. Une fois l'an, Eden Hall résonne d'une musique qui a survécu au départ de l'humanité de sa planète mère.

Mais lorsque Wells pénètre dans l'auditorium, une vaste salle ovale dont un pan entier offre une vue panoramique sur l'espace, le chagrin contre lequel il se bat depuis le début de la semaine se transforme en une douloureuse boule au creux de son estomac. Il est toujours captivé par la vue en temps normal, mais ce soir, les étoiles scintillantes qui ceignent la Terre baignée de nuages lui font penser aux bougies qu'on dispose autour du cercueil lors de la veillée funèbre. Sa mère adorait la musique…

Comme d'habitude, la salle est bondée. Presque toute la population de *Phoenix* est présente, plongée dans des conversations animées. Beaucoup de femmes en profitent pour étrenner une nouvelle robe, exploit aussi coûteux que potentiellement exaspérant, suivant le type de morceaux de tissus qu'elles ont réussi à dénicher à la Bourse d'échange. Il s'avance de quelques pas le long de l'allée centrale, conscient des coups d'œil furtifs qu'on lui jette et des conversations coupées net avant de repartir de plus belle.

Wells essaie de se focaliser sur le devant de la scène où les musiciens sont en train de s'installer sous l'arbre qui a donné son nom à Eden Hall. Selon la légende, alors qu'il n'était qu'une jeune pousse, cet arbre avait miraculeusement survécu au gigantesque incendie qui avait ravagé l'Amérique du Nord, avant d'être déterré et embarqué à bord du *Phoenix* lors de l'Exode. Aujourd'hui, sa cime touche presque le plafond de la salle, ses longues et fines branches s'étendant sur près de dix mètres dans chaque direction. Son feuillage est tellement touffu qu'il ne laisse filtrer que quelques rais de lumière, baignant les concertistes dans une aura verte.

— N'est-ce pas le fils du chancelier ? demande une dame derrière lui.

Une nouvelle vague de chaleur envahit ses joues déjà rouges. Il n'est toujours pas parvenu à s'immuniser contre les gens qui se retournent sur son passage et les regards inquisiteurs qui le suivent partout, et ce soir, c'est encore plus insoutenable.

Il pivote sur ses talons et s'apprête à repartir lorsqu'une main se pose sur son bras. Il se retourne et découvre Clarke qui le dévisage d'un air interrogateur.

— Où est-ce que tu vas comme ça ?

— Je ne me sens finalement pas d'humeur musicale ce soir, lui dit-il avec un sourire triste.

Clarke le regarde droit dans les yeux quelques secondes, puis lui prend la main.

— Reste, s'il te plaît. Pour moi.

Elle le guide vers deux places libres au fond de l'auditorium.

— J'ai besoin de toi pour savoir quels morceaux ils interprètent.

Wells soupire en se laissant tomber dans le fauteuil.

— Je t'ai déjà dit qu'ils jouaient du Bach ce soir, souffle-t-il en jetant un regard plein d'envie vers la sortie.

— Tu sais parfaitement de quoi je parle, reprend Clarke en lui serrant les doigts. Quel mouvement c'est, quel concerto. Et puis surtout, il faut que tu me dises quand applaudir, je me trompe à chaque fois.

Wells lui retourne sa pression des doigts.

Pas besoin d'un tintement de clochette pour annoncer le début du concert. Dès que les premières notes jaillissent, la foule devient silencieuse, l'archet du violoniste coupant les conversations aussi sûrement qu'il court sur les cordes. Entre ensuite en scène la viole de gambe, suivie du hautbois. Il n'y a pas de percussions au programme ce soir, mais peu importe. Le battement de près de deux cents cœurs à l'unisson semble presque palpable à Wells.

— Je me suis toujours dit qu'un lever de soleil sonnerait comme ce morceau, chuchote Wells.

Les mots se sont échappés de ses lèvres presque malgré lui, et il s'attend à ce que Clarke lève les yeux au ciel, ou tout du moins fronce les sourcils. Mais elle aussi est sous le charme de la musique.

— J'aimerais tellement voir un lever de soleil, murmure-t-elle en se lovant contre Wells.

Songeur, il passe sa main dans les cheveux soyeux de la jeune fille.

— J'aimerais tellement assister à un lever de soleil avec toi...

Il se penche et dépose un baiser tendre sur son front.

— Qu'est-ce que tu as de prévu pour dans soixante-quinze ans environ ? lui susurre-t-il à l'oreille.

— Nettoyer mon dentier, le taquine-t-elle, pourquoi ?

— Parce que j'ai une idée pour notre premier rendez-vous galant sur Terre...

Il n'y a presque plus de lumière et le feu de camp projette des ombres dansantes sur les visages autour de Wells.

— Je sais que tout ça doit vous paraître étrange et plutôt intimidant, voire même injuste. Mais si nous sommes ici, c'est pour une bonne raison, déclare-t-il d'une voix forte afin que son auditoire l'entende. Si nous survivons, tout le monde survivra !

Avec quasiment cent têtes tournées vers lui, il se prend à espérer un instant que ses mots aient commencé à fissurer la gangue de méfiance et d'ignorance qui les pétrifie. Jusqu'à ce qu'une nouvelle voix vienne rompre le silence.

— Fais gaffe, Jaha !

Wells se retourne et découvre un grand type vêtu d'un uniforme de garde taché de sang. C'est celui qui s'est invité dans le vaisseau à la dernière minute, celui qui a pris son père en otage.

— La Terre est encore en mode « récupération ». On sait pas combien de discours de merde elle peut supporter...

Sa remarque provoque une nouvelle vague de ricanements autour du feu, et Wells sent la colère monter en lui. À cause de ce type, son père – la personne en charge de la protection de l'espèce humaine tout entière – s'est fait tirer dessus, et il a l'audace de l'accuser *lui* de proférer des conneries ?

— Pardon ? demande Wells en relevant le menton et en le toisant d'un regard dur d'officier.

— Arrête ton petit jeu, OK ? Balance-nous ce que tu penses vraiment ! Si on suit tes ordres à la lettre, tu nous dénonceras pas à ton père, c'est ça ?

— Grâce à toi, mon père se trouve actuellement à l'hôpital. *Où il a reçu les meilleurs traitements possibles et va se remettre rapidement,* conclut Wells en son for intérieur, en priant pour que cela soit vrai.

— S'il est encore vivant..., intervient Graham en partant d'un ricanement.

L'espace d'une seconde, Wells croit discerner une gêne sur le visage de l'autre garçon. Il avance d'un pas, mais une autre voix l'interpelle immédiatement :

— Alors, t'es pas un espion ?

— Un *espion* ?

L'accusation le fait presque rire.

— Ouais, acquiesce le faux garde, tu nous espionnes comme le font vos bracelets, je me trompe ?

Wells prend alors le temps d'étudier le garçon de plus près. Lui a-t-on révélé la véritable fonction des bracelets ou l'a-t-il devinée tout seul ?

— Si le Conseil voulait vous espionner, lâche-t-il sans relever le commentaire sur les transpondeurs, tu penses pas qu'ils auraient choisi quelque chose de moins voyant ?

Le garçon à l'uniforme ensanglanté se fend d'un rictus mauvais.

— On pourra discuter plus tard des bons et des mauvais points de la manière dont ton père gère la Colonie. Pour le moment, j'aimerais juste que tu me répondes : si t'es pas un espion, qu'est-ce que tu viens foutre ici ? Personne ne croit que tu as vraiment été condamné à l'Isolement.

— Je suis désolé, réplique Wells sur un ton qui signifie tout le contraire. T'es sorti de nulle part dans un uniforme volé, tu as pris mon père en otage pour gagner le vaisseau, il me semble que c'est plutôt *toi* qui nous dois une explication !

— J'ai fait ce que je devais pour protéger ma sœur !

— Ta *sœur* ? répète Wells, bouche bée.

Certes, les habitants de *Walden* enfreignent plus souvent la loi en matière de reproduction que ceux de *Phoenix*, mais jamais Wells n'avait entendu parler de quelqu'un ayant un frère ou une sœur – pas depuis le Cataclysme en tout cas.

— Tu as bien entendu, rétorque le garçon, les bras croisés, en le toisant d'un air de défi. Je vais donc te poser ma question une dernière fois : qu'est-ce que tu viens réellement faire ici ?

Wells ne doit d'explications à personne, et surtout pas à ce criminel qui ment sans doute à propos de cette hypothétique sœur, et Dieu sait à propos de quoi d'autre. C'est alors qu'une silhouette en mouvement de l'autre côté du feu attire son attention : Clarke. Elle revient de l'infirmerie improvisée où elle a passé la journée à s'occuper des blessés.

Wells se retourne vers le garçon et lâche un soupir, sa colère retombant aussi subitement qu'elle était arrivée.

— Je suis ici pour la même raison que toi, confie-t-il en jetant un rapide coup d'œil à Clarke qui est encore trop loin pour pouvoir l'entendre. Je me suis fait condamner à l'Isolement pour protéger quelqu'un qui m'est cher.

La foule massée autour du feu accueille cette déclaration dans le silence. Wells les ignore et se dirige vers Clarke en regardant droit devant lui.

À la voir comme ça, si proche, Wells sent son cerveau lui envoyer toutes sortes de messages contradictoires. Le peu de lumière qui baigne la clairière a encore baissé d'intensité et les petites taches dorées qui ornent les yeux verts de la jeune fille semblent luire dans la nuit. Elle est encore plus belle sur Terre qu'à bord de la station.

Au moment où leurs regards se croisent enfin, un frisson incontrôlable parcourt l'échine de Wells. Il y a moins d'un an de cela, il parvenait à deviner ses pensées rien qu'en l'observant. Mais aujourd'hui, son expression demeure impénétrable.

— Qu'est-ce que tu fais ici, Wells ? demande-t-elle d'une voix lasse.

Elle est en état de choc, se dit-il, bien qu'il sache pertinemment que cela n'explique pas cette froideur.

— Je suis venu pour toi, répond-il d'une voix douce.

Le mélange de souffrance, de frustration et de pitié qu'il lit alors sur le visage de Clarke lui transperce le cœur.

— J'aurais préféré que tu ne viennes pas, soupire-t-elle en lui tournant le dos avant de s'éloigner.

Ses mots lui font l'effet d'un coup de poing, et il lui faut plusieurs secondes pour reprendre sa respiration. Il entend alors des voix s'élever derrière lui et il ne peut s'empêcher de se retourner, gagné malgré lui par la curiosité. Tout le monde a le doigt levé vers le ciel qui offre un spectacle des plus grandioses.

Une symphonie de couleurs est en train de s'y jouer : des traînées orange viennent s'inviter dans le bleu royal. Tel un hautbois rejoignant une flûte, le solo devient duo. L'harmonie s'enrichit ensuite crescendo, des touches jaunes et roses ajoutent leurs voix au chœur multicolore. Le ciel alentour s'assombrit, accentuant encore les contrastes. Les mots *coucher de soleil* ne peuvent rendre justice à l'indicible beauté du spectacle qui les surplombe, et pour la centième fois depuis qu'ils ont atterri, Wells remarque intérieurement que tous les mots qu'il a appris pour décrire la Terre sont inadéquats pour rendre compte de sa splendeur.

Même Clarke, qui ne s'est pas reposée une seule seconde depuis le crash, se fige sur place, la tête levée pour mieux apprécier le miracle en cours au-dessus d'eux. Wells n'a pas besoin de voir son visage pour savoir qu'elle a les yeux écarquillés et la bouche légèrement entrouverte à la vue de ce tableau dont elle n'avait pu que rêver jusqu'à maintenant. Dont *ils* n'avaient pu que rêver, se corrige Wells. Il se détourne alors, incapable de regarder le ciel un instant de plus tandis qu'en lui la douleur se rappelle à ses mauvais souvenirs. C'est le premier coucher de soleil auquel des humains ont la chance d'assister depuis trois siècles, et il le contemple seul comme jamais auparavant.

CHAPITRE 7

Bellamy

Bellamy cligne des yeux en regardant le soleil se lever. Il s'était toujours dit que les poètes d'antan racontaient des conneries, ou au moins qu'ils avaient des bien meilleures drogues que celles qu'il avait essayées. Mais force est d'avouer qu'ils avaient raison. C'est une pure hallucination de voir le ciel passer du noir au gris avant qu'il n'explose en nuances multicolores. Non pas que cela lui donne envie de pousser la chansonnette ou d'écrire un sonnet : il n'a jamais eu la fibre artistique.

Il se penche pour rajuster la couverture qui a glissé des épaules d'Octavia. Il l'a repérée la veille au soir qui dépassait d'un container et a failli casser les dents de devant à un gamin qui essayait de se l'approprier. Bellamy exhale longuement et observe sa respiration former un paresseux nuage de brume. Celui-ci disparaît beaucoup plus lentement que dans la station orbitale où le système de ventilation aspire l'air avant même qu'on ait le temps de le recracher.

Il promène son regard sur la clairière. Après que cette fille, Clarke, a eu diagnostiqué qu'Octavia ne souffre que d'une méchante entorse à la cheville, Bellamy l'a transportée au pied des arbres où ils se sont installés pour la nuit. Ils resteront à l'écart jusqu'à ce qu'il détermine lesquels des gamins sont de réels criminels et lesquels se sont juste retrouvés au mauvais endroit au mauvais moment.

Bellamy prend la main de sa sœur et la lui serre avec tendresse. C'est à cause de lui qu'elle s'est retrouvée à l'Isolement. C'est à cause de lui si elle est aujourd'hui sur Terre. Il aurait dû se douter qu'elle préparait quelque chose : depuis plusieurs semaines, elle ne cessait de lui répéter combien les enfants de son unité manquaient de nourriture. À partir de là, ce n'était qu'une question de jours avant qu'elle ne trouve le moyen de leur apporter à manger, quitte à voler pour ce faire. Sa petite sœur avait été condamnée à mort pour avoir eu le cœur sur la main.

C'était son boulot de la protéger, et pour la première fois de sa vie, Bellamy avait failli à sa tâche.

Bellamy redresse les épaules et lève le menton. Il est grand pour ses six ans, mais cela n'empêche pas les gens de l'observer du coin de l'œil tandis qu'il fend la foule au centre de distribution. Il n'est pas interdit aux enfants d'y venir seuls, mais cela reste très peu fréquent. Il ressasse dans sa tête la liste que sa mère lui a fait répéter trois fois avant qu'il ne quitte leur appartement. *Ration de fibres : deux crédits. Paquets de glucose : un crédit. Grain lyophilisé : deux crédits. Pétales de tubercule : un crédit. Miche de protéines : trois crédits.*

Il contourne deux femmes qui maugréent à propos de trucs blancs qui ressemblent à de la cervelle. Il lève les yeux au ciel et poursuit son chemin sans s'arrêter. Peu lui importe que *Phoenix* se garde tous les produits cultivés dans ses champs solaires ! Quiconque veut claquer ses crédits dans des légumes a probablement une petite cervelle blanche et spongieuse comme ceux qu'il vient de voir.

Bellamy place ses deux mains sous le distributeur de fibres, attrape le paquet qui en glisse et se le cale sous le bras. Il se dirige ensuite vers le rayon des tubercules lorsque son œil est attiré par une tache de couleur. Il se rapproche de la vitrine et découvre une petite pile de fruits ronds et rouges. Il n'a jamais été particulièrement intéressé par ces produits hors de prix que les marchands gardent sous clé, ces carottes difformes qui lui font penser aux doigts crochus d'une sorcière orange ou ces champignons laids au possible qui ressemblent plus à des zombies de trou noir qu'à de la nourriture. Mais ces fruits-là sont différents : d'un rouge tirant sur le rose, ils lui rappellent le teint de sa voisine Rilla quand ils jouent à l'invasion extraterrestre dans les couloirs de *Walden*. Ou plutôt quand ils y jouaient, avant que le père de Rilla ne soit arrêté par les gardes et la petite fille envoyée au centre d'accueil.

Bellamy se dresse sur la pointe des pieds pour lire le prix affiché sur l'écran digital : onze crédits. Il a conscience que c'est une grosse somme, mais il a envie de faire plaisir à sa mère. Cela fait trois jours qu'elle n'a pas quitté son lit. Bellamy a du mal à imaginer qu'on puisse être aussi fatigué.

— Tu en veux une ? demande une voix irritée. Il porte son regard sur une femme en uniforme vert qui le fusille du regard. Soit tu commandes, soit tu dégages !

Le rouge monte aux joues de Bellamy et il envisage un instant de partir en courant sans demander son reste. Mais l'embarras cède vite la place à une poussée d'indignation. Il ne va pas laisser une vendeuse aigrie priver sa mère de cette gâterie qu'elle mérite tellement.

— J'en prendrai deux ! déclare-t-il du ton hautain qui fait lever au ciel les yeux de sa mère. (*Je me demande bien de qui tu tiens ça ?* s'interroge-t-elle dans ces cas-là.) Et n'allez pas me les salir avec vos gros doigts ! ajoute-t-il avec insolence.

La vendeuse arque un sourcil avant de jeter un coup d'œil aux gardes stationnés derrière la table de transaction. Personne sur *Walden* n'aime les gardes, mais sa mère semble les craindre tout particulièrement. Ces derniers temps, elle prend Bellamy par la main et lui fait faire demi-tour dès qu'elle aperçoit une patrouille. A-t-elle commis un acte illégal ? Les gardes vont-ils venir la chercher comme le papa de Rilla ? *Non*, se promet-il, *je ne les laisserai pas faire !*

Il prend les deux pommes et se rend d'un pas décidé à la table de transaction. Là, une employée du centre de distribution scanne sa carte, déchiffrant d'un air incrédule les informations qui s'affichent sur l'écran de contrôle, avant de la lui rendre dans un haussement d'épaules. L'un des gardes lui jette un regard suspicieux, mais Bellamy se force à regarder droit devant lui. Dès qu'il franchit les portes du centre, il se met à courir, ses paquets serrés contre la poitrine, et atteint en un temps record son unité résidentielle.

Il passe la main sur le scanner digital et referme soigneusement la porte derrière lui. Il est si impatient de montrer à sa mère ce qu'il lui a rapporté ! Il s'avance dans la salle de séjour, mais les lumières ne s'allument pas. Le capteur est-il de nouveau en panne ? Il ressent un vague malaise. Sa mère déteste devoir faire appel aux réparateurs, elle déteste avoir des inconnus à la maison tout court. Mais combien de temps peuvent-ils vivre sans lumière ?

— Maman ! s'exclame Bellamy en courant dans sa chambre. Je suis rentré ! J'ai réussi !

Ici, les lumières fonctionnent et elles se mettent en marche aussitôt la porte passée. Le lit de sa mère est vide.

Une vague de panique l'envahit d'un coup. Elle est partie. Ils sont venus la chercher. Il est livré à lui-même. C'est alors qu'un bruit de pas étouffé lui parvient de la cuisine. Sa terreur se mue instantanément en soulagement, puis en excitation : elle est à nouveau debout !

Il se précipite dans la cuisine. Sa mère se tient face au petit hublot qui donne sur un escalier plongé dans la pénombre, une main posée au bas de son dos comme s'il la faisait souffrir.

— Maman ! Regarde ce que je t'ai rapporté !

Il l'entend prendre une profonde inspiration, mais elle ne se retourne pas.

— Bellamy, dit-elle, comme si elle saluait un voisin de passage. Te voilà. Laisse les courses sur la table et va dans ta chambre. Je viens te voir bientôt.

Il est tellement déçu qu'il reste cloué sur place, il voudrait tant voir l'expression de sa mère lorsqu'elle découvrira les fruits.

— Regarde, insiste-t-il en tendant ses achats à bout de bras – il n'est pas sûr qu'elle puisse les voir dans le reflet de la fenêtre poussiéreuse.

Elle finit par tourner la tête.

— Qu'est-ce que c'est que ça ?

La surprise se peint sur son visage fatigué.

— Des pommes ?

Elle pince les lèvres et se frotte la tempe d'une main nerveuse, le même geste que lorsqu'elle rentrait du travail. Avant qu'elle ne tombe malade.

— Combien elles t'ont… ça n'a pas d'importance. Va dans ta chambre, d'accord ?

Le cœur gros et les paumes moites, Bellamy pose les paquets sur la table. A-t-il fait quelque chose de mal ? C'est ce moment que les lumières choisissent pour vaciller et rendre l'âme.

— *Putain*, lâche sa mère à mi-voix, les yeux rivés sur le plafond. Allez Bellamy, *file* ! lui ordonne-t-elle. Tout du moins, il croit que c'est bien elle. Elle lui tourne à nouveau le dos et sa voix résonne étrangement dans le noir jusqu'à ne plus ressembler à celle de sa mère.

Il lui obéit la tête basse, sans pouvoir s'empêcher de lui jeter un regard furtif avant de sortir de la cuisine. Elle ne se ressemble même plus. Il la voit de profil et son ventre est tout gros et rond, comme si elle cachait quelque chose sous sa chemise. Il court dans sa chambre et cligne des yeux, convaincu qu'ils lui jouent des tours. Bellamy fait de son mieux pour ignorer le frisson glacial qui lui descend le long du dos.

— Comment va-t-elle ce matin ?

Bellamy relève le menton et voit Clarke qui les dévisage, lui et sa sœur, d'un air mal à l'aise.

— Bien, je crois.

— Tant mieux, dit-elle en arquant un sourcil légèrement brûlé. Ce serait quand même dommage que tu mettes à exécution ta menace d'hier soir.

— J'ai dit quoi ?

— Tu as promis que si je ne sauvais pas ta sœur, tu ferais « sauter cette saloperie de planète et tout ce qui vit dessus ».

— Encore heureux que ce soit juste une entorse, déclare-t-il dans un sourire.

Il se penche et la regarde par-dessous d'un air narquois. Elle a des cernes de fatigue violacés sous les yeux. La lumière qui filtre à travers les branches leur donne une teinte verdâtre. Bellamy ressent une pointe de culpabilité d'avoir été odieux avec elle la veille. Il l'avait prise pour une autre de ces snobs de *Phoenix* qui jouait au médecin pour pouvoir s'en vanter lors des fêtes mondaines. Mais la pâleur de son visage et ses cheveux blond-roux collés par le sang et la sueur témoignent du fait qu'elle ne s'est pas accordé une seule minute de repos depuis l'atterrissage.

— Au fait, reprend-il en se remémorant la déclaration de Wells autour du feu de camp et la manière dont elle s'était éloignée de lui sans un regard, pourquoi t'as été si méchante envers Chancelier Junior ?

Elle le dévisage un instant sans mot dire, partagée entre le choc et l'indignation.

Il se demande même si elle ne va pas le frapper, mais elle se contente de secouer la tête d'un air incrédule.

— Ça ne te regarde pas.

— C'est ton petit ami ? insiste Bellamy.

— Non ! rétorque-t-elle sèchement, avant qu'un fantôme de sourire ne vienne hanter ses lèvres. Pourquoi tu veux savoir ?

— C'est pour une enquête que je réalise, réplique-t-il. En fait, j'essaie de déterminer le statut relationnel de toutes les jolies filles sur Terre…

Clarke lève les yeux au ciel, mais quand elle les repose sur Octavia, toute trace d'amusement s'évapore aussitôt.

— Qu'est-ce qui va pas ?

— Rien, s'empresse-t-elle de répondre. J'aimerais juste avoir du désinfectant pour nettoyer sa coupure au front. Et j'ai d'autres patients qui auraient besoin d'antibiotiques.

— On n'a donc rien comme médicaments ? demande-t-il, l'inquiétude palpable dans sa voix.

— Je pense que les kits de première urgence sont tombés du vaisseau lors du crash. On peut se débrouiller sans, ajoute Clarke pour le rassurer, sa mine sombre venant démentir ses propos. Ça devrait aller dans un premier temps, tempère-t-elle, le corps humain a des capacités de guérison insoupçonnées…

Bellamy voit alors le regard de Clarke se poser sur son uniforme taché de sang et ne peut retenir une grimace. Elle pense sans doute au chancelier. Bellamy espère sincèrement qu'il a survécu, il a déjà suffisamment de sang sur les mains. Quoi qu'il en soit, ça ne changerait sans doute pas grand-chose : peu importe qui fera partie de la prochaine fournée envoyée sur Terre, le Conseil chargera l'un d'entre eux d'exécuter Bellamy sur-le-champ, sans considération pour le fait que le coup de feu soit parti accidentellement. Dès qu'Octavia ira mieux, ils partiront tous les deux : ils marcheront plusieurs jours durant, histoire de mettre de la distance entre le groupe et eux, puis ils finiront bien par trouver un endroit où s'installer. Il n'a pas passé des mois à potasser des manuels de survie sur le pont B pour rien ! Il est prêt à affronter tout ce qu'ils pourront rencontrer dans ces bois. De toute manière, ça ne pourra pas être pire que ce qui risque de leur tomber du ciel…

— Dans combien de temps pourra-t-elle remarcher ?

— L'entorse est assez sévère… Je dirais encore quelques jours avant qu'elle puisse se déplacer, et une à deux semaines pour que ça soit totalement guéri.

— Y a des chances que cela soit plus rapide ?

À cette question, les traits de Clarke se détendent en un petit sourire qui fait oublier à Bellamy l'espace d'un instant qu'il est échoué sur une planète potentiellement toxique, au beau milieu de plus de quatre-vingt-dix délinquants.

— Qu'est-ce qui presse donc tant ?

Avant qu'il n'ait le temps de formuler une réponse, quelqu'un appelle Clarke et elle s'éloigne à pas vifs. Bellamy respire plusieurs fois profondément et ce geste simple lui permet de reprendre ses esprits de manière presque magique, lui donnant le sentiment d'être alerte et réveillé comme jamais il ne l'a été. Sans doute l'air se révélera-t-il toxique à long terme, mais chaque inspiration lui fait toucher du doigt une senteur sur laquelle il ne peut pas mettre de mot, comme une belle inconnue qui ne croise pas votre regard, mais qui vous effleure suffisamment pour que vous captiez son parfum.

Il s'aventure de quelques pas vers la lisière des bois, curieux de savoir ce qu'ils cachent mais également anxieux à l'idée de trop s'éloigner d'Octavia. Il ne reconnaît aucun des arbres. En même temps, le seul livre de botanique qu'il avait réussi à se procurer traitait de la flore africaine, et il a entendu Wells dire qu'ils avaient atterri sur la côte Est de ce qu'on appelait autrefois les États-Unis.

Un craquement de brindille le fait soudain se retourner. Une fille au long visage étroit et aux cheveux filasse se tient près de lui.

— Je peux t'aider ? lui demande-t-il.

— Wells dit que tous ceux qui ne sont pas blessés doivent ramasser du bois.

Bellamy sent la moutarde lui monter au nez et adresse un sourire forcé à la fille.

— Je pense pas que Wells soit en position de donner des ordres, donc si ça te gêne pas, je vais faire mes trucs dans mon coin, OK ?

Elle ne sait pas quoi répondre et se dandine d'un pied sur l'autre avant de jeter nerveusement un coup d'œil vers le campement de fortune.

— Allez, du balai ! lui lance Bellamy en la chassant d'un geste de la main.

Il la regarde avec satisfaction déguerpir sans demander son reste.

Il renverse la tête en arrière et, où qu'il pose les yeux, le ciel s'étend à perte de vue. Peu importe l'endroit où ils se trouvent sur cette planète, ça ne pourra qu'être infiniment mieux que dans le monde aseptisé qu'ils viennent de quitter.

Pour la toute première fois de sa vie, il se sent libre.

CHAPITRE *8*

Glass

Glass a passé le reste de la nuit sur le canapé de Luke. Elle est reconnaissante envers Camille de ne pas lui avoir posé de questions lorsqu'elle a refusé de dormir dans l'ex-chambre de Carter. Ils s'étaient mis d'accord sur le fait que Glass serait bien inspirée de rester dans l'appartement de Luke jusqu'à la relève de 6 heures, le nombre de gardes en patrouille diminuant alors sensiblement.

Elle n'a pas arrêté de se tourner et de se retourner, incapable de trouver le sommeil. Chaque mouvement lui rappelant la dure réalité du bracelet mordant ses chairs. Un rappel douloureux du fait que, si elle est en danger, Wells, lui, se trouve à plusieurs centaines de kilomètres, luttant pour sa survie sur une planète qui n'a pas porté la vie depuis tant de siècles. Il a toujours rêvé de voir la Terre, mais pas dans ces conditions-là. Pas quand sa surface est sans doute encore toxique. Pas juste après avoir vu son père touché d'une balle.

Les yeux rivés au plafond, elle ne peut empêcher ses oreilles d'être à l'affût du moindre bruit dans l'obscurité. Le moindre murmure provenant de la chambre de Luke est une torture pour elle. Le silence est encore bien pire.

Juste à l'instant où les lumières circadiennes se manifestent par un rai de lumière sous la porte de l'appartement, celle de la chambre de Luke s'ouvre. Camille puis ce dernier en sortent, les traits tirés. À l'évidence, ils ont très peu dormi. Il a déjà enfilé sa tenue civile, tandis que Camille porte un des vieux T-shirts de Luke qui couvre à peine le haut de ses cuisses minces. Glass détourne les yeux en rougissant.

— Bonjour Glass.

La froideur du ton de Luke vient accentuer le malaise de la jeune fille. La dernière fois qu'il a prononcé ces mots, c'était au lit en lui chuchotant à l'oreille.

— Bonjour, répond-elle après une poignée de secondes, le temps de chasser ce cruel souvenir.

— Il faut qu'on t'enlève ce bracelet.

Glass acquiesce et se lève lentement du canapé. Intimidée par les regards que lui lance Camille, elle finit par croiser les bras.

— Tu es sûr que c'est une bonne idée ? Et si quelqu'un te voyait ?

— On en a déjà parlé, réplique Luke d'un ton où Glass décèle de la frustration, si on ne t'aide pas, ils te tueront ! C'est la seule bonne chose à faire et je ne reviendrai pas dessus.

La seule bonne chose à faire, se répète Glass intérieurement. C'est donc tout ce qu'elle représente maintenant aux yeux de Luke ? Une mort qu'il ne veut pas avoir sur la conscience ?

— Je préfère que ce soit elle qu'ils attrapent plutôt que toi, intervient Camille au bord des larmes.

Luke se penche et lui dépose un baiser sur le front.

— Tout va bien se passer. Je la ramène sur *Phoenix* et je reviens directement ici.

Camille soupire, puis jette à Glass un chemisier et un pantalon.

— Tiens, je sais que t'es habituée à mieux sur *Phoenix*, mais dans cette tenue tu seras déjà un peu plus crédible. Et arrange-moi tes cheveux, sinon tu ne passeras jamais pour une femme de ménage !

Elle pose une main sur le biceps de Luke avant de s'engouffrer dans sa chambre, le laissant seul avec Glass. Les vêtements dans les bras, Glass dévisage Luke qui la fixe lui aussi, tous les deux mal à l'aise. La dernière fois qu'ils se sont vus, elle se serait changée devant lui sans aucune hésitation.

— Tu veux que je…, commence-t-elle en montrant du doigt la chambre de Carter.

— Oh, répond Luke dont les joues rosissent légèrement, non… non, je vais… je reviens.

Sur ces mots, il repart dans sa chambre. Glass se change en quatrième vitesse en tâchant d'ignorer les murmures qui lui parviennent à travers la porte, chacun une nouvelle épingle qui vient se ficher dans son cœur.

Lorsque Luke émerge à nouveau de sa chambre, elle est vêtue d'un pantalon gris trop large qui menace de lui glisser des hanches et d'un T-shirt bleu rêche qui lui irrite la peau. Il l'examine d'un œil critique avant de rendre son verdict :

— Il y a quelque chose qui cloche. Tu ne ressembles plus à une détenue, mais pas à une Waldénite non plus...

Glass tente vainement de défroisser son pantalon en le lissant des mains, se demandant si Luke préfère les filles qui se sentent à l'aise dans cette tenue affreuse.

— Ce ne sont pas les vêtements, finit-il par dire. C'est tes cheveux. Les filles les portent plus courts sur *Walden.*

— Pourquoi ? demande-t-elle, réalisant avec une pointe de culpabilité qu'elle n'avait jamais fait attention à ce détail.

Luke lui répond tout en s'affairant dans un compartiment de rangement encastré dans le mur :

— Sans doute parce que ça demande trop de travail pour s'en occuper. Le rationnement en eau est plus strict sur *Walden* que sur *Phoenix...*

Il se retourne alors d'un air triomphal en bran-
dissant une vieille casquette tachée.

— Merci, lui bredouille-t-elle en esquissant un
timide sourire.

Leurs mains se frôlent lorsqu'il lui tend la casquette, et elle s'empresse de se la visser sur la tête.

— On n'y est pas encore tout à fait.

Il s'approche et lui retire le couvre-chef d'une
main, tandis que de l'autre il attrape avec douceur
sa longue chevelure pour la ramener en chignon
sur le sommet de son crâne.

— Voilà qui est mieux, conclut-il, satisfait.

Le silence semble s'étirer entre eux, jusqu'à ce
que Luke, comme au ralenti, lève une main pour
remettre une mèche de Glass derrière son oreille.
Ses doigts calleux s'attardent quelques secondes sur
son cou tandis qu'il la regarde dans les yeux sans
ciller.

— Prêt ? lui demande Glass en brisant l'instant
magique qu'elle a du mal à supporter.

— Oui, allons-y, répond-il en se ressaisissant subitement.

Il ouvre alors la porte de l'unité résidentielle et
la précède dans le couloir.

Walden est moins bien doté que *Phoenix* en matière
d'éclairage circadien. Ainsi, bien que ce soit techni-
quement l'aube, les corridors sont toujours plongés
dans une relative obscurité. Glass a du mal à savoir

où Luke l'emmène, et elle doit serrer les poings pour s'empêcher de lui prendre la main.

Il finit par s'arrêter devant une porte qu'on devine à peine et sort de sa poche un objet que Glass ne distingue pas, avant de le présenter au scanner. Trois bips retentissent et la porte coulisse. Elle est malade à l'idée que, pour l'aider, il laisse des traces informatiques qui permettront de remonter jusqu'à lui. Quel sort lui réservera le Conseil lorsqu'il se rendra compte que Luke s'est rendu complice d'une criminelle en fuite ? Hélas, ils n'ont tous deux aucune autre option. Après avoir fait ses derniers adieux à sa mère, elle se contentera d'attendre que les gardes lui mettent la main dessus. Elle n'essaiera pas de revoir Luke. Elle n'a pas le droit de lui demander de risquer sa peau pour elle, pas après ce qu'elle a fait.

La lumière se met péniblement à déverser un faible halo d'un jaune sale sur de vieilles machines que Glass n'a jamais vues auparavant.

— Où est-on ? s'enquiert-elle. Sa voix résonne étrangement dans l'atmosphère confinée.

— Dans un ancien atelier. C'est ici qu'ils réparaient les pièces fabriquées sur Terre avant qu'elles ne soient toutes remplacées. Je suis venu travailler ici quelques fois dans le cadre de ma formation.

Glass est sur le point de lui demander en quoi des gardes ont besoin de connaître le fonctionnement de vieilles machines, lorsqu'elle se souvient qu'il a été apprenti mécanicien avant de se faire recruter par la division technique de la garde. Il ne lui a parlé que très rarement de cette partie de sa vie. Elle ressent une soudaine honte à ne pas avoir cherché à mieux le connaître. Pas étonnant qu'il se soit tourné vers Camille...

Luke s'est approché d'une énorme machine et commence à appuyer sur différents boutons, le front plissé par la concentration.

— Qu'est-ce que c'est que *ça* ? s'inquiète Glass en entendant un ronronnement croissant qui s'échappe de l'engin.

— Un faisceau laser de haute précision, lui répond Luke sans lever les yeux, il lui faut un petit temps de chauffe.

— Pas question que je mette mon bras là-dedans ! dit-elle en portant son poignet à sa poitrine.

Luke lui coule alors un regard à mi-chemin entre l'amusement et l'exaspération.

— Ne fais pas de chichis ! Plus tôt on t'aura enlevé ce machin, et plus tu auras de chances de pouvoir leur échapper.

— Tu pourrais pas trouver un moyen de le déverrouiller ?

Il secoue la tête d'un air désolé.

— Il faut le couper...

Voyant qu'elle reste dans une posture défensive, il soupire et lui tend la main.

— Viens ici, Glass.

Elle a les pieds comme cloués au sol. Bien que cela fasse des mois qu'elle attende qu'il l'appelle comme ça, les scénarios qu'elle a imaginés n'impliquaient jamais de machine potentiellement mortelle.

— Glass ?

Elle avance d'un petit pas, ce n'est pas comme si elle avait quelque chose à perdre. Mieux vaut encore que Luke lui tranche le poignet plutôt qu'une injection létale dans les veines pratiquée par un médecin militaire.

Luke lui indique une surface plane au milieu du dispositif.

— Place ta main ici.

Il enclenche un interrupteur et c'est toute la machine qui se met aussitôt à vibrer.

Glass ne peut réprimer un frisson lorsque sa peau entre en contact avec le métal froid.

— Ça va aller, je te le promets, la rassure Luke. Il suffit que tu ne bouges pas.

Elle se contente de répondre d'un faible hochement de tête. Le ronron devient bourdonnement avant de monter dans les aigus.

Luke procède aux derniers réglages puis vient se poster à côté d'elle.

— Tu es prête ?

— Oui, acquiesce Glass, la gorge sèche.

Luke pose alors sa main gauche sur son avant-bras, et de l'autre main il abaisse un levier. À sa grande horreur, Glass voit se matérialiser un rayon rouge aveuglant qui pulse d'une terrible énergie.

Elle se met à trembler comme une feuille, mais la main ferme de Luke maintient son bras en place.

— Détends-toi, il te suffit de ne pas bouger, murmure-t-il à son oreille.

Le rayon se rapproche inexorablement et Glass sent désormais la chaleur qui s'en dégage contre sa peau. Le visage de Luke est crispé, tout absorbé qu'il est par la délicate manœuvre de déplacer le laser millimètre par millimètre.

Glass ferme les yeux, attendant la douleur fulgurante d'une seconde à l'autre, l'odeur de brûlé lorsque le rayon sectionnera sa chair et ses nerfs…

— Et… voilà !

La voix de Luke lui fait rouvrir les paupières en sursaut. Elle baisse les yeux et découvre un bracelet parfaitement scindé.

— Merci, lâche-t-elle dans un soupir, le poignet enfin libre.

— Je t'en prie, répond Luke en souriant, la main toujours posée sur le bras de Glass.

Ils ressortent de l'atelier sans dire un mot et empruntent les escaliers qui mènent jusqu'au pont d'observation.

— Qu'est-ce qui ne va pas ? chuchote Luke tout en la guidant au détour d'un palier, plus étroit et plus sombre que n'importe quel escalier sur *Phoenix*.

— Rien.

Autrefois, Luke lui aurait pris le menton d'une main et l'aurait regardée droit dans les yeux jusqu'à ce qu'elle pouffe de rire. *Tu mens terriblement mal, Raiponce*, disait-il dans ces moments-là, en référence à cet antique conte de fées où les cheveux de l'héroïne poussent de plusieurs centimètres à chacun de ses mensonges. Mais aujourd'hui, celui de Glass ne rencontre aucun écho.

— Et toi, comment ça va ? finit-elle par demander lorsque le silence lui devient intolérable.

Luke se tourne vers elle, un sourcil levé.

— Oh, tu sais, à part que je me suis fait plaquer par la fille que j'aimais et que mon meilleur ami a été exécuté sous un prétexte insensé, je dirais que ça va plutôt bien...

Le cœur de Glass manque s'arrêter. Elle n'a jamais entendu cette amertume dans la voix de Luke.

— Au moins, j'avais Camille...

Glass acquiesce de la tête, mais en observant ce profil qui lui est si familier, elle ne peut s'empêcher de sentir monter en elle un torrent d'indignation. Que croit-il qu'elle a fait pour se retrouver à l'Isolement ? Pourquoi ne se montre-t-il pas plus surpris ? Plus curieux ? A-t-il une si basse estime d'elle qu'il la pense coupable d'un crime ?

Luke s'arrête brusquement et Glass trébuche sur ses talons.

— Désolée, grommelle-t-elle en se remettant d'aplomb.

— Est-ce que ta mère sait ce qui t'est arrivé ?

— Non, enfin… elle sait, bien sûr, que j'étais à l'Isolement, mais elle n'est certainement pas au courant de la mission sur Terre.

Le chancelier avait bien insisté sur le caractère top secret de cette mission. Leurs parents ne seraient informés que lorsque leur survie sur Terre serait avérée ou, au contraire, si le Conseil avait vent de leur fin tragique.

— C'est bien que tu ailles la voir.

Glass ne réagit pas. Elle a conscience que Luke pense à sa propre mère, décédée alors qu'il n'avait que douze ans. C'est pour cette raison qu'il avait été vivre chez son voisin Carter, alors âgé de dix-huit ans.

— Ouais, répond-elle finalement d'une voix trem-blotante.

Elle meurt d'envie de revoir sa mère, mais même sans le bracelet, les gardes ne mettront pas longtemps à la retrouver. Qu'est-ce qui est le plus important ? Lui faire ses adieux, ou épargner à sa mère la peine de voir sa fille emmenée vers une mort certaine ?

— Ne traînons pas trop.

Ils s'engagent en silence sur le pont d'observation tandis que Glass boit des yeux le spectacle des étoiles scintillantes s'offrant à eux à travers l'immense baie vitrée qui les surplombe. Elle avait oublié à quel point elle adorait cette vue, jusqu'à se retrouver enfermée dans une cellule minuscule et dépourvue de fenêtre. Elle jette un coup d'œil furtif à Luke et hésite entre ressentiment et soulagement lorsqu'elle s'aperçoit qu'il ne la regarde pas.

— Tu devrais me laisser maintenant, lui dit-elle quand ils atteignent le poste de contrôle de *Phoenix*, heureusement désert comme Luke l'avait prédit. Je vais me débrouiller toute seule à partir de là.

La mâchoire de Luke se crispe et ses lèvres s'animent d'un sourire amer.

— Tu es une détenue en cavale, et je ne suis toujours pas assez bien pour que tu me présentes à ta mère…

— C'est pas du tout ce que je voulais dire, bafouille-t-elle en repensant à toutes les empreintes digitales qu'il a laissées sur leur passage. Les risques sont beaucoup trop élevés pour toi, tu pourrais mourir si tu m'aidais encore… et tu as déjà fait tant pour moi.

Luke prend une profonde inspiration, comme s'il allait se lancer dans un grand discours, mais il se borne à hocher la tête.

— Dans ce cas-là, d'accord.

Refoulant ses larmes, Glass tâche de lui offrir un sourire.

— Merci pour tout.

Le visage de Luke se détend imperceptiblement.

— Bonne chance, Glass.

Il se penche alors vers elle et, par réflexe, elle lève le menton à sa rencontre… Luke recule aussitôt d'un pas, arrachant son regard de celui de Glass avec une violence presque physique. Sans un mot, il pivote sur ses talons et repart en sens inverse. Glass l'observe s'éloigner, les lèvres en feu de ce dernier baiser qu'elle ne recevra jamais.

Lorsqu'elle arrive devant son appartement, Glass toque légèrement à la porte. Sa mère, Sonja, vient lui ouvrir quelques secondes plus tard et son visage reflète tour à tour la surprise, la joie, bientôt remplacées par la confusion et la peur.

— Glass ? s'étrangle-t-elle en tendant les bras vers sa fille, comme pour s'assurer qu'elle n'est pas une hallucination.

Glass se jette avec émotion dans les bras de sa mère, respirant à pleines narines son parfum familier.

— J'ai cru que je ne te reverrais jamais !

Sonja serre Glass encore une fois avant de la tirer dans l'appartement et de refermer la porte. Elle se recule un peu pour mieux contempler sa fille.

— J'étais en train de compter les jours, dit-elle dans un souffle, tes dix-huit ans ne sont plus que dans trois semaines.

Glass prend la main moite de sa mère dans la sienne et la mène jusqu'au canapé.

— Ils allaient nous envoyer sur Terre, cent d'entre nous, lui confie-t-elle, j'étais supposée faire partie du voyage.

— Sur Terre ? répète lentement Sonja, comme pour goûter toutes les implications du mot. Mon Dieu !

— Il y a eu une altercation au moment du décollage. Le chancelier…

Glass a le tournis en repensant au drame du pont d'embarquement. Elle ferme les yeux un instant et envoie une prière silencieuse pour que Wells aille bien, qu'il soit avec Clarke et n'ait pas à porter son chagrin tout seul.

— Dans le chaos qui a suivi, j'ai réussi à m'échapper, reprend Glass sans rentrer dans les détails qui lui paraissent désormais si anecdotiques. Et je suis venue te dire que je t'aime.

Sa mère la dévisage avec des yeux ronds.

— C'est donc ainsi que le chancelier s'est fait tirer dessus, oh, Glass ! murmure-t-elle en serrant fort sa fille contre elle.

Soudain des bruits de pas résonnent dans le couloir à l'extérieur, et Glass tressaille. Elle darde vers la porte un regard empreint d'anxiété et d'une certaine résignation, puis se retourne vers sa mère.

— Je ne peux pas rester longtemps…, halète-t-elle avant de se lever sur des jambes mal assurées.

— Attends ! la supplie Sonja en l'attrapant par le poignet et en la forçant à se rasseoir. Le chancelier est toujours en soins intensifs, ce qui signifie que le vice-chancelier Rhodes le remplace pour le moment. Tu ne devrais pas partir maintenant, il a…

disons, une autre approche de la gouvernance. Il se pourrait qu'il te gracie. Il existe des moyens de le convaincre.

Sonja se lève et offre à Glass un sourire qui s'accorde mal avec ses yeux embués.

— Ne bouge pas.

— Il faut vraiment que tu y ailles maintenant ? demande Glass d'une petite voix. L'idée de devoir de nouveau faire ses adieux lui est insupportable. Surtout si ces adieux doivent être définitifs.

Sa mère se penche sur elle et lui dépose un baiser sur le front.

— Je fais au plus vite.

Glass regarde sa mère s'appliquer une couche rapide de rouge à lèvres avant de sortir de l'unité résidentielle. Aussitôt la porte refermée, elle se pelotonne sur le canapé en position fœtale, comme si elle essayait de retenir en elle toutes ces émotions qui menacent de déborder.

Glass ne sait pas trop combien de temps elle a dormi, mais recroquevillée sur des coussins qui se souviennent de la forme de son corps, il lui semble possible que les six mois écoulés n'aient été qu'un affreux cauchemar. Qu'elle n'ait pas réellement croupi dans une cellule meublée en tout et pour tout de deux paillasses en métal et d'une codétenue arcadienne qui n'a quasiment jamais desserré les mâchoires. Qu'elle ait imaginé ces échos de sanglots qui la hantaient alors que ses larmes s'étaient taries depuis déjà bien longtemps.

Elle ouvre les yeux pour découvrir sa mère assise sur l'accoudoir du canapé, occupée à lui caresser doucement les cheveux.

— Je me suis chargée de tout, lui murmure-t-elle d'un ton apaisant, tu es graciée.

Glass se détend comme un ressort et dévisage sa mère avec de grands yeux ronds.

— Comment ? manque-t-elle s'étouffer. La stupéfaction dissipe les derniers vestiges de sommeil ainsi que les images de Luke encore imprimées sur ses rétines. Pourquoi ?

— Les gens sont à bout de patience, explique Sonja, aucun des adolescents qui ont été rejugés n'a survécu à son second procès, ce qui remet en question tout le système judiciaire. Tu vas donc être l'exception, la preuve que le système fonctionne après tout. J'ai dû me montrer très persuasive, mais le vice-chancelier Rhodes a fini par se ranger à ma manière d'envisager les choses, conclut-elle en s'adossant lourdement au canapé, fatiguée mais heureuse.

— Maman… je sais pas… je ne… merci !

Glass est à court de mots. Elle se love contre sa mère en arborant un large sourire. Libre, elle ? Elle a du mal à réaliser tout ce que cela implique.

— Pas la peine de me remercier, ma chérie. Tu sais bien que je ferais n'importe quoi pour toi, lui dit Sonja en repoussant tendrement une mèche de

Glass derrière son oreille. Au fait, juste une dernière chose, tu ne dois parler de la mission sur Terre à personne, c'est bien compris ?

— Mais qu'est-ce qui est arrivé aux autres ? Est-ce que Wells va bien ? Tu peux avoir des informations ?

Sonja secoue la tête.

— En ce qui te concerne, il n'y a jamais eu de mission. Ce qui importe maintenant, c'est que tu sois en sécurité. Tu as une seconde chance, promets-moi que tu ne vas pas la gâcher !

— Je te le jure, finit par déclarer Glass, toujours incrédule, je te le jure…

CHAPITRE 9

Clarke

Clarke se glisse hors de la tente qui sert temporairement d'infirmerie, et fait quelques pas dans la clairière. Même en l'absence de fenêtres, elle avait senti l'approche de l'aube. Le ciel bourgeonne en effet déjà de couleurs, tandis que l'atmosphère chargée d'odeurs vient stimuler des aires de son cerveau dont elle ignorait jusqu'à présent l'existence. Elle aimerait tant partager cette expérience avec les deux personnes qui avaient semé en elle cette envie de voir la Terre. Mais elle n'en aura jamais la possibilité.

Ses parents ne sont plus.

— Bonjour.

Clarke se raidit instantanément. Et dire qu'un jour la voix de Wells a été pour elle le son le plus délicieux que l'Univers ait jamais produit. C'est à cause de lui que ses parents sont morts, leurs corps flottant à travers le vide cosmique, dérivant jour après jour loin de tout ce qu'ils avaient connu et chéri.

Dans un moment de faiblesse, Clarke avait confié un secret qu'il ne lui revenait pas de partager. Et même si Wells avait promis de n'en toucher mot à personne, il n'avait pas attendu vingt-quatre heures avant de cracher le morceau à son père, si désireux d'apparaître comme le fils parfait, l'enfant chéri de *Phoenix*, qu'il en avait trahi la fille qu'il prétendait aimer.

Elle se tourne vers Wells, et rien ne l'empêche de se jeter sur lui. Elle préfère toutefois s'abstenir, souhaitant écourter leur entrevue autant que possible.

Alors que Clarke fait mine de le dépasser, Wells la saisit au vol par le poignet.

— Attends une seconde, je voudrais juste…

— Comment oses-tu me toucher ! explose-t-elle en se dégageant brusquement.

Wells recule d'un pas. La peine se lit dans ses yeux.

— Je suis désolé, s'excuse-t-il.

Clarke a toujours su déceler les émotions de Wells sur son visage. Il est très mauvais menteur, c'est ainsi qu'elle avait su qu'il était sincère lorsqu'il lui avait promis de garder son secret. Mais quelque chose l'avait fait changer d'avis et c'étaient les parents de Clarke qui en avaient payé le prix.

— Je voulais juste m'assurer que tout allait bien de ton côté, dit-il, l'air penaud. On va terminer de fouiller les débris aujourd'hui. As-tu besoin de quelque chose en particulier pour tes patients ?

— Oui, une salle d'opération stérile, du matériel pour faire des perfusions, un scanner, de *vrais* médecins…

— Tu fais un boulot incroyable.

— Je serais encore plus efficace si j'avais passé ces six derniers mois à poursuivre mon apprentissage à l'hôpital au lieu de croupir à l'Isolement.

Cette fois, Wells est préparé à la pique de Clarke et il garde une expression impassible.

Le ciel gagne peu à peu en clarté, baignant la clairière d'une lumière presque dorée qui donne un éclat nouveau au campement. L'herbe semble plus verte, la rosée scintillant en petites gouttelettes, tandis que des buissons totalement ordinaires au premier abord se parent de superbes bourgeons pourpres. Leurs pétales tournés vers le soleil, ces fleurs naissantes paraissent exécuter une danse en l'honneur de l'astre du matin.

— Si tu n'avais pas été condamnée à l'Isolement, tu ne te serais jamais retrouvée ici, observe Wells d'une voix douce, comme s'il avait deviné ses pensées.

— Tu voudrais peut-être que je te remercie ? J'ai vu des gamins mourir ! Des gamins qui n'avaient aucune envie de venir ici, mais y ont été obligés parce que des petits connards de ton espèce les ont dénoncés pour se faire mousser !

— Ce n'est pas ce que je voulais dire, soupire Wells en la regardant droit dans les yeux. Je suis tellement désolé, Clarke, tu peux pas imaginer. Sache juste que je n'ai pas fait ça pour me faire mousser, comme tu dis.

Il esquisse un pas vers l'avant, puis se ravise.

— Tu souffrais terriblement de la situation, et j'ai voulu t'aider. Je ne supportais plus de te voir comme ça. Je voulais t'aider à chasser cette douleur…

La tendresse manifeste qui sous-tend ses paroles manque faire chavirer le cœur de Clarke.

— Ils ont tué mes parents, réplique-t-elle à voix basse, les images défilant malgré elle devant ses yeux pour la millième fois. Sa mère se préparant à l'injection fatale, ses différentes fonctions vitales s'arrêtant tour à tour jusqu'à ce que seul son cerveau fonctionne. Leur avait-on au moins proposé un dernier repas comme le veut la coutume ?

Le cœur de Clarke se serre douloureusement à l'idée du corps sans vie de son père dans sa capsule funéraire, le bout des doigts rougi par les baies qu'il a mangées tout seul avant sa mise à mort.

— Ce genre de douleur ne disparaît jamais.

Ils demeurent face à face sans parler, et le silence qui dure devient de plus en plus pesant. C'est alors que Wells rompt le contact visuel, levant les yeux vers la cime des arbres. Une sorte de musique semble s'échapper de leur feuillage.

— Tu entends ça ? chuchote Wells.

Le chant est à la fois joyeux et obsédant, ses premières notes une ode aux étoiles qui s'estompent. Et juste au moment où le cœur de Clarke menace de céder à cette beauté aigre-douce, la mélodie gagne en vigueur, claironnant l'arrivée de l'aube nouvelle.

Des oiseaux, de vrais oiseaux ! Elle a beau ne pas les voir, elle est certaine de leur présence. Elle se demande si les premiers colons en partance pour l'espace ont entendu leur chant lorsqu'ils ont embarqué à bord du vaisseau de la dernière chance. Ont-ils perçu cette mélodie comme un au revoir ? Ou bien comme un requiem final en hommage à la planète agonisante ?

— C'est incroyable ! s'exclame Wells en la gratifiant d'un sourire désarmant qui la ramène un an auparavant.

Clarke doit réprimer un frisson. Elle a l'impression de voir un fantôme, le spectre du garçon auquel elle avait fait la bêtise de donner son cœur.

Clarke ne peut s'empêcher de sourire en notant la nervosité de Wells devant sa porte d'entrée. Il a toujours été mal à l'aise à l'idée de l'embrasser en public, un malaise encore plus palpable depuis qu'il a commencé son entraînement militaire. Cela le paralyse presque, lorsqu'il revêt son uniforme. Dommage, car dans ces moments-là, Clarke a une envie encore plus furieuse de l'embrasser.

— On se voit demain, lui lance Clarke en présentant sa main devant le scanner.

— Attends, lui dit Wells en la retenant par le bras.

— Wells, soupire-t-elle en essayant de se dégager de sa prise, il faut que j'y aille.

Il sourit tout en resserrant son étreinte.

— Tes parents sont à la maison ?

— Oui, et je suis en retard pour le dîner.

Wells lui adresse un regard chargé d'espoir. Ces derniers temps, il préfère de loin dîner avec sa famille à elle plutôt que de se retrouver en tête-à-tête avec son père. Mais elle ne peut pas l'inviter à se joindre à eux, pas ce soir.

— Je ne ferai pas la grimace cette fois, quoi que ton père ait ajouté à la pâte protéinée ! Je me suis entraîné, regarde ! Son visage se fend alors d'un large sourire exagéré et il se met à hocher la tête en signe d'appréciation : « Waouh, c'est vraiment délicieux ! »

Clarke pince les lèvres avant de lui répondre.

— Non, il faut que nous ayons une conversation sérieuse, eux et moi.

Wells cesse immédiatement ses facéties.

— Que se passe-t-il ? Il lui lâche le bras pour lui caresser la joue. Y a un souci ?

— Non, non, rien.

Elle détourne les yeux pour qu'il ne puisse pas y lire les signaux de détresse et tous les mensonges accumulés. Ce soir, il faut qu'elle interpelle ses parents à propos de leur expérience inhumaine, elle ne peut plus tergiverser.

— Bon, si tu en es sûre, réplique-t-il lentement. À demain, alors.

Mais au lieu de l'embrasser sur la joue, Wells la surprend en la prenant par la taille et en plaquant ses lèvres contre les siennes. L'espace d'un instant, elle se permet de tout oublier, sauf la chaleur de son corps. Or, dès la porte refermée, l'agréable picotement est vite remplacé par un frisson d'angoisse.

Ses parents l'attendent, assis sur le canapé.

— Clarke, tu étais avec Wells ? demande sa mère en se levant. Il est le bienvenu pour dî...

— Non, la coupe Clarke, avec plus d'agressivité qu'elle ne l'aurait voulu. Assieds-toi s'il te plaît, j'ai à vous parler.

Elle traverse la pièce et s'installe en face d'eux sur une chaise, écartelée entre une colère difficilement contenue et un espoir fou. Il faut que ses parents reconnaissent leurs travaux pour justifier sa colère, mais elle prie surtout pour que leur excuse soit à la hauteur de leur forfait.

— J'ai trouvé le mot de passe, commence-t-elle sans préambule. J'ai été dans le labo.

Sa mère s'enfonce pesamment dans le canapé, les yeux écarquillés. Elle inspire longuement, et Clarke se prend à espérer qu'elle prépare une explication valable, qu'elle ait les mots qui fassent que tout aille à nouveau bien. Mais elle finit hélas par prononcer la phrase que Clarke redoutait tant.

— Je suis désolée.

Son père attrape la main de sa femme, les yeux rivés sur Clarke.

— Je suis désolé que tu aies dû voir ça, s'excuse-t-il à son tour, d'un ton à peine audible. Je sais que c'est pour le moins... choquant. Mais ils ne ressentent aucune douleur, nous y faisons particulièrement attention.

— Comment avez-vous pu ? Clarke a conscience de l'inadéquation de sa question qui sonne si creux en comparaison de l'énormité du crime. Vous expérimentez sur des humains. Sur des *enfants* !

Le dire à voix haute lui chamboule l'estomac, et elle sent la bile lui monter à la gorge.

— Nous n'avons pas eu le choix, soupire sa mère, les yeux mi-clos. Tu sais très bien que pendant des années nous avons essayé d'autres moyens de tester les niveaux d'irradiation. Lorsque nous avons rendu notre rapport au vice-chancelier en lui disant qu'on ne pouvait arriver à aucune conclusion fiable sans effectuer de tests sur les humains, nous croyions qu'il allait ordonner la clôture de l'expérience. Mais il a insisté pour que nous…

Sa voix se brise. Clarke a de toute façon très bien compris la fin de la phrase.

— Nous n'avons pas eu le choix, répète sa mère au désespoir.

— On a toujours le choix ! s'emporte Clarke, tremblante d'indignation. Vous auriez pu dire non ! J'aurais préféré mourir plutôt qu'obéir à des ordres aussi monstrueux !

— Il n'a jamais menacé de nous tuer, répond son père d'un ton insupportablement calme.

— Putain ! Mais pourquoi avez-vous fait tout ça, alors ? explose Clarke.

— Il a dit qu'il te tuerait.

Le gazouillis finit par se tarir, laissant dans son sillage un épais silence, comme si l'air s'était imprégné de la mélodie et la donnait maintenant à respirer.

— Waouh ! s'exclame Wells, c'était fascinant !

Il est toujours tourné vers les arbres, mais tend le bras en direction de Clarke, comme pour remonter le temps et attraper la main de celle qui l'aimait jadis.

Ce geste rompt la magie du moment. Clarke se raidit et, tournant les talons, s'engouffre dans la tente de l'infirmerie.

L'intérieur est plongé dans l'obscurité. Clarke manque s'étaler en entrant. Elle note mentalement de changer les pansements de la jambe d'un garçon et de reprendre les points de suture faits à la hâte sur la cuisse d'une fille. Elle a fini par mettre la main sur une trousse de premiers secours contenant de véritables pansements et du fil chirurgical. Elle ne peut néanmoins pas faire grand-chose de plus jusqu'à ce qu'ils retrouvent les malles à pharmacie et les précieux médicaments qu'elles recèlent. Introuvables à proximité de l'épave, il y a hélas de fortes chances pour qu'elles aient été expulsées lors du crash et qu'elles soient totalement détruites.

Thalia est allongée sur l'un des lits de camp. Elle dort toujours et son nouveau bandage semble tenir le coup. Clarke le lui a déjà changé à trois reprises depuis qu'elle l'a trouvée inconsciente, sa blessure au flanc saignant abondamment.

En se remémorant l'atroce séance de couture, l'estomac de Clarke se soulève, et elle espère que son amie n'en conservera aucun souvenir. Thalia s'était évanouie de douleur et alterne depuis entre sommeil et semi-conscience. Clarke s'agenouille à son chevet et recoiffe d'un geste tendre ses mèches trempées de sueur.

— Salut, glisse-t-elle à mi-voix lorsque s'entrouvrent les yeux de son amie. Comment tu te sens ?

Thalia esquisse un faible sourire qui semble la vider de ses forces.

— Super bien, répond-elle avant de grimacer.

— Je t'ai connue meilleure menteuse.

— Je n'ai jamais menti, souffle-t-elle d'une voix rauque où perce une indignation feinte. J'ai juste dit au garde que j'avais mal au cou et que j'avais besoin d'un autre oreiller.

— Et tu l'as ensuite convaincu qu'un peu de whisky de contrebande t'aiderait à ne plus chanter pendant ton pseudo-sommeil, ajoute Clarke, le sourire aux lèvres.

— Tout à fait, dommage que Lise n'ait pas voulu entrer dans mon jeu…

— C'est surtout dommage que tu chantes comme une casserole !

— Au contraire, s'insurge Thalia, j'avais tellement cassé les oreilles du garde qu'il était prêt à n'importe quoi pour me faire taire !

Clarke secoue la tête avec un air faussement sévère.

— Et toi qui dis que les filles de *Phoenix* sont cinglées !

Elle désigne d'un geste la fine couverture qui recouvre Thalia.

— Je peux ?

Son amie hoche la tête et Clarke l'enlève avec précaution, essayant de garder une expression neutre en défaisant le bandage. La peau en bordure de la blessure est enflée et toute rouge, et du pus suinte entre les sutures de fortune. La blessure ne pose pas de problèmes en soi. Même si son aspect peut faire peur, Clarke sait qu'à l'hôpital personne ne broncherait devant ce type de lésion. En revanche, l'infection qui menace est beaucoup plus inquiétante.

— C'est si moche que ça ? l'interroge Thalia.

— Mais non, ça se présente plutôt bien, ment automatiquement Clarke, son regard attiré malgré elle par le lit vide où un garçon a passé ses dernières heures avant de mourir la veille au soir.

— Ce n'était pas ta faute, tente de la rassurer Thalia.

— Je sais, soupire Clarke. C'est juste qu'il n'avait personne à ses côtés vers la fin…

— Si, Wells était là.

— Quoi ? s'étrangle Clarke, abasourdie.

— Il est venu lui rendre visite régulièrement dans la nuit. Je crois que la première fois il te cherchait, mais quand il a vu que le garçon était gravement touché…

— Vraiment ? s'enquiert Clarke, pas totalement certaine de devoir se fier au jugement de quelqu'un qui a passé la majeure partie du temps inconsciente.

— C'était bel et bien lui, renchérit une autre voix.

Clarke se retourne pour voir Octavia, assise sur son lit.

— C'est pas tous les jours que Wells Jaha vient s'asseoir à côté de vous...

— Comment sais-tu à quoi il ressemble ? demande Clarke, incrédule.

— Il est venu au centre d'accueil accompagner son père il y a quelques années. Les filles ont parlé de cette visite pendant des mois. C'est quand même une supernova, ce mec !

Clarke sourit en entendant cette expression de *Walden*.

— Je lui ai demandé s'il se souvenait de moi, poursuit Octavia, il m'a assuré que oui. De toute façon, il est trop gentleman pour avouer le contraire.

La jeune fille pousse un soupir exagéré et se tape le front d'une main.

— Hélas, ma seule chance de véritable amour...

— Et moi, alors ? lance un garçon que Clarke croyait endormi.

Il scrute Octavia, la mine chagrine, et celle-ci lui souffle un baiser.

Clarke lève les yeux au ciel, puis se retourne vers Thalia et sa blessure.

— C'est mauvais signe, hein ? marmonne-t-elle, une fatigue extrême affleurant dans sa voix.

— Ça pourrait être pire.

— Tes talents de menteuse laissent aussi à désirer aujourd'hui, la taquine Thalia. Qu'est-ce qui t'arrive ? C'est l'amour qui te rend toute chose ?

À ces mots, Clarke se redresse et dévisage son amie avec agacement.

— Et toi, tu délires à cause de la fièvre ?

Elle jette un coup d'œil par-dessus son épaule et se trouve rassurée de voir Octavia en conversation animée avec le garçon arcadien.

— Tu sais pourtant ce qu'il m'a fait, dit-elle, gagnée par une vague de nausée, ce qu'il a fait à mes parents !

— Bien sûr que je le sais, rétorque doucement Thalia, le regard chargé de pitié et de frustration pour son amie. Mais je sais aussi quels risques il a pris pour se retrouver ici, ajoute-t-elle en souriant. Il t'aime, Clarke, de ce genre d'amour que la plupart des gens passent une vie entière à attendre.

— Eh bien, dans ce cas, tout ce que je peux te souhaiter, c'est de ne jamais le trouver…

CHAPITRE *10*

Bellamy

C'est tout bonnement incroyable, comment un paysage peut changer en l'espace d'une même journée. Le matin, tout paraît frais et nouveau. Même l'air possède une certaine qualité. En revanche, l'après-midi, la lumière devient plus douce et les couleurs sont plus pastel. C'est ce que Bellamy préfère sur Terre pour le moment : la surprise permanente. Comme pour ces filles qui demeurent drapées dans le mystère. Il a toujours été attiré par celles qu'il ne comprenait pas.

Des rires s'élèvent de l'autre côté de la clairière. Bellamy se tourne vers leur source et découvre deux filles perchées sur une branche basse et qui pouffent de rire en repoussant un garçon qui essaie de les rejoindre. Non loin d'elles, un groupe de garçons de *Walden* jouent à la passe à dix avec la chaussure d'une Arcadienne qui rigole tout en courant pieds nus dans l'herbe de l'un à l'autre. Pendant quelques instants, Bellamy regrette qu'Octavia ne soit pas suffisamment rétablie pour se joindre à eux, la pauvre n'ayant pas beaucoup eu l'occasion de s'amuser quand elle était petite. D'un autre côté, il vaut sans doute mieux pour elle qu'elle n'ait pas le temps de s'attacher à qui que ce soit. Dès son entorse guérie, elle et lui se feront la belle.

Bellamy ouvre avec les dents une ration alimentaire écrasée, en avale la moitié avant de refermer soigneusement l'emballage et de le glisser dans sa poche. Après avoir fouillé les moindres recoins de l'épave, les 100 ont dû se rendre à l'évidence : les quelques semaines de vivres qu'ils ont ramassées constituent la totalité de leurs réserves. Soit le Conseil a estimé qu'ils apprendraient en un mois à se nourrir par eux-mêmes, soit il ne prévoyait pas qu'ils survivraient plus longtemps…

Graham a poussé une gueulante pour que la plupart des 100 rendent les rations qu'ils s'étaient appropriées, avant de confier leur distribution à un Arcadien, un certain Asher. Ce qui n'a pas empêché un marché noir de se mettre rapidement en place : certains échangent de la nourriture contre des couvertures, tandis que d'autres acceptent des corvées d'eau supplémentaires contre les meilleures places dans des tentes déjà bondées. Wells a passé le plus clair de sa journée à essayer de convaincre tout le monde d'adopter un système plus transparent et plus juste, mais dès que quelques-uns ont commencé à lui prêter une oreille attentive, Graham est arrivé pour le faire taire.

Bellamy se retourne en entendant les rires à l'autre bout de la clairière se transformer en cris.

— Donne-moi ça ! s'époumone un Waldénite en se disputant violemment un objet avec un autre garçon. Bellamy court voir de plus près ce qu'il se passe et réalise que l'objet en question est une hache. Le premier tient fermement le manche alors que le second a empoigné la lame à pleines mains.

Une nuée d'adolescents se ruent vers les deux ados, mais au lieu de les séparer, ils se faufilent entre les arbres pour ramasser des outils par brassées : d'autres haches, des couteaux et même des lances. Le visage de Bellamy s'illumine d'un sourire lorsqu'il repère, un peu à l'écart dans un bosquet, un arc et un carquois rempli de flèches.

Le matin même, il est tombé sur des empreintes d'animal qui s'enfonçaient dans la forêt. La nouvelle de sa découverte s'est répandue comme une traînée de poudre dans le campement, et une trentaine d'adolescents s'est vite attroupée autour de lui, se fendant de remarques plus judicieuses et intelligentes les unes que les autres, du genre « Je ne pense pas que ce soit un oiseau » ou « Je suis quasi sûr que c'est des traces de pattes ». Bellamy a fini par leur dire que c'étaient des sabots et non des pattes, ce qui signifiait qu'il s'agissait probablement d'un herbivore, et donc d'un animal qu'ils pouvaient chasser pour ensuite le manger. Il ne lui manquait plus qu'une arme pour la chasse, et voilà que la chance lui sourit pour la première fois depuis l'atterrissage sous la forme de cet arc. Normalement, Octavia et lui seront partis avant que les rations alimentaires ne soient épuisées, mais mieux vaut mettre tous les atouts de son côté.

— Hop hop hop, tout le monde, on se calme, résonne alors une voix forte qui fait taire les cris d'excitation. C'est Wells qui est arrivé en lisière de forêt. On ne peut pas laisser n'importe qui se balader avec une arme. Il faut d'abord les centraliser, les répertorier, et *ensuite* on décidera de qui prend quoi.

Des huées et des insultes s'élèvent aussitôt de la foule indignée.

— Ce type a pris le chancelier en otage, poursuit Wells en montrant du doigt Bellamy, qui s'est déjà mis l'arc et le carquois en bandoulière. Qui sait de quoi il est encore capable ? Vous voulez vraiment qu'un mec comme lui se promène avec une arme mortelle ? Je propose qu'on procède au moins à un vote, conclut Wells en défiant du menton quiconque de le contredire.

Bellamy ne peut s'empêcher de partir d'un grand rire. *Il se prend pour qui au juste, ce gamin ?* Il se baisse et ramasse un couteau fiché dans le sol, puis marche tranquillement vers Wells.

Celui-ci ne bouge pas d'un pouce, et Bellamy se demande s'il se force à ne pas bouger ou s'il a vraiment du cran. À l'instant où l'on peut croire que Bellamy va poignarder Wells dans la poitrine, il retourne l'arme et tend le manche à Wells.

— J'ai une sale nouvelle pour toi, beau gosse, lui dit Bellamy avec un clin d'œil. Ici, on est tous des criminels.

Avant que Wells ait eu le temps de répondre, Graham arrive à leur hauteur, les mains dans les poches. Il dévisage Bellamy et Wells tour à tour, un sourire ironique aux lèvres.

— Je suis d'accord avec l'honorable mini-chancelier, lâche Graham, il faut qu'on garde les armes sous clé.

Bellamy recule d'un pas pour mieux le toiser.

— Quoi ? Tu veux aussi ça sous ton contrôle ? s'emporte-t-il en caressant son arc d'un doigt. Hors de question ! Je pars direct à la chasse.

— Et rappelle-moi un peu ce que tu chassais sur *Walden* à part des filles pas trop regardantes ?

Bellamy se raidit et se retient de mordre à l'hameçon. La mâchoire serrée, il se contente de regarder Graham sans broncher.

— Ou peut-être que tu ne chasses même pas les filles, après tout, c'est sans doute à ça que sert une sœur...

Dans un affreux craquement, le poing de Bellamy vient s'abattre sur la mâchoire de Graham. Il n'a pas vu le coup venir, et titube sur place, trop sonné pour se protéger d'un éventuel coup suivant. Il finit quand même par se redresser et décoche un direct du droit en plein dans le menton de Bellamy. Celui-ci se rue alors sur Graham, utilisant tout le poids de son corps pour l'envoyer au sol. Il tombe à plat dos sur l'herbe, le souffle coupé, mais au moment où Bellamy s'apprête à lui donner un coup de pied, Graham roule sur le côté et lui fauche les jambes.

Bellamy tente de se relever, mais c'est sans compter sur la vivacité de Graham, qui lui saute dessus et l'immobilise, tenant quelque chose qui étincèle au soleil juste au-dessus de sa carotide. Un couteau.

— Ça suffit ! tonne alors Wells d'une voix d'autorité. Il attrape Graham par le col et le propulse en arrière.

— De quoi tu te mêles ? rugit Graham en se remettant d'aplomb.

Bellamy s'agenouille en grimaçant, puis il se relève lentement et va ramasser l'arc. Il jette un regard de travers à Graham qui ne le remarque pas, trop occupé qu'il est à foudroyer Wells de ses yeux noirs.

— C'est pas parce que le chancelier te changeait ta couche que ça fait automatiquement de toi le chef, crache-t-il, j'en ai rien à battre de ce que t'a dit ton papa avant de partir !

— Ça ne m'intéresse pas du tout d'être chef ; tout ce que je veux, c'est éviter des morts supplémentaires.

Graham échange un regard avec Asher, son lieutenant.

— Si c'est vraiment ça qui te soucie, je te suggère de pas trop fourrer ton nez dans mes affaires. Il se baisse pour ramasser le couteau tombé lors de l'intervention de Wells. On ne voudrait surtout pas qu'il arrive d'*accident*.

— Ce n'est pas de cette manière que nous allons fonctionner ici, réplique Wells sans se démonter.

— Ah ouais ? rétorque Graham, les sourcils levés. Et qu'est-ce qui te fait croire que t'as ton mot à dire ?

— Parce que je suis pas idiot. Mais bon, si tu veux être le premier homme à tuer quelqu'un sur Terre depuis des siècles, je t'en prie, fais-toi plaisir.

Bellamy s'éloigne de la scène en soupirant, impatient de retrouver les traces fraîches découvertes le matin. Il n'a aucune envie de participer au jeu de qui pisse le plus loin, pas quand il y a de la vraie nourriture à trouver. Arc et carquois à l'épaule, il s'engage dans la forêt.

Comme il l'a appris très jeune, si on veut que quelque chose soit fait, il faut s'en charger soi-même.

Bellamy a huit ans lors de la première visite.

Sa mère n'est pas là, mais elle lui a dit exactement quoi faire. Les gardes n'inspectent leur unité que très rarement. Beaucoup d'entre eux ont grandi à proximité, et s'ils adorent se pavaner en uniforme et éventuellement harceler leurs anciens rivaux, aller fouiner dans la vie privée de leurs voisins leur semble un peu dépasser les bornes. Sauf que le garde snob en charge de ce régiment n'est manifestement pas du coin. Outre son accent prétentieux, il y a aussi ses moues de dégoût et de mépris non dissimulées alors qu'il passe de pièce en pièce, comme s'il n'arrivait pas à imaginer des humains vivant là-dedans.

Il est entré sans frapper tandis que Bellamy essayait de laver la vaisselle du petit déjeuner. Ils n'ont l'eau courante que quelques heures par jour, généralement lorsque sa mère est en train de se casser le dos dans les champs solaires. Bellamy a été tellement pris au dépourvu qu'il a lâché la tasse qu'il avait en main. Il l'a regardée avec horreur tomber et aller rouler jusqu'au placard sous l'évier.

Les yeux de l'officier oscillent de droite et de gauche tandis qu'il lit des informations sur son écran rétinien.

— Bellamy Blake ? demande-t-il avec son accent bizarre de *Phoenix* qui sonne comme s'il avait la bouche pleine de pâte nutritive.

Bellamy hoche lentement la tête.

— Votre mère est-elle à la maison ?

— Non, répond-il en essayant de ne pas avoir de tremblements dans la voix, comme il s'est entraîné à le faire.

L'officier s'efface alors pour laisser entrer un garde qui lui débite une litanie de questions d'une voix monocorde. Il a déjà dû répéter la même chose une dizaine de fois aujourd'hui.

— Possédez-vous de la nourriture pour plus de trois repas dans votre résidence ?

Bellamy répond par la négative.

— Avez-vous une autre source d'énergie que...

Le sang de Bellamy lui bat si fort aux tempes que la voix du garde ne lui parvient plus que comme un bourdonnement. Sa mère a eu beau lui faire pratiquer toutes sortes de scénarios, il n'est pas préparé au regard inquisiteur de l'officier examinant chaque centimètre carré de la pièce. Alors quand il s'attarde sur la tasse, puis se fixe sur le placard, Bellamy sent son cœur proche de l'explosion.

— Allez-vous répondre à la question ?

Il lève les yeux sur les deux militaires, l'officier le toise d'un regard sévère tandis que le garde semble s'ennuyer à mourir. Il commence à bafouiller une excuse, mais son « désolé » est à peine audible.

— Y a-t-il d'autres résidents permanents dans cette unité que les deux personnes enregistrées ?

Bellamy respire profondément avant de lâcher « Non » dans un souffle. Il se souvient enfin des conseils de sa mère et essaie d'adopter l'air agacé qu'elle lui a fait répéter devant le miroir.

L'officier arque un sourcil avant de déclarer avec une politesse exagérée :

— Navré d'avoir abusé de votre temps, jeune homme.

Après avoir jeté un dernier coup d'œil circulaire, il sort de l'unité, le garde sur ses talons.

Bellamy attend que la porte se soit refermée pour s'affaler par terre, une question tournant en boucle dans sa tête : que se serait-il passé s'ils avaient ouvert le placard ?

CHAPITRE 11

Glass

Tout en suivant Cora et Huxley qui discutent gaiement en route vers la Bourse d'échange, Glass repense avec amertume à la décision de sa mère : elle aurait pu attendre un peu avant d'aller raconter qu'elle était graciée. Au tout début, Glass était aux anges de revoir ses amies. Le matin où elles étaient arrivées chez elle, les trois filles avaient fondu en larmes dans les bras les unes des autres. Mais maintenant, de voir Cora et Huxley échanger des regards complices sur le passage d'un garçon qu'elle ne reconnaît pas la fait se sentir aussi seule qu'elle l'était à l'Isolement.

— Je suis sûre que t'as une tonne de points en stock, lui dit Huxley en lui passant un bras autour des épaules. Je suis trop jalouse !

— J'ai juste les points que ma mère m'a transférés ce matin, répond Glass dans un petit sourire forcé. Tous ceux que j'avais accumulés avant ont été retirés lors de mon arrestation.

— J'arrive toujours pas à y croire, soupire Huxley dans un faux chuchotement. Et tu ne nous as toujours pas dit pourquoi ils t'ont condamnée à l'Isolement…

— Laisse-la, tu sais très bien qu'elle ne veut pas en parler, intervient Cora tout en jetant un regard nerveux par-dessus son épaule.

Non, c'est toi *qui ne veux pas qu'on en parle,* remarque Glass intérieurement alors qu'elles arrivent dans le couloir principal du pont B, offrant une vue panoramique sur l'espace d'un côté et bordé de bancs et de plantes artificielles de l'autre. C'est l'heure du déjeuner, et la plupart des bancs sont occupés par des femmes de l'âge de sa mère qui papotent en sirotant leur thé à la racine de tournesol. Normalement, on est censé utiliser des points de rationnement pour s'en faire servir par le vendeur ambulant, mais Glass a du mal à se rappeler la dernière fois où on lui a demandé de scanner son pouce. Encore un de ces petits luxes de *Phoenix* auxquels elle n'avait jamais fait attention avant de fréquenter Luke.

À mesure que les trois filles arpentent le long couloir, Glass sent tous les regards se tourner vers elle, décuplant son sentiment de malaise. Elle ne parvient toujours pas à décider ce qui est le plus choquant : qu'elle ait été graciée ? ou avant tout qu'elle ait été condamnée à l'Isolement ? Un sursaut d'orgueil lui fait relever la tête et elle tâche de marcher avec une assurance qu'elle ne ressent pas. Le pardon qui lui a été accordé est supposé montrer à tous la clémence du système judiciaire de la Colonie, à elle de s'en montrer digne comme si sa vie en dépendait. Parce que cette fois, elle en dépend vraiment.

— Tu penses que Clarke a une chance d'être graciée, elle aussi ? lui demande Huxley avant que Cora ne la fusille du regard. Vous avez genre traîné ensemble quand vous étiez à l'Isolement ?

— Pour l'amour du ciel, Hux ! Tu veux pas lui lâcher la grappe cinq minutes ? la coupe Cora en posant une main sur le bras de Glass. Excuse-la, c'est juste que lorsque Clarke a été condamnée quelques jours après toi, ça a été un choc pour tout le monde : imagine, deux filles de *Phoenix* arrêtées coup sur coup ! Et puis quand t'es revenue, toutes ces rumeurs qui ont commencé à courir…

— C'est bon, t'inquiète pas, répond Clarke en se forçant à sourire pour montrer qu'elle est d'accord pour en parler. Clarke s'est vite retrouvée seule dans une cellule, j'ai donc pas beaucoup eu l'occasion de la voir. Quant à ce qu'elle soit graciée… je n'en sais rien du tout, ment-elle, ayant promis à sa mère de ne pas souffler mot de la mission sur Terre. Je ne sais plus trop quand tombent ses dix-huit ans. Ils ont réexaminé mon cas parce que mon anniversaire approchait.

— Ah, oui ! Ton anniversaire ! s'écrie joyeusement Huxley en battant des mains. J'ai failli oublier qu'il arrivait à grands pas ! Il faut qu'on te trouve quelque chose à la Bourse d'échange !

Cora approuve de la tête, manifestement heureuse d'avoir trouvé un moyen de ramener la conversation vers un sujet moins embarrassant.

La Bourse d'échange de *Phoenix* est située dans un énorme espace à l'extrémité du pont B. En sus des vitres panoramiques, un formidable lustre l'éclaire, qu'on dit récupéré à l'Opéra de Paris avant l'Évacuation, quelques heures à peine avant que la première bombe ne s'abatte sur l'Europe de l'Ouest. Chaque fois que Glass entend cette histoire, son cœur se serre à l'idée qu'on aurait pu sauver des vies plutôt que ce lustre. Mais elle est bien obligée d'admettre qu'il est d'une splendeur à couper le souffle. La lumière réfléchie dans ses pampilles de cristal vient se démultiplier dans les vitres et le plafond en aluminium, donnant naissance à des amas d'étoiles qui se font et se défont au gré des oscillations du vaisseau.

Huxley lâche le bras de Glass pour se ruer sur un stand de rubans et de chouchous, sans même remarquer que plusieurs groupes de filles ont arrêté net de discuter pour dévisager Glass avec de grands yeux ronds. Elle sent le rouge lui monter aux joues et emboîte rapidement le pas à Cora qui se dirige vers un étalage de tissus.

Elle se tient à côté de son amie, ne sachant que faire de ses mains, tandis que Cora dérange pile après pile de vêtements soigneusement pliés. La vendeuse waldénite semble lutter pour conserver son sourire commerçant.

— Regarde-moi ce tas de merdouilles ! marmonne Cora en jetant de côté un coupon de toile de jute et quelques chutes de laine miteuse.

— Tu cherches quoi au juste ? s'enquiert Glass tout en faisant courir ses doigts sur un minuscule carré de soie rose pâle. Il est de toute beauté, malgré les taches de rouille et d'eau sur l'un des bords. Mais jamais elle n'en trouverait suffisamment de la même teinte pour confectionner une pochette de soirée, et encore moins une robe.

— Ça fait un million d'années que je fais la chasse au moindre centimètre carré de satin bleu, et j'en ai enfin trouvé assez pour me coudre une combinaison. Il faudrait juste que je puisse la recouvrir de quelque chose pour que ça fasse pas trop patchwork.

Cora fronce le nez en inspectant d'un œil critique un grand morceau de vinyle translucide.

— Il est à combien ?

— Six, lui répond la vendeuse.

— C'est une blague ? Six pour un *rideau de douche* ! s'exclame-t-elle, scandalisée.

— Il est fait-Terre…

— Et vous avez le certificat d'authenticité, peut-être ? ricane Cora.

— Et qu'est-ce que tu penses de celui-ci ? reprend Glass en piochant dans la pile un filet bleu au maillage étroit. Ce doit être le fragment d'un ancien filet à provisions, mais une fois assemblé à une robe, personne ne pourra plus deviner son origine.

— Oooh ! s'extasie Cora en lui arrachant des mains, pas mal !

Elle le plaque contre son corps pour évaluer sa longueur, puis décoche un large sourire à Glass.

— Je vois que ton séjour à l'Isolement ne t'a pas fait perdre ton sens de la mode !

Glass ne peut s'empêcher de se raidir, mais décide de ne pas relever.

— Et qu'est-ce que tu vas mettre, toi ? continue Cora, inconsciente de la portée de sa remarque.

— Pour quelle occasion ?

— Pour-la-fê-te-de-la-Co-mè-te ? dit-elle en séparant les syllabes comme si elle s'adressait à une enfant idiote. Ça te dit quelque chose ?

— Désolée, non, s'empresse de se défendre Glass. Apparemment, six mois d'emprisonnement ne constituent pas un motif valable pour ignorer les détails du calendrier festif de *Phoenix*.

— Ta mère ne t'en a pas parlé quand tu es rentrée ? poursuit Cora en ajustant le morceau de filet bleu autour de sa taille comme un jupon. Une comète doit passer juste à côté de la Colonie, ça va être le passage le plus proche de toute son histoire !

— Et il y a donc une fête organisée en son honneur ?

— Oui, les résidents de *Phoenix* sont conviés à venir admirer le spectacle sur le pont d'observation. Ils font sauter tout un tas de règles pour l'occasion : on aura le droit de manger, de boire, de danser, et tout et tout. J'y vais avec Vikram !

Le visage de Cora s'illumine d'un large sourire avant qu'il ne retombe soudainement.

— Je suis sûre qu'il ne dira rien si tu viens avec nous. Il est au courant des, euh, circonstances atténuantes…

Elle adresse un sourire plein de compassion à Glass, puis se tourne vers la vendeuse.

— Combien pour celui-ci ?

— Neuf.

La tête de Glass se met soudain à bourdonner. Elle balbutie une vague excuse à Cora qui est en pleine négociation avec la Waldénite, et se dirige vers l'un des stands contigus qui propose des bijoux. Elle porte d'instinct une main à son cou nu : elle a toujours eu un collier à puce, un de ces dispositifs en vogue chez les jeunes filles de *Phoenix* pour changer des écrans rétiniens et des écouteurs. C'est le summum du chic que de faire sertir sa puce dans un bijou, mais encore faut-il posséder une relique familiale, ou bien être assez riche pour s'en procurer un à la Bourse d'échange.

Ses yeux glissent sur l'étalage étincelant jusqu'à s'arrêter sur un éclat doré : un médaillon ovale au bout d'une fine chaîne. Elle a juste le temps de prendre une profonde inspiration avant d'être envahie par une douleur sourde qui lui paralyse le corps. Elle a beau savoir qu'elle devrait faire immédiatement demi-tour, elle ne peut s'empêcher de rester.

Glass tend un bras qui tremble d'émotion et soulève le collier. Son contour se brouille à mesure que ses yeux s'emplissent de larmes. Elle caresse d'un doigt l'envers du médaillon, sachant d'avance qu'il est orné d'un simple et unique *G* délicatement ciselé.

— Tu es sûre que ça ne te gêne pas de fêter ton anniversaire sur *Walden* ? lui demande Luke, allongé à côté d'elle sur le canapé. Une inquiétude tellement sincère se lit sur ses traits qu'elle se retient pour ne pas pouffer.

— Combien de fois va-t-il falloir que je te le répète ? répond Glass en passant ses jambes sur celles de Luke. Il n'y a nulle part ailleurs où je préférerais être !

— Ta mère avait pas prévu de t'organiser une fête de tous les diables ?

— Certes, mais à quoi bon si tu ne peux pas y assister ?

— Je n'ai pas envie que tu foutes ta vie en l'air parce que je ne peux pas en faire partie, persiste-t-il en faisant courir ses doigts sur le bras de Glass. Il ne t'arrive jamais de souhaiter qu'on ne t'ait pas arrêtée ce soir-là ?

En temps que membre de la prestigieuse unité d'ingénie-rie mécanique, Luke n'était pas assigné en temps normal au poste de contrôle. Mais cette nuit-là, il avait été appelé en renfort, peu avant que Glass ne rentre d'une session de révisions avec Wells.

— Tu te moques de moi ?

Elle soulève la tête pour déposer un baiser sur sa joue. Le goût de sa peau suffit à déclencher en elle un frisson de plaisir, et elle descend les lèvres dans son cou avant de remonter le long de sa mâchoire puissante jusqu'au lobe de son oreille.

— Ne pas respecter le couvre-feu cette nuit-là a été la meilleure décision que j'ai jamais prise, lui chuchote-t-elle, le faisant frissonner à son tour.

Le couvre-feu n'était pas appliqué de façon très stricte sur *Phoenix*, mais des gardes l'avaient quand même arrêtée. L'un d'entre eux avait fait passer un sale quart d'heure à Glass, l'obligeant à scanner son pouce et la bombardant de questions. L'autre garde avait fini par s'interposer, insistant pour la raccompagner chez elle.

— Te ramener chez toi a été la meilleure décision que j'aie jamais prise, lui susurre Luke, même si j'ai dû me faire violence pour ne pas t'embrasser ce soir-là.

— Dans ce cas, on ferait mieux de rattraper le temps perdu, le taquine Glass en cherchant des lèvres les siennes. Leurs baisers gagnent en intensité lorsqu'il pose sa main dans sa nuque avant de la perdre dans ses longs cheveux.

Glass change de position pour s'asseoir sur ses genoux, et sent le bras libre de Luke lui enserrer la taille pour l'empê-cher de tomber.

— Je t'aime, laisse-t-il échapper dans un murmure.

Peu importe le nombre de fois qu'il lui a répété ces mots, elle en tremble chaque fois. Elle se détache de lui le temps de reprendre son souffle.

— Moi aussi, je t'aime.

Elle se replonge alors dans le baiser, lui caressant tout en douceur le dos jusqu'à atteindre la bande de peau découverte entre son T-shirt et sa ceinture.

— Faisons une pause, l'arrête Luke, hors d'haleine.

Ces dernières semaines, il est devenu de plus en plus difficile d'empêcher les choses d'aller trop loin.

— Non, pas cette fois, lui dit Glass, en lui adressant un sourire plein de promesses. En plus, c'est *mon* anniversaire, lui glisse-t-elle à l'oreille.

Luke éclate de rire avant de lâcher un grognement. Il se redresse en soulevant Glass dans ses bras.

— Repose-moi par terre ! rit-elle en battant des jambes. Mais à quoi tu joues ?

Luke avance de quelques pas vers la porte.

— Je t'emmène à la Bourse d'échange. Je vais te troquer contre une fille qui n'essaiera pas de me causer des problèmes tous les quarts d'heure !

— *Eh !* s'exclame-t-elle d'un ton faussement indigné avant de tambouriner des poings sur sa poitrine. Repose-moi !

Il se détourne de la porte.

— Tu promets de te tenir tranquille ?

— Quoi ? C'est quand même pas de ma faute si ton sex-appeal me donne envie de te toucher partout…

— Glass, l'avertit-il.

— Oui, oui, je promets, d'accord.

— Tant mieux, dit-il en allant la déposer précautionneusement sur le canapé. Sinon, j'aurais pas pu t'offrir le cadeau
que je t'avais trouvé.

— C'est quoi ? demande-t-elle en s'asseyant.

— Une ceinture de chasteté, annonce Luke, plein de sérieux.
Pour moi. Je l'ai trouvée à la Bourse d'échange. Ça m'a coûté
une petite fortune, mais c'était nécessaire pour protéger ma...

Glass lui décoche un coup de poing dans les pectoraux,
le faisant éclater de rire. Il la prend dans ses bras.

— Excuse-moi.

Il enfonce sa main dans une poche, puis marque une
pause.

— Je ne l'ai pas emballé.

— Ça n'a aucune importance.

Il sort sa main de sa poche, la tend vers Glass et ouvre
sa paume sur un médaillon rutilant en or.

— Luke ! C'est superbe ! souffle-t-elle en prenant le bijou.
Elle en parcourt le contour délicat du bout des doigts.

— Il est fait-Terre.

Elle lève sur lui des yeux incrédules.

— En tout cas, d'après les papiers, c'est un authentique...
Puis-je ? demande-t-il à Glass en le lui prenant des mains.

Rendue muette par la surprise, elle opine de la tête. Luke
passe derrière elle pour boucler le fermoir. Elle ne peut retenir un frisson lorsqu'il balaye de la main les cheveux de sa
nuque, tout en se demandant combien un tel objet a pu lui
coûter. Toutes ses économies ont dû y passer. Même avec
sa paye de garde, il ne lui reste que très peu de points de
rationnement à chaque fin de mois.

— Je l'adore, lui dit-elle en se retournant pour lui faire
face.

Un large sourire illumine son visage.

— Je suis super content qu'il te plaise.

Il descend sa main le long du cou de Glass et retourne le médaillon, révélant un G gravé au dos dans l'or fin.

— C'est toi qui l'as gravé ?

Il hoche la tête.

— Dans un millier d'années, je veux que les gens puissent encore savoir qu'il t'a appartenu. Maintenant, il ne te reste plus qu'à le remplir avec tes propres souvenirs.

Glass sourit.

— Je sais par quel souvenir je vais commencer.

Elle lève les yeux sur Luke, s'attendant à lire sur ses traits une expression moqueuse. Mais non, il est on ne peut plus sérieux. Leurs yeux se trouvent, et l'unité résidentielle ne résonne plus pendant un long moment que du battement de leurs cœurs à l'unisson.

— Tu es bien certaine que c'est ce que tu veux ? demande Luke, les sourcils légèrement froncés.

— Certaine comme je ne l'ai jamais été.

Luke prend la main de Glass et son contact l'électrise jusqu'au plus profond d'elle. Il entrelace ses doigts aux siens, et sans plus rien ajouter, l'emmène dans sa chambre.

Bien sûr, il l'a revendu, songe Glass en son for intérieur. Il aurait été ridicule de garder un objet d'une telle valeur, surtout après qu'elle lui a brisé le cœur. Et pourtant, de voir ainsi le collier qui était le sien sur un vulgaire étal de la Bourse d'échange fait sourdre en elle un chagrin qui lui tord les entrailles. La soudaine sensation d'être épiée tire Glass de ses pensées. Elle se prépare mentalement à affronter le regard soupçonneux de quelque vague connaissance, mais quand elle tourne la tête, un visage totalement inattendu se présente à elle.

Luke.

Il la regarde juste assez longtemps pour qu'elle se mette à rougir, puis ses yeux vont se fixer sur le collier qu'elle a reposé sur le présentoir. Une expression étrange se peint sur les traits de Luke lorsqu'il aperçoit le médaillon.

— Ça m'étonne que personne ne se soit encore jeté dessus, remarque-t-il d'une voix douce. Il est si beau. Un petit sourire triste apparaît furtivement sur ses lèvres. Mais ce sont souvent les plus grandes beautés qui vous causent le plus de mal.

— Luke, commence Glass, je…

Elle s'interrompt aussitôt à la vue d'une silhouette familière derrière Luke. Camille se tient à quelques mètres, qui observe Glass de derrière l'étalage dédié aux textes sur papier.

— Camille remplace son père ces derniers temps, il est malade, explique Luke.

— Je suis désolée, parvient-elle à déglutir.

Mais avant qu'elle ait pu placer un autre mot, des voix s'élèvent à proximité.

— Si vous refusez de pratiquer des prix honnêtes, il ne me restera pas d'autre choix que de vous dénoncer pour fraude !

C'est Cora qui crie sur la marchande waldénite, et celle-ci pâlit au mot de dénonciation. Glass n'entend pas sa réponse à Cora, mais son amie semble en tout cas satisfaite puisqu'elle retrouve le sourire et tend son pouce pour la transaction.

Glass ne peut s'empêcher de grimacer, embarrassée par le comportement de Cora.

— Désolée, il… il faut que j'y aille.

— S'il te plaît, la retient Luke en lui touchant le bras. Je me fais du souci pour toi. Il baisse la voix. Qu'est-ce que tu fabriques ici ? Tu es sûre que tu ne risques rien ?

L'inquiétude qui perce dans son timbre vient appliquer un peu de baume à son cœur meurtri, sans toutefois avoir raison de la douleur tenace qui s'y accroche encore.

— Je ne risque rien, j'ai été graciée, répond Glass en priant que sa voix ne la trahisse pas.

— Graciée ? Les yeux de Luke s'étrécissent. Waouh. Si j'avais pensé… C'est incroyable ! Il marque une pause, comme s'il ne savait pas comment poursuivre. Tu sais, tu ne m'as toujours pas dit pourquoi tu as été condamnée à l'Isolement.

Glass baisse le regard. Elle doit combattre une irrépressible envie de lui avouer toute la vérité. *Il mérite d'être heureux*, se rappelle-t-elle fermement. *Il ne t'appartient plus.*

— Peu importe, finit-elle par lâcher. J'ai juste envie de laisser tout ça derrière moi.

Le regard pénétrant de Luke lui fait se demander une seconde s'il ne voit pas clair dans son jeu.

— Bon, prends bien soin de toi, alors, conclut-il.

— Oui, merci, acquiesce-t-elle.

Elle sait que cette fois, elle a pris la bonne décision. Si seulement celle-ci ne la faisait pas tant souffrir...

CHAPITRE 12

Clarke

Dans la pénombre de l'infirmerie, Clarke observe avec inquiétude Thalia se débattre dans son sommeil, en proie à une fièvre qui empire depuis que l'infection s'est installée.

— Tu crois qu'elle rêve de quoi ?

Clarke sort de ses pensées et découvre Octavia, assise sur son lit, les yeux rivés sur Thalia.

— Je n'en sais rien, ment-elle.

Elle connaît suffisamment son amie pour savoir qu'elle rêve sans doute de son père. Elle a été condamnée pour avoir essayé de voler des médicaments, alors même que le Conseil s'était prononcé contre la poursuite de son traitement. Étant donné la pénurie alarmante de produits médicaux, ils avaient considéré que ses chances de survie étaient trop minimes pour justifier le recours aux maigres ressources disponibles. Thalia ne sait toujours pas ce qu'il est advenu de lui : a-t-il succombé à sa maladie après son arrestation ? Ou s'accroche-t-il encore à la vie, priant pour revoir un jour sa fille ?

Thalia gémit et se recroqueville, ravivant chez Clarke le souvenir de Lilly les nuits où elle souffrait, et où elle allait lui tenir compagnie au laboratoire, à l'insu de ses parents. Bien que personne n'empêche Clarke de rester au chevet de Thalia, elle ressent la même angoisse, la même impuissance. Elle ne peut rien faire de plus pour son amie jusqu'à ce que les malles à pharmacie soient retrouvées.

La porte de la tente s'ouvre, laissant entrer un flot de lumière et l'odeur riche de l'air extérieur, et la silhouette de Bellamy se dessine à contre-jour, un arc à l'épaule et les yeux pétillants.

— Bonjour, mesdemoiselles, les salue-t-il dans un sourire en se dirigeant vers le lit de sa sœur.

Il lui ébouriffe les cheveux, toujours maintenus par son ruban rouge. Il est suffisamment proche pour que Clarke détecte une légère odeur de transpiration qui émane de lui, ainsi qu'une autre senteur qu'elle n'arrive pas à identifier, mais qui la fait songer à des arbres.

— Comment va ta cheville ? demande-t-il à Octavia, en l'examinant sous toutes les coutures à grands renforts de mimiques exagérées.

Elle la soulève avec précaution.

— Beaucoup mieux. Elle jette un coup d'œil vers Clarke. Je peux quitter l'infirmerie, maintenant ?

Clarke hésite. La cheville d'Octavia est toujours fragile, et elle n'a eu aucun moyen de lui confectionner d'attelle digne de ce nom. Si elle met trop de poids dessus, la foulure risque de s'intensifier.

Octavia lâche un profond soupir, puis prend une mine de chien battu.

— S'il vous plaît ! Je suis pas venue sur Terre pour rester enfermée dans une tente !

— *Tu* n'as pas eu le choix, réplique Bellamy. En revanche, moi, j'ai pas risqué ma peau à te rejoindre pour te voir attraper la gangrène !

— Où as-tu entendu parler de la gangrène ? demande Clarke, les yeux ronds d'étonnement.

Personne n'a jamais développé ce type d'infection à bord de la Colonie, et elle doute que quiconque aille se plonger dans des manuels médicaux pour le plaisir.

— Vous me décevez, docteur. Je ne pensais pas que vous faisiez partie de ces gens-là.

— Ces gens-là ?

— Oui, ces Phoeniciens qui prennent tous les Waldénites pour des illettrés !

Octavia lève les yeux au ciel, puis se tourne vers son frère.

— Oh, c'est bon, arrête de tout prendre pour une insulte !

Bellamy ouvre la bouche pour répliquer, puis se ravise, préférant en sourire.

— Fais gaffe à la manière dont tu t'adresses à ton grand frère, sinon je pars sans toi ! la menace-t-il affectueusement.

— Me laisse pas, lui dit-elle, sérieuse tout à coup. Tu sais combien j'ai horreur de rester enfermée !

Une expression indéchiffrable vient alors obscurcir les traits de Bellamy, et Clarke se demande à quoi il peut bien penser.

Il finit par se détendre et sourit.

— OK, je vais te faire faire un petit tour dehors. Je veux essayer de chasser encore un peu avant que la nuit tombe. Si le docteur m'y autorise, bien sûr.

— Tant que vous êtes prudents.

Clarke lui lance un regard interrogateur.

— Tu penses vraiment pouvoir attraper quelque chose ?

Personne n'a encore vu de mammifère, alors en tuer un...

— Il faut bien que quelqu'un s'y colle. Nos rations de survie ne vont pas nous tenir plus d'une semaine, au rythme où ils les consomment.

— Eh bien, bonne chance, alors, lui dit Clarke avec un petit sourire.

Elle s'approche du lit d'Octavia pour aider Bellamy à la mettre debout.

— Je peux me débrouiller, proteste Octavia à cloche-pied en se retenant au bras de son frère. Allons-y ! dit-elle en le traînant vers la porte de la tente.

Bellamy s'arrête avant de la franchir et tourne la tête vers Clarke.

— Au fait, j'ai repéré des débris du vaisseau en marchant dans les bois. Ça te dirait d'aller y jeter un œil demain ?

Le sang de Clarke ne fait qu'un tour.

— Tu crois qu'ils contiennent le matériel qu'on n'a pas encore pu trouver ? On y va maintenant !

Bellamy secoue la tête.

— C'est trop loin, on n'aurait pas le temps de revenir au campement avant la nuit. On ira demain.

Clarke se tourne vers son amie, toujours en proie à des cauchemars à en croire sa grimace.

— D'accord. À la première heure demain matin, alors.

— Attendons plutôt l'après-midi. Je serai à la chasse le matin. C'est l'heure à laquelle les animaux vont s'abreuver.

Clarke se retient de lui demander où il a appris ces choses-là, même si son étonnement se reflète sur son visage.

— À demain, dans ce cas ? demande Bellamy. Clarke opine du chef. Rendez-vous est pris ! déclare-t-il en souriant de toutes ses dents.

Elle regarde le frère et la sœur sortir de la tente clopin-clopant, puis va s'asseoir au chevet de Thalia. Les yeux de son amie papillonnent un instant avant de s'entrouvrir.

— Salut, prononce-t-elle faiblement.

— Comment tu te sens ? lui demande Clarke en lui prenant le pouls.

— Super ! répond-elle d'une voix pâteuse, je suis fin prête pour accompagner Bellamy dans sa partie de chasse.

— Je croyais que tu dormais, sourit Clarke.

— Plus ou moins. Par intermittence.

— Je vais jeter un petit coup d'œil à la plaie, ça te dérange pas ?

Thalia acquiesce légèrement et Clarke écarte la couverture puis soulève la chemise de son amie. Toute une série de marques violacées irradient autour de la blessure suintante, indiquant que l'infection commence à se propager dans le système sanguin.

— C'est douloureux ?

— Non, répond Thalia, mais aucune des deux n'est dupe. Son état se détériore lentement, mais sûrement.

— T'arrives à croire que ces deux-là sont frère et sœur ? demande Clarke, désireuse de changer de sujet.

— C'est clair que c'est dingue, confirme Thalia, sa voix un peu plus forte.

— Ce qui est encore plus dingue, c'est ce qu'il a fait pour s'introduire dans le vaisseau. En même temps, c'était super courageux. Ils l'auraient tué s'ils l'avaient attrapé. Elle marque une pause. Ils le tueront dès qu'ils viendront sur Terre.

— Il a été sacrément loin pour protéger Octavia, acquiesce Thalia, se détournant pour masquer une nouvelle grimace de douleur. Il t'aime vraiment, tu sais.

— Qui ? Bellamy ?!

— Mais non, Wells. Il est venu sur Terre pour toi, Clarke.

— Je ne lui ai rien demandé, répond-elle, les lèvres pincées.

— On a tous fait des choses dont on n'est pas fiers, reprend Thalia d'une voix à peine audible.

— Je n'ai besoin du pardon de personne, rétorque Clarke, les yeux fermés pour réprimer un frisson.

— Je ne parle pas de ça, et tu le sais pertinemment.

Thalia reprend difficilement son souffle, manifestement épuisée par l'effort fourni.

— Tu as besoin de repos, lui dit Clarke en remontant la couverture sur les épaules de son amie. On reparlera de tout ça demain.

— *Non !* s'insurge Thalia. Clarke, ce qui est arrivé n'est pas de ta faute !

— Bien sûr que c'était ma faute.

Clarke se refuse à regarder son amie en face. Thalia est la seule à savoir ce qu'elle a vraiment fait, et Clarke n'a pas la force de lire dans ses grands yeux expressifs le souvenir de son forfait.

— Et de toute façon, quel est le rapport avec Wells ?

Thalia clôt les paupières et lâche un soupir, ignorant la question.

— Tu dois t'autoriser à être heureuse. Sinon, la vie n'a plus de sens.

Clarke ouvre la bouche pour lancer une réplique, mais une quinte de toux fait se plier Thalia en deux.

— Chhhh, ça va aller, lui chuchote-t-elle en passant une main dans ses cheveux trempés de sueur, tu vas te remettre.

Cette fois, ses mots ne sont plus une prière, mais une promesse. Clarke refuse de laisser Thalia mourir, et rien ne pourra l'en empêcher. Elle ne laissera pas sa meilleure amie rejoindre le chœur de fantômes qui hante ses nuits.

CHAPITRE 13

Wells

Wells lève les yeux sur le ciel constellé d'étoiles. Il ne s'attendait pas à ce que la vision de la voûte céleste provoque en lui une telle vague de nostalgie. De voir la Lune si petite et sans relief lui semble tellement étrange, comme s'il se réveillait pour voir le visage de ses proches complètement effacé.

La plupart des adolescents assis autour de lui près du feu sont en train de maugréer. Après moins d'une semaine sur Terre, leur ration alimentaire est presque réduite de moitié. Le fait de ne pas avoir de matériel médical était déjà inquiétant, mais si la nourriture vient à manquer… Soit la Colonie s'est largement trompée dans l'estimation des provisions nécessaires, soit Graham et ses acolytes ont fait main basse sur une plus grande partie des stocks qu'il ne pensait. Quoi qu'il en soit, les effets du rationnement commencent déjà à se lire sur les visages. En plus des joues creusées, la lueur affamée qu'il voit

luire dans les yeux lui fait craindre les pires scénarios. Wells n'arrive pas à se sortir de la tête qu'ils
ont tous été condamnés à l'Isolement pour une
bonne raison, que tous ces jeunes qui l'entourent
ont commis un acte mettant la Colonie en danger.

Et lui-même encore plus que les autres...

À ce moment, Clarke émerge de l'infirmerie et se
dirige vers le feu de camp, cherchant des yeux où
s'installer. Malgré la place libre à côté de Wells, son
regard glisse sur lui sans même qu'elle sourcille. Elle
finit par choisir de rejoindre Octavia, assise sur un
tronc d'arbre, sa jambe blessée allongée devant elle.

Wells finit par détourner ses yeux de Clarke, préférant s'appesantir sur la clairière qui commence
enfin à prendre tournure. Les hautes flammes illu-
minent par intermittence les trois grandes tentes
qu'ils ont érigées : celle de l'infirmerie, une destinée
à stocker le matériel, et la favorite de Wells, une
tente retournée montée sur des piquets pour récolter
l'eau de pluie s'il venait à pleuvoir. Au moins, leur
campement ressemble à peu près à quelque chose.
Il se dit que son père sera impressionné lorsqu'il
débarquera sur Terre.

Si il débarque un jour... Wells a de plus en plus
de mal à se convaincre que son père va bien, que
la blessure par balle n'était que superficielle. Une
douleur s'installe dans sa poitrine lorsqu'il imagine
son père s'accrochant à la vie sur son lit d'hôpital,
ou pire encore, sa dépouille flottant dans l'immen-

sité glaciale de l'espace. Les derniers mots de son père lui résonnent encore aux oreilles : *S'il y a quelqu'un qui peut mener cette mission à bien, c'est toi.* Après toute une vie à s'entendre dire de travailler plus et mieux, Wells se demande si ces paroles n'ont pas été le dernier ordre donné par le chancelier à son fils.

Un bruit bizarre se fait alors entendre à la lisière de la forêt. Les sens en alerte, Wells se redresse. Un bruissement de feuilles succède à une série de craquements sonores. Les murmures autour du feu se transforment en cris étouffés lorsqu'une étrange silhouette mi-humaine, mi-animale se matérialise à l'orée du bois, telle une créature sortie tout droit d'un mythe antique.

Wells se lève d'un bond. C'est alors que la créature sort de l'ombre et apparaît à la lumière du brasier.

Bellamy s'avance lentement vers le cercle, tenant sur ses épaules un gros animal dégouttant de sang.

Un cerf. Les yeux de Wells parcourent le corps gracieux de l'animal sans vie, de ses pattes graciles à ses oreilles délicatement biseautées en passant par son abondante fourrure. À mesure que Bellamy se rapproche, la tête du cerf ballotte de droite et de gauche, sans jamais effectuer de tour complet. Elle semble cogner dans quelque chose à chaque aller-retour. Une autre tête, qui se balance au bout d'un deuxième cou. *Le cerf a deux têtes !*

Wells reste pétrifié un instant alors que les autres ados se lèvent, certains s'approchant même pour voir la bête de plus près.

— On court aucun danger ? demande une fille.

— Aucun, la rassure la voix de Clarke qui se dirige tranquillement vers Bellamy. Les radiations ont dû faire brutalement évoluer le patrimoine génétique des animaux il y a plusieurs siècles, mais il ne devrait plus en rester aucune trace aujourd'hui.

Le silence s'abat sur les 100 lorsque Clarke caresse l'épaisse fourrure de la bête. Baignée par les rayons de lune, elle n'a jamais semblé aussi belle à Wells.

Clarke tourne ensuite la tête vers Bellamy.

— Nous ne mourrons pas de faim, déclare-t-elle avec un sourire qui noue les entrailles de Wells, avant d'ajouter quelque chose à voix basse qu'il ne parvient pas à entendre. Bellamy hoche la tête.

Wells exhale un soupir de frustration, énervé de ne pas réussir à contrôler ses sentiments. Il reprend une bonne goulée d'air frais et s'avance en direction de Clarke et de Bellamy. Il la sent se raidir à son approche, mais Wells se force à garder les yeux rivés sur Bellamy.

— Merci, lui dit-il, grâce à toi, tout le monde mangera à sa faim aujourd'hui.

Bellamy lui lance un regard interrogateur en se dandinant d'un pied sur l'autre.

— Je suis sincère. Merci.

Bellamy finit par hocher la tête et Wells regagne sa place auprès du feu, le laissant s'entretenir avec Clarke à voix basse.

Le pont d'observation est totalement désert. Les yeux plongés dans l'immensité du vide intersidéral, Wells n'a aucun mal à imaginer qu'ils sont les deux seuls êtres vivants de tout l'univers. Il resserre son étreinte sur Clarke. Elle appuie sa tête contre sa poitrine et expire longuement, comme s'il lui suffisait que Wells respire pour eux deux.

— Comment ça s'est passé aujourd'hui ? murmure-t-elle.

— Bien, répond-il automatiquement, tout en sachant qu'il est parfaitement inutile de lui mentir alors qu'elle est serrée contre lui : elle sait interpréter le moindre battement de son cœur comme un message en Morse.

— Que s'est-il passé ? le presse-t-elle, ses grands yeux vert émeraude luisant d'inquiétude.

Le stage visant à le titulariser comme officier implique qu'il aille périodiquement encadrer des gardes sur *Walden* et sur *Arcadia*. Aujourd'hui, il a assisté à l'arrestation d'une femme enceinte d'un enfant illégal. Elle ne bénéficierait d'aucune clémence. Elle serait ainsi placée à l'Isolement jusqu'à ce qu'elle accouche, puis une fois l'enfant confié aux bons soins du Conseil, elle serait exécutée. La loi est dure, mais nécessaire. Le vaisseau n'a les ressources que pour un nombre limité d'habitants et quiconque vient perturber ce fragile équilibre met en danger l'espèce humaine tout entière.

Mais la peur panique qui déformait les traits de cette femme tandis que les gardes la traînaient s'est imprimée de manière indélébile sur sa rétine.

Étonnamment, c'est le père de Wells qui l'a aidé à faire sens de ce qu'il avait vu. Ce soir, lors de leur traditionnel dîner en face-à-face, le chancelier a senti que quelque chose turlupinait son fils. Wells lui a alors raconté l'incident en tâchant de garder le ton froid et détaché attendu d'un militaire, mais son père, dans un rare geste d'affection, a pris sa main dans la sienne, et déclaré : « Ce que nous devons accomplir est loin d'être toujours facile. Mais notre mission est cruciale. L'intérêt commun de la survie de l'espèce rend hélas certains sacrifices nécessaires. »

— Laisse-moi deviner, dit Clarke, interrompant le fil de ses réminiscences. Tu as arrêté un as de la cambriole qui piquait des bouquins à la bibliothèque ?

— Non. Il lui remet une mèche en place derrière son oreille. La voleuse de livres est toujours dans la nature. Une unité spéciale est en train d'être montée pour la traquer.

Clarke lui sourit et les paillettes d'or de ses iris étincèlent de bonheur. Il ne peut pas imaginer plus belle couleur.

Wells reporte son attention sur le spectacle qu'offre l'énorme baie vitrée. Ce soir, les nuages qui enveloppent la Terre ne lui évoquent pas l'habituel linceul, mais plutôt une couverture douillette. La planète n'est pas morte, elle a simplement glissé dans un sommeil enchanté, attendant le retour des hommes à sa surface pour se réveiller.

— Tu penses à quoi ? lui demande Clarke. À ta mère ?

— Non, répond-il après plusieurs secondes. Pas vraiment.

D'un geste distrait, Wells enroule une mèche de cheveux de Clarke autour de son index, avant de la laisser retomber sur son épaule.

— En même temps, il ne se passe pas une seconde sans que je pense à elle d'une certaine manière.

Il a encore du mal à réaliser qu'elle est partie à jamais.

— Je veux juste que de n'importe où qu'elle se trouve elle puisse être fière de moi, poursuit-il, parcouru d'un frisson en balayant du regard le champ d'étoiles qui s'offre à lui.

Clarke lui serre doucement les doigts, lui transférant sa chaleur et sa compassion.

— Bien sûr qu'elle est fière de toi. N'importe quelle mère serait fière d'avoir un fils comme toi.

— Seulement les mères ? demande Wells, un large sourire aux lèvres.

— Je te vois bien aussi chouchou auprès des seniors, maintenant que tu le dis, rétorque-t-elle le plus sérieusement du monde avant d'éclater de rire lorsqu'il lui décoche un petit coup de poing sur l'épaule.

— Il y a une autre personne que j'aimerais rendre fière.

Clarke arque un sourcil en guise d'interrogation.

— Cette personne ferait mieux de surveiller ses arrières, dit-elle en attrapant la tête de Wells entre ses paumes, parce que je n'aime pas des masses partager.

Wells sourit, se penche vers elle, et les yeux fermés, presse ses lèvres contre les siennes en un baiser léger comme une plume, avant de descendre dans son cou.

— Moi non plus, lui chuchote-t-il à l'oreille, la sentant frissonner sous son souffle chaud.

Elle l'attire contre elle, son contact lui faisant oublier toute la tension de sa journée, lui faisant oublier que tout recommencera le lendemain, et le surlendemain. Tout ce qui compte à ce moment, c'est la fille qui est dans ses bras.

L'odeur de cerf rôti qui embaume bientôt la clairière est à la fois totalement étrangère et puissamment enivrante. Il n'y avait pas de viande à bord de la Colonie, pas même sur *Phoenix*. Tout le bétail avait dû être abattu au milieu du premier siècle.

— Comment on sait quand c'est cuit ? demande à Wells une Arcadienne nommée Darcy.

— Lorsque l'extérieur commence à se racornir et que l'intérieur rosit, répond Bellamy sans détourner la tête de sa tâche.

Graham pousse un grognement de dérision, tandis que Wells abonde dans le sens du chasseur.

— C'est bien ce qu'il me semble aussi, t'as raison.

Après que la viande a refroidi, ils la découpent en lanières plus petites et font circuler des portions autour du feu. Wells se charge de plusieurs et va les distribuer de l'autre côté.

Il en donne une part à Octavia qui tient son morceau à bout de bras devant elle, l'air dégoûtée.

— T'y as goûté, toi ?

— Pas encore, répond Wells.

— Eh ben, c'est pas juste ! s'emporte-t-elle les sourcils froncés. Et si c'est immangeable ?

— Personne n'a l'air de se plaindre, fait-il remarquer après avoir jeté un coup d'œil circulaire à la foule.

— Je suis pas comme les autres, rechigne-t-elle d'un ton boudeur.

Elle le dévisage pendant plusieurs secondes, comme si elle attendait qu'il réponde, puis lui décoche un sourire en poussant sa viande vers lui.

— Vas-y, croque une bouchée et tu me diras ce que tu en penses.

— Ça va, je te remercie, je veux juste m'assurer d'abord que tout le monde…

— Oh, allez ! glousse-t-elle en essayant de lui faire rentrer la viande dans la bouche, essaie une bouchée, rien qu'une !

Un regard de côté confirme à Wells que Clarke ne le voit pas : elle est toujours en pleine conversation avec Bellamy.

— OK, consent-il finalement en prenant le morceau de viande des mains d'Octavia.

Elle semble un peu déçue de ne pas pouvoir le nourrir directement, mais Wells s'en fiche. Il mord dans le mets exotique. L'extérieur s'avère un peu caoutchouteux, mais une fois ses dents plantées dans la viande, celle-ci dégage une avalanche de saveurs telles qu'il n'en a jamais connu : un mélange de salé, de fumé et en même temps de légèrement sucré. Il mâche consciencieusement sa bouchée avant de l'avaler, s'attendant à ce que son estomac rejette cette substance étrangère… Mais non, tout ce qu'il ressent, c'est une douce chaleur.

Les premiers ados à avoir été servis quittent tour à tour leur place autour du feu, et on n'entend bientôt plus que le murmure de leurs conversations mêlé au crépitement des flammes. Jusqu'au moment où la tonalité change radicalement, les discussions paisibles se muant en exclamations inquiètes qui font froid dans le dos à Wells. Il se lève à la hâte et va rejoindre un groupe qui s'est massé à la lisière de la forêt.

— Que se passe-t-il ?

— *Regarde !* lui lance une fille en montrant quelque chose dans les arbres.

— Quoi ? demande Wells en plissant les yeux dans l'obscurité.

— Là, enchérit une autre fille, le doigt tendu. Tu l'as vu ?

Wells est sur le point de croire qu'elles se moquent de lui lorsqu'il discerne une lueur du coin de l'œil. Un bref éclair de lumière qui disparaît sitôt s'être allumé. Puis un autre quelques mètres plus loin. Et encore un autre, un peu plus haut. Il s'avance d'un pas dans les arbres et découvre une multitude de petits points lumineux, comme si des mains invisibles avaient décoré la forêt de minuscules lampions. Ses yeux finissent par atterrir sur l'orbe scintillant le plus proche, accroché à une branche basse.

À l'intérieur du halo, quelque chose bouge. Une créature. C'est une sorte d'insecte doté d'un corps incroyablement fin et de délicates ailes disproportionnées. Le mot se fraye un chemin de son cerveau à ses lèvres : *papillon.*

D'autres membres du groupe sont venus le rejoindre dans la forêt et retiennent leur souffle, captivés par la beauté du spectacle.

— Clarke, murmure-t-il dans la pénombre.

Il faut qu'elle voie ça. Il détache à regret son regard du ballet lumineux, prêt à courir la chercher. Mais elle est déjà là. Clarke se tient à quelques mètres derrière lui, comme hypnotisée. Une douce lueur éclaire ses traits, et son visage a pour un temps perdu toutes ses marques de soucis et de fatigue accumulées depuis le crash.

— Eh, l'appelle-t-il à mi-voix, réticent à briser le silence religieux qui règne.

Il s'attend à ce qu'elle le repousse, qu'elle lui dise de se taire, voire à ce qu'elle tourne les talons. Mais elle reste figée sur place, perdue dans sa contemplation des papillons lumineux.

Wells n'ose ni faire un pas ni risquer un autre mot. La fille qu'il croyait avoir perdue à tout jamais est toujours là, quelque part en elle, et en cet instant, une certitude s'impose à lui : il sait désormais qu'il peut la reconquérir.

CHAPITRE 14

Bellamy

Bellamy se demande bien pourquoi les anciens humains avaient recours à des drogues. À quoi bon s'injecter de la merde dans les veines si une balade dans la forêt procure exactement le même effet ? Un phénomène se produit chaque fois qu'il s'enfonce dans les bois : lorsqu'il s'éloigne du campement aux premières lueurs de l'aube, en route pour une nouvelle partie de chasse, il se met à prendre des inspirations plus profondes. Son cœur bat plus lentement, plus régulièrement et plus fort, comme si ses organes se mettaient au diapason de la terre qu'il foule. Il a l'impression qu'on est venu lui trifouiller la cervelle pour reparamétrer ses sens, ouvrant ses perceptions sur un univers de sensations qu'il n'aurait jamais pu imaginer.

Ce qu'il aime encore davantage, c'est la paix. À bord de la Colonie, rien n'était jamais totalement silencieux, il y avait toujours des bruits parasites en arrière-plan, que ce soit le bourdonnement des générateurs, le crépitement de l'éclairage ou l'écho des bruits de pas dans les couloirs. Cela lui a même fait peur, la première fois qu'il a pénétré dans la forêt : comment noyer ses pensées dans un tel environnement ? Mais rapidement, son esprit a commencé à s'apaiser.

Bellamy balaye des yeux le sol aux alentours, à l'affût d'indices sur les mousses ou sur la roche. Il n'y a pas de traces aussi claires que celles qu'il a suivies hier, mais un instinct lui dicte de tourner à droite, de s'enfoncer plus avant dans ces taillis serrés où la lumière ne passe plus que par de rares trouées. C'est là où il irait s'il était un animal.

Il attrape dans son dos une des flèches glissées dans son carquois. Bien que ça lui fende toujours le cœur de voir mourir les animaux, il s'est entraîné d'arrache-pied ces derniers jours et il vise désormais beaucoup mieux. Comme ça, il est sûr que les bêtes souffrent moins longtemps. Il garde en mémoire la terreur et l'agonie du premier cerf qu'il a abattu, trébuchant à chaque pas alors que son sang s'écoulait à gros bouillons. Qui plus est, tuer un animal reste un crime largement moins grave que la plupart de ceux commis par les 100 et qui leur valent de se retrouver là. Même s'il met un terme prématuré à la vie de ces créatures, Bellamy se console en se disant qu'elles auront au moins vécu en totale liberté jusqu'ici.

Les autorités ont eu beau promettre l'amnistie aux 100, il a parfaitement conscience que lui n'y aura pas droit, pas après avoir tiré sur le chancelier. Si celui-ci fait partie du prochain voyage, la première personne à descendre du vaisseau l'abattra sans doute à vue.

Bellamy en a plus qu'assez, merci. Il n'en peut plus des punitions, des règlements draconiens et du système en général. Il ne veut plus que qui que ce soit lui dicte sa conduite. Vivre dans la forêt ne sera pas une partie de plaisir, mais au moins Octavia et lui seront enfin libres.

Il s'engage dans la pente, les bras écartés pour se maintenir en équilibre, tout en tâchant de limiter les bruits au maximum afin de ne pas effrayer le gibier. Après quelques dérapages plus ou moins contrôlés, il arrive en bas du ravin, ses bottes usées s'enfonçant dans la boue humide. Bellamy fait la grimace en sentant que de l'eau s'infiltre à travers les trous de ses semelles. Ça ne va pas être marrant de rentrer au camp dans des chaussettes mouillées, il en a déjà fait la douloureuse expérience. Il ne comprend pas pourquoi cette information cruciale ne figurait dans aucun des manuels de survie qu'il a lus. À quoi bon savoir comment confectionner un piège avec des lianes, ou quelles plantes utiliser pour traiter une brûlure, si on ne peut plus marcher ?

Il met ses chaussettes à sécher sur une branche au soleil, et rentre pieds nus dans le ruisselet. La température est déjà notablement plus élevée que lorsqu'il a quitté le camp et l'eau fraîche lui fait un bien fou. Il remonte ses jambes de pantalon au-dessus des genoux et patauge jusqu'à avoir de l'eau à mi-mollets en souriant béatement. C'est l'un de ses trucs préférés sur Terre : un geste banal comme se laver les pieds devient ici un plaisir inouï.

La végétation arborescente est moins dense le long du courant, laissant passer de plus généreux rayons de soleil. Bellamy a tout d'un coup extrêmement chaud. Il retire son T-shirt presque rageusement, le roule en boule et l'envoie sur l'herbe avant de se baisser pour recueillir de l'eau dans ses paumes jointes. Il s'en éclabousse le visage puis en boit une lampée. Et à nouveau, le miracle se produit : l'eau peut bel et bien avoir un *goût*. Sur *Walden*, ils avaient l'habitude de blaguer sur le fait que boire l'eau de la station, recyclée en boucle depuis des générations, revenait à boire la pisse de ses arrière-grands-parents. Maintenant il comprend mieux que des siècles de retraitement, de filtration et de purification ont réduit le précieux liquide à sa plus simple expression : rien de plus qu'un assemblage de molécules d'hydrogène et d'oxygène. Il se baisse pour reprendre une gorgée. S'il devait décrire la saveur de cette eau, il dirait volontiers qu'elle est le parfait mélange du goût de la Terre et de celui du ciel. Et si quelqu'un a le malheur de se moquer de lui, il lui cassera la gueule.

Un craquement résonne alors dans le bosquet derrière lui. Il fait volte-face si rapidement qu'il en perd l'équilibre et tombe à la renverse dans une gerbe d'eau. Il se remet vite sur pieds, ses orteils solidement campés dans la vase, et tâche de localiser l'origine du son.

— Désolée, je voulais pas te faire peur.

Bellamy chasse une mèche de devant ses yeux et découvre Clarke debout sur l'herbe. Il est encore sous le choc de voir quelqu'un d'autre dans les bois. Jusqu'à maintenant, il les considérait comme sa propriété. Pourtant, la bouffée d'irritation à laquelle il s'attend ne se produit pas.

— Tu n'as pas pu attendre jusqu'à cet après-midi ? lui demande-t-il en remontant vers la berge.

— On a *besoin* de ces médicaments, se défend Clarke. Le rouge aux joues, elle détourne les yeux de son torse nu.

Elle était tellement coriace la plupart du temps qu'il était facile d'oublier qu'elle avait grandi dans un monde de concerts chics et autres événements mondains. Bellamy se fend d'un large sourire malicieux avant de s'ébrouer, envoyant des gouttelettes à la ronde.

— Eh ! s'écrie Clarke en sautant en arrière. On n'a pas testé cette eau, en plus, elle pourrait être toxique.

— Depuis quand notre docteur qui déchire grave s'est-elle transformée en flippette ?

Bellamy se laisse tomber dans l'herbe et fait signe à Clarke de venir le rejoindre.

— Moi, une *flippette* ? s'offusque-t-elle en s'asseyant à côté de lui. Tu tenais à peine le couteau hier soir tellement tu avais la main qui tremblait.

— Je te ferais dire que c'est *moi* qui ai tué le cerf. Je pense que j'ai largement fait ma part du boulot ; en plus, ajoute-t-il en s'allongeant, c'est toi qui a été formée pour ouvrir les gens au couteau.

— Euh, pas vraiment, non.

Les mains derrière la tête, Bellamy ferme les yeux et laisse le soleil le pénétrer par tous les pores en poussant un soupir de plaisir. C'est presque aussi agréable que d'être au lit avec une fille. Peut-être même encore mieux, parce que le soleil au moins n'ira jamais te demander à quoi tu penses.

— Désolé pour l'insulte, dit-il en sentant une douce torpeur s'emparer de lui. Je sais que tu es médecin, pas une charcutière.

— Non, je voulais juste dire que j'ai été mise à l'Isolement avant d'avoir pu terminer ma formation.

La note de tristesse qui affleure dans sa voix résonne étrangement chez Bellamy, et il tâche de donner le change en lui adressant un petit sourire.

— En tout cas, tu te débrouilles sacrément bien pour un charlatan.

Elle le regarde sans rien dire, et il craint un instant de l'avoir offensée. Mais elle finit par hocher la tête et se relever.

— Tu as raison, et c'est pour ça qu'on ferait mieux d'aller chercher ces caisses à pharmacie au plus vite.

Il se redresse en poussant un grognement, enfile ses chaussettes encore humides et ses bottes, puis jette son T-shirt sur son épaule.

— Je te conseille de le remettre.

— Pourquoi ? T'as peur de ne pas pouvoir te contrôler ? Parce que si tu t'inquiètes pour ma vertu, je peux te dire que...

— Ce que j'ai voulu dire, le coupe-t-elle, c'est qu'il y a certaines plantes vénéneuses dans ces bois qui pourraient recouvrir ton joli dos de furoncles gorgés de pus.

— Pour autant que je sache, c'est peut-être ce qui vous excite, docteur. Je vais donc courir le risque, dit-il dans un haussement d'épaules.

Elle éclate de rire, et Bellamy mettrait sa main à couper que c'est bien la première fois depuis qu'elle est arrivée sur Terre. Il constate avec étonnement qu'il éprouve une certaine fierté à en être à l'origine.

— Allez, OK, je me rhabille, concède-t-il en joignant le geste à la parole.

Il ne peut s'empêcher de sourire intérieurement en voyant le regard de Clarke posé sur son ventre avant que le T-shirt ne le recouvre.

— Les débris que j'ai repérés étaient plus à l'ouest, allons-y.

Il commence à remonter la pente. À mi-chemin, il se tourne vers Clarke.

— C'est la direction où le soleil se couche.

Elle allonge le pas sur quelques foulées pour le rattraper.

— Tu as appris tout ça par toi-même ?

— En gros, oui, il n'y a pas des masses de conférences sur la géographie terrienne sur *Walden*... Sa déclaration n'est pas chargée de la même amertume que s'il s'était adressé à Wells ou à Graham. Ce genre de trucs m'a toujours intéressé depuis tout petit, et quand j'ai découvert qu'ils prévoyaient d'envoyer Octavia ici...

Il marque une pause, ne sachant guère jusqu'à quel point il peut lui faire confiance. Mais les yeux émeraude de Clarke brûlent d'une curiosité intense, ainsi que d'une autre émotion qu'il ne parvient pas à identifier.

— Je me suis dit que plus j'en saurais, et mieux ça vaudrait pour pouvoir la protéger efficacement ici-bas.

Arrivés en haut du ravin, au lieu d'emprunter le chemin qui mène au camp, Bellamy l'emmène plus loin dans la forêt. Les arbres se chevauchent et s'enchevêtrent, laissant à peine passer la lumière à travers leurs frondaisons touffues. Les quelques taches de lumière qui parviennent jusqu'au sol le mouchètent de nuances dorées, et Bellamy sourit en

LES 100

voyant Clarke essayer de les éviter comme un enfant évite de marcher sur les lignes du pont d'observation.

— C'est exactement comme ça que je me suis toujours imaginé la forêt de Sherwood, lui dit-elle soudain, une note de vénération dans la voix, je m'attends presque à voir Robin des Bois sortir de derrière un arbre.

— Robin des Bois ?

— Mais oui, le prince exilé qui vole des médicaments pour les donner aux orphelins.

Bellamy semble ne jamais en avoir entendu parler.

— Celui qui a l'arc et les flèches magiques, non ? Maintenant que j'y pense, tu as un petit air de ressemblance avec lui, ajoute-t-elle dans un sourire.

Bellamy passe la main sur une branche recouverte d'épaisses lianes qui luisent légèrement dans la semi-pénombre.

— On n'a pas trop le temps de lire sur *Walden*, dit-il d'un ton sec avant de se radoucir. Il y a très peu de livres accessibles, j'ai donc dû inventer pas mal de contes de fées pour Octavia quand elle était petite. Son histoire favorite était celle de la poubelle enchantée. Il lâche un petit rire d'autodérision avant de conclure. Je faisais avec les moyens du bord…

— C'est super courageux, ce que tu as fait pour elle.

— Ouais, eh bien, je te renverrais bien le compliment, mais mon petit doigt me dit que tu n'es pas là entièrement de ton plein gré.

Elle lève son poignet, toujours lesté du lourd bracelet de contrôle.

— Ah bon ? Et qu'est-ce qui a bien pu te mettre sur la piste ?

— Je suis sûr qu'il en valait la peine, réplique Bellamy sur le ton de la blague, mais au lieu de sourire, Clarke détourne la tête. Il voulait juste la taquiner, mais il aurait dû se retenir d'être si familier avec elle, avec qui que ce soit sur cette planète à vrai dire. Tous les 100 ont quelque chose à cacher, et lui au premier chef.

— Pardon, je voulais pas te blesser, enchaîne-t-il rapidement. Il s'est si rarement excusé dans sa vie que les mots lui laissent un arrière-goût bizarre dans la bouche. On va retrouver tes fameuses malles à pharmacie ; il y a quoi dedans, au fait ?

— De tout : des antibiotiques, des compresses stériles, des antidouleurs… tout ce qu'il faut pour pouvoir traiter… (elle marque une courte pause)… ceux qui sont blessés.

Bellamy sait parfaitement qu'elle pense à la fille au chevet de laquelle elle passe le plus clair de son temps, son amie.

— Tu tiens beaucoup à elle, n'est-ce pas ?

Il lui tend la main pour l'aider à franchir un gros tronc recouvert de mousses.

— C'est ma meilleure amie, répond Clarke en acceptant la main tendue, la seule personne sur Terre qui me connaisse vraiment.

Elle jette à Bellamy un petit regard gêné, mais il hoche la tête.

— Je vois tout à fait ce que tu veux dire.

Octavia est la seule personne au monde qui le connaisse vraiment. Ça ne lui ferait ni chaud ni froid s'il devait ne plus jamais revoir qui que ce soit d'autre.

Mais lorsqu'il observe Clarke à la dérobée, le nez plongé dans la corolle d'une fleur d'un rose fuchsia, le soleil se reflétant dans ses cheveux blonds, toutes ses certitudes s'évanouissent.

CHAPITRE 15

Clarke

Bellamy conduit ensuite Clarke au bas d'une colline escarpée, plantée de grands arbres élancés dont les branches se rejoignent en une arche végétale au-dessus d'eux. Le silence qui y règne semble immémorial, comme si même le vent n'avait osé troubler la solitude de ce havre de paix depuis des siècles.

— Je ne suis même pas sûr de t'avoir déjà remerciée de ce que tu as fait pour ma sœur, déclare soudain Bellamy, rompant le charme.

— Et ça, ça compte pour un merci alors ? le taquine-t-elle.

— C'est le mieux que tu puisses obtenir de ma part en tout cas, je ne suis pas très doué pour ce genre de choses.

Clarke ouvre la bouche pour lui répondre, mais elle trébuche sur un caillou avant d'avoir pu prononcer le moindre mot.

— Houlà ! dit-il en la retenant par le poignet, on dirait que toi, c'est pour marcher que tu n'es pas très douée !

— Ceci n'est pas de la marche, c'est de la randonnée ! Une activité qu'aucun humain n'a pratiquée depuis des siècles, alors lâche-moi un peu la grappe.

— Pas de problème. On va respecter la répartition des rôles. Tu te charges de nous garder en vie, et moi, je veille à ce que tu ne te casses pas la figure.

Il assortit ses paroles d'une petite pression sur sa main, et Clarke sent le rouge lui monter aux joues. Elle n'avait pas réalisé qu'elle la lui tenait toujours.

— Merci, dit-elle en dégageant sa main.

Lorsque enfin ils atteignent le pied de la colline, Bellamy marque une nouvelle pause.

— C'est par là-bas, lui indique-t-il. Et sinon, comment tu t'es retrouvée médecin ?

Clarke fronce les sourcils, manifestement surprise par la question.

— J'ai toujours voulu faire ça. Tu n'as pas choisi, toi, de…

Elle détourne le regard, embarrassée de se rendre compte seulement maintenant qu'elle ne sait pas du tout ce que Bellamy faisait à bord de la Colonie. Il n'était clairement pas garde.

Il la regarde longuement, comme s'il essayait de déterminer si elle plaisantait ou non.

— Les choses ne fonctionnent pas comme ça sur *Walden*, finit-il par soupirer. Si t'as des super notes et un coup de pouce de la chance, tu peux devenir garde, sinon, on nous donne le même boulot qu'à nos parents.

Clarke essaie de masquer la surprise qui doit se lire sur son visage. Elle est bien sûr au courant que seuls certains métiers sont accessibles aux Waldénites, mais elle n'avait jamais imaginé qu'ils ne pouvaient pas du tout choisir.

— Et toi, tu faisais quoi, alors ?

— Je...

Les yeux baissés, il serre les lèvres à leur en faire perdre toute coloration.

— Tu sais quoi ? Ce que je faisais sur *Walden* n'a plus aucune espèce d'importance.

— Bien sûr, excuse-moi, je ne voulais pas...

— T'inquiète, c'est bon, la coupe Bellamy avant de repartir d'un pas vif.

Ils poursuivent leur marche en silence, mais celui-ci n'est plus aussi serein qu'avant.

— Attends, lui chuchote tout à coup Bellamy, tendant une main pour lui barrer le chemin. D'un mouvement fluide, il extrait une flèche de son carquois et arme son arc, les yeux rivés sur un point fixe dans une mer de verts plus ou moins sombres. Un mouvement fulgurant, la réflexion du soleil dans un œil, et elle aperçoit l'animal. Clarke retient son souffle en le voyant émerger des buissons touffus. Une petite boule de poils marron clair surmontée de grandes oreilles en mouvement perpétuel : un lapin.

Elle observe la créature qui se déplace par bonds successifs, sa queue presque deux fois plus longue que son corps s'agitant en arabesques comiques. *Les lapins ne sont-ils pas censés avoir de petites queues rondes en fourrure ?* se demande-t-elle soudain. Mais avant qu'elle n'ait le temps de fouiller ses souvenirs de cours de biologie terrienne, Clarke voit Bellamy bander son arc, ce qui la ramène instantanément dans le présent.

Elle laisse échapper un cri étranglé lorsque la flèche va se ficher en plein milieu du poitrail du petit animal. L'espace d'une seconde, elle se voit aller le sauver : si elle court assez vite, elle pourra retirer la flèche et le recoudre.

Bellamy lui attrape le bras et y applique une pression suffisamment forte pour à la fois la rassurer et l'empêcher de faire une bêtise.

Ce lapin va les aider à ne pas mourir de faim, Clarke en est bien consciente. Il permettra à Thalia de reprendre quelques forces. Elle essaie de fermer les yeux, mais elle ne peut s'empêcher de contempler le corps saisi de soubresauts.

— Je l'ai eu en plein cœur, il ne devrait pas souffrir longtemps.

De fait, quelques secondes plus tard, les spasmes cessent et la tête du lapin se couche définitivement sur le sol de la forêt.

— Je suis désolé, je sais que c'est pas facile de voir quelqu'un souffrir.

Un frisson la parcourt alors, sans lien aucun avec l'animal mort.

— Quelqu'un ?

— Quelque chose, si tu préfères, se corrige-t-il dans un haussement d'épaules. Un être vivant.

Clarke le regarde courir au petit trot pour récupérer sa prise. Il retire la flèche d'un coup sec, puis jette la dépouille du lapin sur son épaule.

— Remettons-nous en route, c'est par là-bas, indique-t-il avec un signe de tête.

La tension palpable qui régnait entre eux s'est dissipée, l'humeur de Bellamy significativement améliorée grâce à son tir à l'arc victorieux.

— Bon, et c'est quoi l'histoire entre toi et Wells ? demande-t-il en changeant le lapin d'épaule.

Clarke s'attend à être suffoquée d'indignation par cette curiosité qui dépasse les bornes, mais elle se surprend à lui répondre.

— On est sortis ensemble pendant un moment, mais ça n'a pas marché.

— Ouais, cette partie était plutôt facile à deviner, ricane Bellamy. Il marque une pause pour laisser Clarke élaborer, mais devant son silence, il reprend. Alors, il s'est passé quoi ?

— Il a commis l'impardonnable.

Au lieu de tourner cette phrase en dérision ou d'en profiter pour enfoncer Wells, Bellamy devient tout à coup très sérieux.

— Je ne crois pas aux gestes impardonnables, assène-t-il, convaincu. Pas s'ils sont faits pour de bonnes raisons.

Clarke se tait. Elle se demande s'il fait allusion à ce pour quoi Octavia a été condamnée à l'Isolement, ou à autre chose.

Le regard de Bellamy reste perdu un moment dans la canopée des grands arbres qui les surplombent, puis il le reporte sur Clarke.

— Quoi qu'il ait fait, je ne dis pas qu'il a pas commis un crime atroce. Je veux juste dire que je comprends le chemin qu'il a parcouru pour être ici.

Il suit d'un doigt distrait la mousse jaune fluorescent qui serpente le long d'un tronc d'arbre, puis il enchaîne.

— Wells et moi sommes les deux seules personnes qui ont *choisi* de venir sur Terre, nous sommes venus pour une bonne raison.

Clarke s'apprête à répondre, mais décide de se mordre la langue. Elle se rend compte qu'elle ne sait pas trop quoi rétorquer à cela. Tous les deux semblent si différents au premier abord – Wells, dont la foi en la structure et l'autorité a débouché sur la mort de ses parents, et Bellamy, le bouillant Waldénite qui n'a pas hésité à pointer une arme sur la tempe du chancelier. Or l'un et l'autre sont prêts à tout pour parvenir à leurs fins. Pour protéger les gens qu'ils aiment.

— Tu as peut-être raison, concède-t-elle à voix basse, stupéfaite de la justesse de son analyse.

Bellamy reprend la marche, et au bout de quelques mètres, il accélère la cadence, manifestement motivé par quelque chose qu'il a vu.

— C'était là-haut ! s'exclame-t-il en gravissant avec enthousiasme une pente qui les mène à l'orée d'une clairière.

L'herbe est tachetée de jolies fleurs blanches, mis à part pour une zone où la végétation est calcinée : des pièces du vaisseau gisent éparpillées tels des ossements de métal. Clarke pique un sprint, le cœur battant à cent à l'heure.

Elle entend Bellamy qui l'appelle, mais ne se retourne même pas. L'espoir fou qui s'est éveillé en elle lui donne des ailes.

— Allez, allez, *allez* ! Soyez là ! marmonne-t-elle tout en écartant frénétiquement les pans de tôle froissée.

C'est alors qu'elle les voit. Les caisses métalliques qui jadis étaient blanches sont désormais noircies par le feu et la suie. Elle attrape la plus proche et la soulève, le souffle presque coupé par l'importance de l'enjeu. La fermeture a été déformée lors du crash et elle ne parvient pas à l'ouvrir. La chaleur des flammes a soudé les charnières. Clarke secoue la caisse avec force, priant pour que le contenu soit encore intact, et le bruit des médicaments qui viennent heurter la paroi de leurs flacons s'avère alors le plus doux qu'elle ait jamais entendu.

— C'est bien celles que tu cherchais ? demande Bellamy, pantelant, qui vient juste de la rejoindre.

— Tu peux m'ouvrir celle-là ? lui demande-t-elle en lui tendant la caisse.

— Voyons voir ça, dit-il en examinant le mécanisme de fermeture sous tous les angles. Il sort un petit couteau de sa poche, et en quelques mouvements experts il réussit à forcer l'ouverture.

Clarke ne se sent plus de joie. Avant même de réaliser ce qu'elle est en train de faire, elle a pris Bellamy dans ses bras. Il éclate de rire avec elle et, la prenant par la taille, la fait tournoyer dans les airs. Les couleurs de la clairière se brouillent avant de se fondre en une traînée d'or, de bleu et de vert, le tout tournant autour du sourire de Bellamy et de l'étincelle dans ses yeux.

Hors d'haleine, il finit par la déposer à terre, sans pour autant la lâcher. Au contraire, il l'attire jusqu'à lui, et avant que Clarke n'ait pu reprendre son souffle, il plaque ses lèvres contre les siennes.

Une petite voix à l'arrière de son crâne lui dit d'arrêter, mais l'odeur de la peau de Bellamy et la douce chaleur qu'il irradie prennent rapidement le dessus.

Clarke se sent fondre dans ses bras et s'abandonne tout entière au baiser.

Un baiser qui a un goût de joie, et la joie a meilleur goût sur Terre.

CHAPITRE 16

Glass

— Je ne sais pas trop, dit lentement Sonja en observant sa fille dans la faible lumière de la chambre. Que dirais-tu de prendre la jupe de celle-ci, et de la combiner avec le corsage de celle-là ?

Glass se force à rester calme en prenant une profonde inspiration. Cela fait plus de deux heures qu'elle essaie des robes, et elles n'ont pas avancé d'un pouce dans la sélection de sa tenue pour la fête de la Comète.

— Tu sais mieux que moi, maman, répond-elle avec un sourire qu'elle n'espère pas trop forcé.

— J'hésite encore, soupire sa mère. Ça va être difficile de la préparer à temps, il va falloir qu'on donne le meilleur de nous-mêmes.

Glass s'efforce de se répéter que cela part d'une bonne intention. Sa mère considère cette soirée comme l'occasion idéale pour que Glass reprenne sa place au sein de la société de *Phoenix*, armée de la grâce officielle du Conseil et, bien sûr, habillée à la perfection.

Le vice-chancelier sera présent, et Glass sait qu'elle devra jouer son rôle à la lettre : elle a récupéré sa vie en échange d'un soutien et d'une reconnaissance publics, et elle s'en tire à bon compte. Pourtant, elle éprouve une répugnance viscérale à devoir être au centre de toutes les attentions.

— On ferait peut-être mieux de s'en tenir au tulle, non ? suggère maintenant sa mère en montrant la pile de robes entassées sur le lit. Remets-la pour qu'on voie si…

Elle est interrompue par le bip signalant l'arrivée d'un message sur le terminal de la cuisine.

— J'y vais, annonce Glass, trop heureuse de quitter la pièce. Le message ne lui est sans doute pas destiné. Ses amis utilisent exclusivement la communication par puce, les messages via écran étant généralement réservés aux circulaires d'hygiène, ou parfois à des informations plus ou moins alarmantes du Conseil. Ça a au moins le mérite de lui fournir un bref répit au milieu de toutes ces histoires de chiffons. Glass enclenche la projection holographique du message, et découvre avec stupeur le nom de l'expéditeur qui clignote en haut de l'écran virtuel. Luke.

Chère mademoiselle Sorenson,

Les services de sécurité ont retrouvé un objet qui vous appartient à proximité des champs solaires. Veuillez s'il vous plaît vous rendre avant 16 heures au poste de contrôle pour le récupérer.

Elle relit plusieurs fois le message avant de le digérer. Luke utilise un système qu'ils avaient perfectionné il y a quelques années, avant qu'elle ne possède sa propre puce, afin de pouvoir déjouer la curiosité parfois trop intrusive de sa mère. Il lui donne rendez-vous cet après-midi à côté des champs solaires.

— Glass ? l'appelle Sonja de la chambre. De quoi s'agit-il ?

Elle efface promptement le message avant de répondre.

— Juste un rappel pour la fête de la Comète ! Comme si on pouvait l'avoir oubliée !

Glass jette un coup d'œil à l'heure et découvre avec dépit qu'il n'est que 10 h 15. La journée promet d'être encore plus longue qu'à l'Isolement.

— Oh ! s'exclame sa mère lorsque Glass revient dans la chambre. C'est peut-être la bonne robe, après tout, tu es resplendissante !

Glass marque un temps d'hésitation avant de se tourner vers le miroir. Elle comprend la réaction de sa mère. Sauf que cela ne tient pas à la robe. Elle a de la couleur aux joues et les yeux pétillants : tout de la jeune fille amoureuse.

À 15 h 40, Glass gravit l'interminable escalier qui mène aux champs solaires coiffant *Walden*. Les plantations proprement dites sont hors limites, excepté pour les scientifiques et les cueilleurs, mais il existe en revanche une petite plate-forme d'observation accessible à tous. À l'origine, elle a dû être conçue pour superviser les travailleurs, puis progressivement tomber dans l'oubli. Glass n'y a presque jamais croisé qui que ce soit.

Lorsqu'elle a enfin atteint le dernier palier, Glass va s'asseoir sur le rebord de la plate-forme, les jambes pendant dans le vide. Elle sent son corps se relaxer progressivement tandis qu'elle laisse son regard vagabonder parmi les rangées de plantes, toutes feuilles tendues vers les panneaux solaires. L'extrémité du champ est délimitée par une baie vitrée imperceptible colossale qui laisse croire que les plantations sortent tout droit des étoiles. C'était là que Luke et elle se donnaient rendez-vous autrefois. Les chances d'être pris en tort étaient moindres que pour Luke de rentrer incognito sur *Phoenix*, ou pour elle de risquer d'être découverte dans son unité résidentielle sur *Walden*.

— Salut.

Glass se retourne et voit Luke, droit comme un I derrière elle. Elle fait mine de se lever, mais il secoue la tête.

— Je peux m'asseoir à côté de toi ?

Elle acquiesce, et il glisse ses jambes sous la rambarde de sécurité.

— Merci d'être venue, entame-t-il un peu maladroitement. Ta mère n'a rien soupçonné ?

— Non, elle était trop préoccupée par une crise existentielle à propos de quelle robe me faire porter pour la fête, ne t'inquiète pas.

Luke la surprend par un petit sourire, puis il se racle la gorge nerveusement.

— Glass, je… je n'ai pas arrêté de penser à ce qui est arrivé, déclare-t-il d'un ton mal assuré, tandis qu'elle se raidit par anticipation. Je veux dire, comment une fille comme toi peut-elle se retrouver à l'Isolement ? Mais ensuite, je me suis souvenu, quelques mois après notre rupture, j'ai entendu une rumeur sur une fille qui aurait été condamnée pour…

Il ne trouve pas le courage de terminer sa phrase. Glass tourne le regard vers lui, et découvre qu'il a les larmes aux yeux. Il reprend :

— Le timing correspondait bien, mais je n'ai jamais accepté qu'il puisse s'agir de toi. Je me suis dit que tu ne pourrais pas garder un secret si lourd pour toi toute seule. J'avais trop besoin de croire que tu me faisais davantage confiance que ça.

Glass se mord la lèvre pour endiguer le flot de paroles qui menace de s'écouler de sa bouche. Elle meurt d'envie de tout lui raconter, mais à quoi bon admettre la vérité ? Mieux vaut encore lui laisser croire qu'elle n'est qu'une petite Phoenicienne pourrie gâtée qui lui a brisé le cœur. Il a retrouvé le bonheur avec Camille, de quel droit irait-elle l'en priver ?

Mais lorsque Luke lui prend le menton dans sa main, toutes ses résolutions s'évanouissent.

Glass s'éveille avec le sourire aux lèvres. Ça a beau faire presque un mois que Luke et elle ont passé la nuit ensemble, elle y pense sans cesse. Mais au moment où elle s'apprête à se repasser le fil des événements, une vague de nausée la submerge.

Elle s'extirpe avec peine de son lit et titube jusqu'à la salle de bains, remerciant mentalement le nouvel « ami » de sa mère, le chef de la Gestion des ressources, pour les lumières qui fonctionnent.

Glass se laisse glisser sur le carrelage froid et s'empresse de fermer la porte derrière elle, son cerveau livrant bataille avec son estomac. Elle s'efforce de prendre de grandes inspirations et de garder son calme. Elle n'a aucune envie que sa mère ne la traîne au centre médical.

Son estomac finit par l'emporter et Glass a juste le temps de se pencher au-dessus de la cuvette. Elle s'étouffe à moitié, puis, les yeux larmoyants, elle s'adosse contre le mur. Pas question d'aller déjeuner avec Wells dans cet état, il lui faudra à nouveau lui poser un lapin, même si cela lui fend le cœur. Récemment, elle a passé le plus clair de son temps aux côtés de Luke, et elle est loin d'avoir été une bonne amie pour Wells. Il lui manque. Il ne lui a jamais tenu rigueur de ses humeurs changeantes, ce qui la fait culpabiliser encore davantage. Surtout après tout ce qu'il a enduré avec la maladie de sa mère, ce à quoi vient s'ajouter le comportement de plus en plus bizarre de Clarke. Elle doit trouver du temps à lui consacrer.

— Glass ?

Voilà que sa mère l'appelle de l'autre côté de la porte.

— Qu'est-ce que tu fabriques là-dedans ?

— Rien, rien, répond-elle en tâchant de conserver un ton neutre.

— Tu es malade ?

Glass lâche un micro-soupir. Aucun moyen d'avoir son intimité dans ce nouvel appartement. Le précédent, largement plus grand, lui manque, avec sa baie vitrée qui donnait directement sur les étoiles. Elle ne comprend toujours pas pourquoi ils ont dû baisser en gamme après que son père a commis la rare et horriblement gênante faute de goût de rompre le contrat de mariage et de quitter le domicile conjugal.

— Je vais entrer, l'avertit Sonja.

Glass s'essuie la bouche à la hâte et essaie de se relever, mais une nouvelle vague de nausée vient lui retourner l'estomac. La porte s'ouvre et Glass voit sa mère vêtue d'une robe de soirée alors qu'il n'est pas encore midi. Mais avant qu'elle n'ait eu le temps de lui demander où elle allait, ou *d'où elle revenait*, les yeux écarquillés de sa mère et la pâleur qui transparaît sous sa généreuse couche de blush la bloquent net.

— Qu'est-ce qu'il t'arrive ?

— Rien, répond faiblement Glass, s'efforçant de dissiper suffisamment longtemps le voile opaque qui lui embrume l'esprit pour inventer une explication qui rassurerait sa mère. Les troubles d'estomac sont très peu répandus sur *Phoenix*, et quiconque présente le moindre symptôme qui peut laisser croire à une possible contagion se retrouve mis d'office en quarantaine jusqu'à son rétablissement. Je vais bien.

— Étais-tu… (Sonja jette un coup d'œil derrière elle et baisse la voix, ce qui est totalement ridicule puisqu'elles ne sont que toutes les deux dans l'appartement)… en train de vomir ?

— Oui, mais ça va mieux, là. Je pense juste que…

— Oh, mon Dieu ! murmure sa mère en fermant les yeux.

— Je suis pas malade, je te le jure. Il n'y a pas besoin de me mettre en quarantaine. J'ai juste quelques nausées le matin, mais tout est oublié l'après-midi.

Lorsque sa mère rouvre les yeux, elle ne semble pas rassurée, loin de là. La pièce se met alors à tourner et la voix de Sonja lui parvient comme à travers du coton. Glass ne parvient pas à capter la fin de sa question, quelque chose à propos de la date de ses dernières…

La confusion de Glass se transmute soudain en une boule glaciale d'appréhension. Son regard croise celui de sa mère et elle comprend qu'elle en est arrivée aux mêmes conclusions.

— Glass, dit-elle, la voix blanche de terreur, tu es enceinte.

Les yeux plongés dans ceux de Luke, si pleins de compassion et de compréhension, Glass sent les derniers lambeaux de sa résistance s'effilocher.

— Je suis désolée, lâche-t-elle en tâchant de retenir ses sanglots. J'aurais dû t'en parler, je… je ne voyais juste pas pourquoi nous devions mourir tous les deux…

— Oh, Glass !

Luke l'enveloppe dans le cocon de ses bras. Pleine de gratitude, elle se blottit contre ce corps si familier, laissant libre cours à ses larmes qui sont absorbées une à une par la veste de son uniforme.

— J'arrive pas à y croire, murmure-t-il, j'arrive pas à croire que tu aies porté ce fardeau toute seule. Je savais que tu étais courageuse, mais à ce point-là… Qu'est-ce qui s'est passé ?

Glass sait parfaitement ce dont il veut parler. À qui il fait allusion.

— Il…, elle déglutit à grand-peine, cherchant ses mots et sa respiration. Elle a l'impression que son cœur est sur le point de se déchirer tandis que le chagrin accumulé et le soulagement d'enfin se confier menacent d'en rompre les digues. Elle finit par abdiquer, les mots dont elle a besoin n'existent pas.

— Mon Dieu, chuchote-t-il en lui prenant la main et en entrelaçant leurs doigts. Je suis tellement désolé, soupire-t-il. Pourquoi ne m'as-tu rien dit de tout ça le soir où tu t'es échappée de la navette ? Je ne pouvais pas deviner…

Il ferme les yeux comme s'il pouvait chasser le terrible souvenir.

— Tu étais avec Camille, je savais déjà que vous étiez bons amis avant… et je me suis dit que tu avais enfin trouvé quelqu'un qui te rendait heureux.

Glass esquisse un petit sourire à travers ses larmes.

— Tu méritais bien un peu de bonheur après tout ce que je t'ai fait subir.

D'un geste tendre, Luke lui remet une mèche rebelle derrière l'oreille.

— Il n'y a qu'une personne qui puisse me rendre heureux dans tout l'univers, et elle est assise à côté de moi en ce moment. Il la couve d'un regard si intense qu'il semble littéralement la boire des yeux. À l'instant où je t'ai vue à ma porte, j'ai su que ça n'était pas Camille. C'est une super amie et elle le sera toujours, mais c'est tout ce qu'elle est à mes yeux désormais, je le lui ai dit. Je t'aime, Glass. Je n'ai jamais cessé de t'aimer… et je t'aimerai toujours.

Il se penche vers elle et lui effleure les lèvres dans un premier temps, comme s'il donnait à leur bouche le temps de refaire connaissance. L'espace d'un instant, ils revivent leur premier baiser. Mais bientôt, il se fait plus pressant, sa langue franchissant le voile des lèvres entrouvertes de Glass. Elle a diffusément conscience de sa main dans ses cheveux, qui descend ensuite le long de son dos pour terminer autour de sa taille.

Glass finit par se reculer, interrompant le baiser.

— Je t'aime, lui chuchote-t-elle, consumée par l'impérieux désir de le lui répéter encore et encore. *Je t'aime je t'aime je t'aime.*

Luke sourit et l'attire à nouveau contre lui.

CHAPITRE 17

Wells

Il est presque midi et ça fait des heures que Clarke est partie. L'une des filles arcadiennes lui a dit l'avoir vue s'engager dans les bois plus tôt dans la matinée, et Wells a dû se faire violence pour ne pas courir après elle. De penser qu'elle s'est aventurée toute seule dans les bois lui a déjà fait envisager mille scénarios catastrophe. Il est pourtant bien placé pour savoir que Clarke est sans doute la plus mature et la plus débrouillarde des 100. Il sait aussi combien il est vital de mettre la main sur les caisses de pharmacie. Hier encore, ils ont dû creuser une nouvelle tombe.

Ses pas le mènent à l'autre bout de la clairière, du côté de ce qui est désormais leur cimetière. Ces derniers jours, Wells a fait placer des morceaux de bois sur chaque monticule de terre, une pratique qu'il a vue sur de vieilles photos de la Terre. Il graverait bien le nom des morts sur les croix de bois, mais il n'en connaît que trois sur les cinq, et ça lui semble injuste de laisser les autres sans inscription.

Il réprime un frisson en arrivant au pied des tombes. Le concept d'enterrer les morts lui a tout d'abord paru répugnant, mais il n'a trouvé aucune alternative satisfaisante. Il n'était pas question pour lui de brûler les corps. À la réflexion, même si cela reste beaucoup plus propre de lâcher les corps dans l'espace, l'idée de rassembler tous les cadavres a un côté réconfortant. Même dans la mort, ils ne seront jamais seuls.

C'est aussi plutôt rassurant d'avoir un endroit où l'on peut se rendre, pour dire les choses que vous ne pouvez pas dire aux personnes en chair et en os. Une fille de *Walden* qu'il a aperçue le matin dans les sous-bois a disposé des branches au pied des croix de bois. Dans les arbres qui les surplombent, les papillons phosphorescents émettent une douce lumière chaude qui baigne le cimetière d'un éclat presque surnaturel. Wells aurait aimé avoir un endroit comme ça sur la Colonie où il puisse s'adresser à sa mère en toute tranquillité.

Après quelques minutes de méditation silencieuse, il reporte son attention sur le ciel qui s'obscurcit graduellement. Il ne sait pas si la Colonie a perdu le contact avec la navette lorsqu'elle s'est écrasée sur la Terre, mais il espère que les moniteurs contenus dans les bracelets retransmettent toujours leur rythme cardiaque et la composition de leur sang. Si tel est le cas, ils ont dû se rendre compte que la Terre est parfaitement habitable et ne vont plus tarder à envoyer d'autres groupes de citoyens les rejoindre. Il se prend à souhaiter contre toute attente que son père et que Glass soient à bord du prochain vaisseau.

— Qu'est-ce que tu fais par ici ?

Wells se retourne et découvre Octavia qui avance lentement vers lui. Sa cheville semble guérir rapidement et son boitillement n'y paraît presque plus.

— Je ne sais pas trop. Je leur rends hommage en quelque sorte, déclare-t-il en désignant les tombes. Mais j'étais sur le point de partir, ajoute-t-il à la hâte en la voyant rejeter ses cheveux sur le côté d'un mouvement de tête. C'est à mon tour d'aller chercher de l'eau.

— Je vais t'accompagner, répond-elle du tac au tac dans un sourire qui met Wells mal à l'aise. Ses longs cils qui lui donnent un air si innocent quand elle dort sous la tente de l'infirmerie prêtent désormais une lueur carnassière à ses grands yeux bleus.

— Tu es sûre que c'est prudent avec ta cheville ? Le point d'eau est plutôt éloigné...

— Je vais *bien*, réplique-t-elle, faussement agacée, en calquant son pas sur le sien, mais c'est mignon de t'inquiéter pour ma santé. Tu sais, poursuit-elle, je trouve les autres ridicules d'avaler tout ce que leur raconte Graham. Tu connais beaucoup plus de choses que lui.

Wells empoigne l'un des jerricans vides à côté de la tente dédiée aux fournitures puis se dirige vers la forêt. Un ruisseau a été découvert à proximité du campement, et tous ceux qui sont suffisamment costauds pour porter un bidon rempli d'eau doivent participer à l'approvisionnement quotidien. En tout cas, chacun est *censé* prendre son tour, mais ça fait plusieurs jours que Wells n'a pas vu Graham y aller.

Octavia s'arrête à la lisière des bois alors que Wells s'y engage.

— Tu me suis ? demande-t-il en lui jetant un coup d'œil par-dessus son épaule.

La tête renversée vers l'arrière, elle écarquille les yeux, absorbée par la vue des cimes qui se découpent sur le ciel d'un bleu profond.

— Oui, j'arrive, finit-elle par dire en le rejoignant. C'est juste que je ne suis pas encore entrée dans les bois.

La légère irritation de Wells retombe à ces mots. Même lui, qui a passé le plus clair de sa vie à rêver de venir sur Terre, il la trouve terrifiante parfois. Sa taille tout d'abord, la cohorte de bruits inquiétants, le sentiment que n'importe quoi peut se tapir dans le noir au-delà du feu du campement. Et il a pourtant eu le temps de se préparer. Il ne peut qu'essayer de se mettre à la place de tous ces adolescents qui ont été arrachés à leur cellule pour se retrouver propulsés sur une planète étrangère avant de pouvoir prendre conscience de ce qui leur arrivait.

— Attention, l'avertit-il en montrant une grosse racine masquée sous un tapis de feuilles violacées. Le terrain est assez accidenté par ici.

Wells prend sa main menue dans la sienne et l'aide à passer par-dessus un tronc couché. Il lui est difficile d'imaginer que quelque chose qui ne respire pas puisse mourir, mais l'écorce lépreuse rongée par l'humidité a décidément des airs de cadavre.

— Alors, c'est vrai ? lui demande Octavia pendant la descente qui mène au lit du cours d'eau. Tu t'es vraiment fait condamner pour pouvoir venir avec Clarke.

— On peut dire ça comme ça.

— C'est la chose la plus romantique que j'aie jamais entendue, soupire-t-elle rêveusement.

— Sûrement pas, crois-moi sur parole, réplique Wells avec un petit sourire ironique.

— Qu'est-ce que tu veux dire ? demande-t-elle, la tête inclinée. Dans la pénombre environnante, elle a de nouveau l'air d'une enfant.

Wells détourne le regard, soudain incapable de soutenir celui d'Octavia. Il se demande amèrement ce qu'elle penserait s'il lui disait la vérité.

Wells n'est pas le chevalier en armure qui vient délivrer la princesse, il est la raison pour laquelle elle s'est retrouvée enfermée au donjon.

Wells consulte la puce accrochée à son col pour la quatorzième fois depuis qu'il s'est assis, il y a de cela deux minutes. Le message que Clarke lui a envoyé plus tôt dans la journée trahit une certaine angoisse, et cela fait plusieurs semaines qu'elle se comporte étrangement. Il ne la voit presque plus et les rares fois où il a réussi à retrouver sa trace, elle bourdonnait d'une énergie nerveuse dont il ignorait la cause. Il ne peut s'empêcher de craindre qu'elle ne rompe avec lui. La seule chose qui lui épargne encore un ulcère, c'est la certitude qu'elle n'aurait jamais choisi la bibliothèque pour lui annoncer une telle décision. Ce serait tellement cruel de souiller le lieu qu'ils avaient tous deux de plus cher. Jamais Clarke ne lui ferait ça.

Il entend des bruits de pas et se lève tandis que les lumières s'allument les unes après les autres. Wells est resté si longtemps immobile que la bibliothèque avait oublié sa présence, et seules les diodes au sol indiquant l'issue de secours l'éclairaient de leur faible lueur. Clarke arrive dans son champ de vision, toujours vêtue de sa blouse chirurgicale, ce qui normalement le fait sourire. Il adore ça chez elle, qu'elle ne passe pas son temps à se préoccuper de son look à la différence de la majorité des filles sur *Phoenix*. Les habits qui pendouillent sur son corps amaigri et les cernes sombres qu'elle a sous les yeux font toutefois peur à voir.

— Salut ! dit-il doucement en s'approchant d'elle pour l'embrasser en guise de bienvenue.

Elle ne se dérobe pas, mais ne lui rend pas son baiser non plus.

— Tu vas bien ? s'enquiert-il, sachant pertinemment que la réponse sera négative.

— Wells, commence-t-elle, la voix cassée et les yeux embués de larmes. Il ne peut s'empêcher d'ouvrir de grands yeux inquiets : Clarke ne pleure jamais.

— Là, murmure-t-il en la prenant par les épaules pour la conduire jusqu'au canapé. Tout va bien se passer, je te le jure. Dis-moi juste ce qui te met dans cet état.

Il lit dans le regard qu'elle lui adresse le besoin qu'elle a de partager le fardeau qui l'oppresse, mais également la peur de se confier.

— Tu dois me promettre que tu ne parleras à personne de ce que je vais te dire.

— Bien sûr, lui assure-t-il en hochant la tête.

— Je suis sérieuse. Il ne s'agit pas du tout d'un ragot, c'est une véritable question de vie ou de mort.

— Clarke, tu sais bien que tu peux tout me dire.

— J'ai découvert...

Elle prend une inspiration, ferme les yeux quelques instants puis elle reprend.

— Tu es au courant que mes parents travaillent sur les radiations.

Il acquiesce d'un petit mouvement de tête. Ils ont la responsabilité d'un vaste programme d'études destiné à déterminer si la Terre est à nouveau habitable ou non. Lorsque son père lui avait parlé d'une potentielle mission sur Terre, Wells s'était figuré que ça tenait plus de l'espoir que d'une réalité imminente. Il sait pourtant que le chancelier attache énormément d'importance aux recherches des Griffin et qu'il les considère cruciales pour l'avenir de la Colonie.

— Ils effectuent des tests sur des humains, lâche-t-elle dans un souffle.

Un frisson parcourt l'épine dorsale de Wells, mais il ne desserre pas la mâchoire pour autant, se contentant d'affermir sa prise sur la main de Clarke.

— Ils expérimentent sur des enfants, murmure-t-elle d'une voix à peine audible.

Son ton sonne creux, comme si cette pensée avait circulé en boucle dans son esprit depuis si longtemps que les mots ne voulaient plus rien dire.

— Quels enfants ? demande-t-il, son cerveau tournant à plein régime pour donner un sens à la révélation.

— Des non-déclarés, dit-elle, l'abattement laissant place à un éclair de rage dans ses yeux emplis de larmes. Des enfants pris au foyer, ceux dont les parents ont été exécutés pour avoir enfreint les lois relatives à la reproduction.

Wells saisit parfaitement le reproche implicite : *des gens que ton père a tués*.

— Ils sont si jeunes…

Clarke se sent vidée tout à coup et elle s'affale sur le canapé, brutalement si fluette, comme si la vérité lui avait arraché une partie d'elle-même.

Wells passe un bras dans son dos, et au lieu de se dérober comme elle avait tendance à le faire ces dernières semaines, elle accepte l'étreinte avec gratitude et vient se lover contre son torse.

— Ils sont tous très malades.

Wells sent les larmes de Clarke lui transpercer le T-shirt.

— Certains d'entre eux sont déjà morts.

— Je suis désolé, Clarke, lui murmure-t-il tout en cherchant désespérément les mots qui pourraient apaiser sa terrible douleur.

— Je suis certain que tes parents font au mieux pour…

Il s'interrompt. Aucun mot ne peut faire avaler une telle pilule. Il se doit d'agir avant que la culpabilité et l'horreur de cette tragédie n'aient raison d'elle.

— Qu'est-ce que je peux faire ? demande-t-il soudain, une détermination d'acier dans le ton.

Elle se redresse d'un bond et le dévisage, la terreur dans ses yeux changeant de tonalité.

— Mais rien, rétorque-t-elle d'un ton qui n'admet pas la réplique, ce qui a le don de surprendre Wells. Tu dois au contraire me promettre de ne *rien* faire du tout ! Mes parents m'ont fait jurer de respecter le secret. Ils ne voulaient pas procéder à ces expériences, ils n'ont pas eu le choix, c'est le vice-chancelier Rhodes qui les *force*. Il les a menacés.

Elle attrape la main de Wells.

— Promets-moi de n'en parler à personne, je… Elle se mord la lèvre inférieure. Je ne pouvais plus garder ça pour moi toute seule. Il fallait que j'en parle à quelqu'un.

— Je te le jure, déclare-t-il tout en sentant une irrépressible colère monter en lui. Cet enfoiré de Rhodes n'a pas le droit de passer comme ça dans le dos du chancelier. Son père est un homme doté d'un très fort sens moral, jamais il n'approuverait des tests effectués sur des sujets humains. Il lui suffit d'une parole pour mettre un terme à cette abomination.

Clarke le regarde, cherchant à lire la sincérité dans ses yeux, puis elle parvient à esquisser un sourire tremblant.

— Merci.

Elle vient reposer la tête sur son torse, se blottissant dans ses bras.

— Je t'aime, lui chuchote-t-il.

Une heure après avoir accompagné Clarke chez elle, Wells ressasse la confession de Clarke en traversant à pas lourds le pont d'observation. Il ne peut pas rester les bras croisés. Si la situation ne s'améliore pas très vite, elle va craquer sous le poids de la culpabilité, et il ne veut en aucun cas en être le témoin impuissant.

Wells n'a jamais rompu une seule promesse jusqu'à aujourd'hui, une valeur que lui a inculquée son père depuis la plus tendre enfance. *Un chef ne revient jamais sur sa parole.* Mais en repensant au visage noyé de larmes de Clarke, il sait qu'il n'a pas d'autre choix.

Il fait demi-tour, direction le bureau de son père.

Ils remplissent le jerrican au ruisseau avant de reprendre le chemin du campement. À force de ne lui répondre que par monosyllabes, Wells est parvenu à mettre un terme à l'interrogatoire d'Octavia au sujet de Clarke. Maintenant qu'elle boude plus ou moins, voilà qu'il se sent coupable. C'est une gentille gamine, et il sait qu'elle ne pense pas à mal. Comment s'est-elle retrouvée ici ?

— Alors, rompt-il le silence, qu'est-ce qui t'a valu d'être enfermée à l'Isolement ?

Octavia lève des yeux étonnés sur Wells.

— Tu n'as pas entendu mon frère en parler ? Il adore raconter aux gens comment j'ai été prise en train de voler de la nourriture pour les plus jeunes pensionnaires du foyer, les gamins qui se faisaient taper pour donner leurs rations, et comment ces monstres qui siègent au Conseil m'ont condamnée à l'Isolement sans même un clignement d'yeux.

— C'est vraiment comme ça que ça s'est passé ? demande Wells qui a décelé une certaine ironie dans le ton d'Octavia.

— Est-ce que c'est vraiment important ? le contre-t-elle avec une lassitude dans la voix qui la fait paraître plus vieille que ses quatorze ans. Au final, chacun pensera ce qu'il veut des autres. Si Bellamy veut croire cette version des faits, je ne vais pas l'en dissuader.

Wells marque une pause pour prendre le jerrican de l'autre main. Sans qu'ils s'en aperçoivent, ils ont dû quitter le chemin à un moment, et ils se retrouvent dans une partie inconnue de la forêt. Les arbres poussent encore plus densément par ici, et Wells manque de repères pour pouvoir déterminer où ils se sont trompés.

— On est perdus ?

Octavia balaye les alentours du regard, et Wells devine sa panique dans le peu de lumière qui filtre.

— Ne t'inquiète pas. Il suffit que je…

Il s'arrête net en entendant un bruit à proximité.

— C'était quoi ? demande Octavia.

Wells lui fait signe de se taire et s'avance à pas de loup. Peut-être était-ce un craquement de branche, auquel cas quelque chose se déplace de l'autre côté des arbres. Il s'en veut de ne pas avoir pris d'arme. Il aurait bien aimé rapporter une proie au camp, histoire de montrer que Bellamy n'est pas le seul à savoir chasser. Le son reprend, et la frustration de Wells se mue en frayeur. Oublié le dîner potentiel, un faux mouvement et c'est Octavia et lui qui se retrouveront au menu !

Il est sur le point de lui prendre la main pour fuir le plus vite possible lorsqu'un reflet capte son attention. Un éclat rouge et or. Wells pose son bidon au sol et avance sur la pointe des pieds.

— Ne bouge pas, chuchote-t-il.

À quelques mètres devant lui, il distingue une trouée dans la végétation. C'est une sorte de clairière. Il est à deux doigts de crier le nom qu'il a sur les lèvres depuis si longtemps déjà, lorsqu'il se fige tout à coup.

Clarke est debout dans l'herbe à quelques pas, dans les bras de… *Bellamy.* Quand ses lèvres s'approchent pour se coller à celles du Waldénite, une vague de fureur le submerge, une chaleur insoutenable lui traversant le corps.

Il finit par reprendre le contrôle de lui-même et détache ses yeux de la scène. Il revient vers Octavia en titubant, un voile noir lui obscurcissant la vue. Il s'accroche à une branche basse, le temps de respirer à fond pour recouvrer ses esprits. La fille pour laquelle il a risqué sa vie est non seulement en train d'en embrasser un autre, mais qui plus est elle embrasse la tête brûlée qui a potentiellement tué son père.

— Waouh, leur marche a l'air vachement plus intéressante que la nôtre, entend-il Octavia commenter dans son dos.

Wells a déjà repris le jerrican et s'éloigne dans la direction opposée. Il a vaguement conscience d'Octavia qui le suit avec difficulté et lui parle de caisses de médicaments, mais sa voix se retrouve noyée dans l'afflux de sang qui lui bat aux tempes. Il n'en a rien à faire qu'ils aient trouvé le matériel médical. Il n'existe aucun traitement efficace pour les cœurs brisés.

CHAPITRE *18*

Clarke

Le temps que Clarke revienne au campement avec la pharmacie, la nuit est tombée. Elle n'est restée que quelques heures dans les bois, mais lorsqu'elle aperçoit enfin le feu, elle a l'impression d'être partie beaucoup plus longtemps.

Le retour s'est fait dans le silence, mais chaque fois que le bras de Clarke a effleuré celui de Bellamy, une décharge d'électricité lui a parcouru l'épiderme. Elle s'était sentie mortifiée après le baiser, et avait passé cinq minutes à s'excuser tandis qu'il souriait crânement. Il avait fini par la couper en lui disant de ne pas se faire tant de bile.

— Je sais que tu n'es pas le genre de fille à embrasser le premier venu dans les bois, lui avait-il déclaré sur un ton malicieux, mais tu devrais peut-être le devenir.

Pourtant, à mesure qu'ils se rapprochent du camp, tout souvenir du baiser s'évanouit, surtout lorsqu'elle voit se dresser la silhouette sombre de l'infirmerie. Les caisses de médicaments en main, Clarke s'y rend d'un pas décidé.

La tente est vide, à l'exception de Thalia, qui délire sous l'effet de la fièvre, et, à la surprise de Clarke, d'Octavia qui se couche sur son lit de camp.

— L'autre tente est *beaucoup trop petite*! se plaint-elle, mais Clarke ne l'écoute que d'une oreille.

Elle ouvre l'une des caisses, remplit sans trembler une seringue hypodermique et plante l'aiguille dans l'avant-bras de son amie. Elle fouille ensuite parmi les médicaments pour trouver des antidouleurs. Elle en administre à Thalia et constate avec soulagement que son visage grimaçant s'apaise presque aussitôt.

Clarke reste plusieurs minutes à son chevet pour s'assurer que son pouls est régulier. Son regard se porte un instant sur le bracelet qui lui enserre le poignet et se demande si là-haut ils sont en train de surveiller les battements de son propre cœur. Elle imagine le docteur Lahiri, ou peut-être l'un des autres médecins qualifiés de la Colonie, lisant les données vitales des 100 sur un écran comme s'il s'agissait des nouvelles du jour. Ils ont sans doute enregistré le fait que cinq d'entre eux sont déjà morts… Clarke se demande s'ils ont imputé ces décès aux radiations toxiques et pensent à un nouveau plan de colonisation, ou s'ils sont assez intelligents pour se rendre compte que c'est l'atterrissage plus que violent qui est à mettre en cause. À vrai dire, elle ne sait pas lequel de ces deux scénarios elle préfère. Elle n'est en aucun cas prête à ce que le Conseil vienne imposer ses lois ici. Et pourtant, son père et sa mère ont consacré leur vie à rendre le retour sur Terre possible. L'établissement d'une colonie permanente signifierait d'une certaine manière que ses parents ont réussi. Qu'ils ne sont pas morts en vain.

Elle finit par remettre de l'ordre dans les malles à pharmacie avant de les remiser dans un coin de la tente. Elle leur trouvera une cachette plus sûre demain. Cela fait, Clarke s'autorise enfin à se reposer. S'ils suivent vraiment leurs statistiques vitales depuis l'espace, elle fera tout pour que leur nombre ne descende pas au-dessous des quatre-vingt-quinze.

Elle vacille jusqu'à son lit et s'y écroule sans même prendre le temps d'enlever ses chaussures.

— Elle va guérir ? demande Octavia, sa voix lui parvenant comme à travers du coton.

Clarke murmure que oui. Elle a à peine la force de soulever ses paupières.

— Qu'est-ce qu'il y a comme autres médicaments dans les boîtes ?

— Tout le nécessaire, essaie d'articuler Clarke, mais l'épuisement a raison d'elle, et elle s'endort d'un sommeil de plomb.

La dernière chose qu'elle perçoit avant que son cerveau ne ferme boutique, c'est le bruit d'Octavia qui quitte son lit.

Lorsque Clarke s'éveille le lendemain matin, Octavia n'est plus sous la tente et les rayons du soleil entrent déjà généreusement par la porte entrouverte. Thalia est allongée sur le côté et dort toujours. Clarke émet un grognement en se levant, elle a les jambes endolories de la longue marche de la veille. C'est cependant une bonne douleur : elle a tout de même foulé le sol d'une forêt qu'aucun humain n'a pénétrée depuis plus de trois cents ans. Son estomac se manifeste soudain lorsque lui revient le souvenir d'une autre première dont elle se serait bien passée : celui d'avoir été la première fille à embrasser un garçon sur Terre depuis le Cataclysme.

Elle ne parvient toutefois pas à retenir un petit sourire tandis qu'elle gagne le chevet de Thalia. Vivement qu'elle aille mieux pour qu'elle puisse tout lui raconter. Elle appose la main sur le front de son amie et ressent du soulagement en constatant que sa fièvre est déjà partiellement résorbée. Elle retire ensuite doucement la couverture de Thalia pour examiner son ventre : la peau montre toujours des signes d'infection, mais celle-ci n'a pas progressé. Une bonne cure d'antibiotiques finira par la remettre sur pied.

Pas facile de savoir combien de temps s'est écoulé depuis la dernière dose administrée, mais d'après la position du soleil dans le ciel, cela doit faire à peu près huit heures. Clarke va dans le coin de la tente où elle a déposé les malles à pharmacie, et fronce les sourcils en constatant qu'elles sont ouvertes. Elle s'accroupit et se force à fermer les paupières quelques secondes pour s'assurer que ses yeux ne lui jouent pas des tours.

Les caisses sont bel et bien vides.

Tous les antibiotiques, les antidouleurs et même les seringues ont disparu.

— Non, chuchote-t-elle. Non ! répète-t-elle en se relevant.

Elle se précipite sur le lit le plus proche, en retire les draps d'une main avant de retourner le matelas sans cérémonie. Rien. Elle réitère l'opération avec son propre lit. Rien non plus. Ses yeux se posent alors sur celui d'Octavia, et sa panique se mue un instant en suspicion. Elle fouille les couvertures frénétiquement.

— Allez ! s'encourage-t-elle, mais elle revient les mains vides. *Non !*

Le matériel n'est manifestement plus dans la tente, mais quiconque s'en est emparé ne peut pas être bien loin. Il y a moins de cent personnes sur la planète, et Clarke ne connaîtra pas le repos tant qu'elle n'aura pas trouvé le voleur qui met en danger la vie de Thalia. Avec un peu de chance, l'enquête sera vite bouclée.

Après un tour rapide de l'appartement pour vérifier que ses parents ne sont plus là, Clarke se précipite au laboratoire et entre le mot de passe. Elle s'attend quotidiennement à ce que ses parents le modifient, mais soit ils ne savent pas à quelle fréquence elle rend visite aux enfants malades, soit ils ont décidé de la laisser faire. Peut-être cela les soulage-t-il de savoir que Clarke leur tient compagnie.

Tout en se dirigeant vers Lilly, Clarke sourit aux autres patients, bien que son cœur se serre de voir qu'une grande majorité d'entre eux est plongée dans un sommeil troublé. La plupart deviennent de plus en plus malades, et le nombre de lits occupés a baissé par rapport à sa visite précédente.

Elle essaie de chasser cette pensée négative en s'approchant de Lilly, mais quand ses yeux se fixent sur son amie, elle ne peut réprimer un tremblement.

Lilly est en train de mourir. Elle entrouvre à peine les yeux lorsque Clarke prononce son nom. Elle remue les lèvres avec difficulté, mais aucun son cohérent n'en sort.

Elle a davantage de plaques rouges sur le visage, même si elles saignent moins que la fois précédente. Sans doute Lilly n'a-t-elle même plus la force de les gratter.

Clarke s'assied sur le lit vide à côté, combattant une nausée soudaine alors que la poitrine de son amie oscille faiblement au gré de sa respiration. Le pire, c'est qu'elle sait que ce n'est que le début. Les autres sujets de l'expérience ont agonisé durant des semaines, les symptômes empirant de jour en jour à mesure que l'empoisonnement aux radiations contaminait leurs organes les uns après les autres.

L'espace d'un instant, Clarke s'imagine transportant Lilly jusqu'au centre médical où ils pourraient au moins la gaver d'antidouleurs pour alléger ses souffrances, même s'il est trop tard pour la sauver. Mais un tel geste reviendrait à demander au vice-chancelier d'exécuter ses parents sur-le-champ. Et puis il trouverait un moyen de mener cet atroce programme à terme par d'autres biais. Tout ce qu'elle peut encore espérer, c'est que les résultats soient suffisamment concluants pour justifier l'arrêt de ces expériences. Les cobayes n'auront ainsi pas souffert pour rien.

Les paupières translucides de Lilly papillonnent et finissent par s'ouvrir.

— Salut, Clarke, dit-elle d'une voix rauque, l'esquisse d'un sourire vite remplacé par une grimace de douleur.

Clarke se penche pour lui prendre la main et la lui serre avec douceur.

— Salut, comment tu te sens ? chuchote-t-elle.

— Ça va, ment Lilly en tâchant de se redresser sur son lit.

— Tut-tut, pas la peine de t'asseoir, lui dit Clarke, une main sur son épaule.

— Si, je préfère, proteste faiblement Lilly.

Clarke l'aide à s'asseoir, puis lui ajoute des oreillers pour plus de confort. Elle ne peut s'empêcher de tressaillir en sentant les vertèbres à fleur de peau dans son dos.

— Tu as aimé l'anthologie de Dickens ? lui demande-t-elle en avisant sous le lit les quelques livres qu'elle lui a « empruntés » à la bibliothèque.

— J'ai lu que la première histoire, celle avec Oliver Twist, énonce Lilly avec difficulté. Ma vue n'est... Elle ne finit pas sa phrase, Clarke et elle savent pertinemment qu'une fois les yeux atteints, la fin est proche. De toute façon, j'ai pas aimé. Ça m'a trop rappelé le foyer.

Clarke s'était gardée jusqu'à maintenant de lui poser des questions sur sa vie d'avant. Elle avait senti que Lilly n'avait guère envie d'aborder le sujet.

— C'était si dur que ça ? hasarde-t-elle.

Lilly hausse les épaules.

— On était là les uns pour les autres. Nous n'avions personne d'autre. Enfin, à part cette fille.

Elle baisse la voix et jette un coup d'œil inquiet aux alentours.

— Elle avait un *frère* aîné, un vrai en chair et en os. Il était toujours à lui amener plein de trucs, de la nourriture en plus, des rubans…

— Vraiment ? s'enquiert Clarke, faisant semblant de croire à cette histoire de frère. Même dans son état critique, Lilly a toujours eu un faible pour l'exagération.

— Il a l'air gentil, ce grand frère, ajoute-t-elle distraitement en observant le crâne dégarni de sa protégée.

— Peu importe, reprend Lilly, la voix fatiguée. Je veux tout savoir sur ton anniversaire, tu vas porter quoi comme robe ?

Clarke a quasiment oublié que c'est son anniversaire la semaine prochaine. Elle ne se sent pas d'humeur à faire la fête.

— Ma plus belle blouse, répond-elle sur le ton de la plaisanterie. De toute façon, je préfère largement rester à tes côtés que d'aller à cette stupide soirée.

— Oh, Clarke, grogne Lilly, faussement exaspérée. Il *faut* que tu fasses quelque chose ! Tu commences à devenir sacrément ennuyeuse. En plus, je veux avoir tous les détails de ta robe pour l'occasion.

Elle se plie soudain en deux, le visage tordu de douleur.

— Ça va ?

— J'ai mal ! halète Lilly.

— Je peux t'apporter quelque chose ? De l'eau peut-être ?

Lilly rouvre les yeux, où l'on peut clairement lire un appel à l'aide.

— Tu peux arrêter tout ça, Clarke. Un gémissement la secoue puis elle reprend. S'il te plaît, mets fin à ma souffrance, ce n'est plus qu'une question de jours de toute manière.

Clarke détourne la tête pour que Lilly ne voie pas ses yeux s'emplir de larmes.

— Tout ira bien, lui murmure-t-elle, un sourire forcé plaqué sur les lèvres. Je te le promets.

Lilly geint faiblement avant de replonger dans le silence, puis elle se radosse et ferme les yeux.

Clarke remonte la couverture sur sa poitrine malingre, faisant son possible pour ignorer le démon qui s'immisce dans ses pensées. Elle a bien compris ce que lui demande de faire Lilly. Et ce serait facile. Elle est à présent si frêle qu'un cocktail médicamenteux bien dosé suffirait à la faire glisser en douceur dans le coma. Elle ne sentirait rien.

À quoi suis-je en train de songer ? se dit-elle, horrifiée par le tour que prennent ses pensées. Le sang que ses parents ont sur les mains est en train de la contaminer. La voilà infectée par ce cauchemar, elle est devenue un monstre elle aussi. Peut-être que ce côté sombre a toujours existé chez elle, attendant son heure pour se manifester.

Au moment où elle s'apprête à partir, Lilly la supplie de nouveau.

— S'il te plaît, fais-le si tu m'aimes, s'il te plaît.

Elle a beau parler à voix basse, le désespoir qui y perce bouleverse Clarke.

— Aide-moi…

Bellamy est en train de couper du bois de l'autre côté de la clairière. Malgré la relative fraîcheur du matin, son T-shirt est déjà trempé de sueur. Clarke s'efforce de ne pas trop remarquer combien il colle à son torse musculeux. Lorsqu'il la voit accourir vers lui, il pose sa hache et son visage s'illumine d'un large sourire.

— Bonjour, toi, la salue-t-il tandis qu'elle reprend son souffle. Tu n'as pas pu résister à mon charme magnétique ?

Il s'avance vers elle et met la main sur sa hanche, mais elle la balaye aussi sec.

— Où est ta sœur ? Je l'ai cherchée partout !

— Pourquoi ? L'urgence dans le ton de Clarke lui fait abandonner tout esprit de badinerie. Qu'est-ce qui se passe ?

— Les médicaments qu'on a rapportés ont disparu. Clarke marque un temps d'arrêt avant de dire ce qu'elle a à dire. Je soupçonne Octavia de les avoir pris.

— *Quoi ?*

Il plisse les yeux.

— C'était la seule personne dans la tente hier soir, et elle avait l'air très intéressée par le contenu des malles.

— *Non !* la coupe sèchement Bellamy. Parmi tous les putains de criminels qu'il y a sur cette planète, tu oses prétendre que c'est *ma sœur* la voleuse ?

Il la fixe avec des yeux où se lit une fureur à peine contenue. Néanmoins, lorsqu'il reprend la parole, il semble s'être radouci.

— J'ai vraiment cru que tu étais différente. En fait, t'es qu'une autre de ces salopes de *Phoenix* qui pensent tout savoir mieux que tout le monde.

Il donne un coup de pied rageur dans le manche de la hache et la quitte sans ajouter un mot.

Clarke reste un instant clouée sur place, trop choquée par les mots de Bellamy pour pouvoir esquisser le moindre geste. C'est alors comme si un ressort en elle venait de lâcher : elle court se réfugier sous le couvert des arbres. La gorge en feu, elle s'écroule par terre et se roule en boule, les bras serrés autour de ses genoux, pour que le hurlement qui enfle ses poumons ne s'échappe pas.

Seule dans les bois, Clarke peut ajouter une nouvelle « première fois » à sa collection : elle fond en larmes.

CHAPITRE 19

Bellamy

Bellamy rajuste l'oiseau qu'il a accroché à son épaule. La confrontation avec Clarke l'a tellement chamboulé qu'il avait attrapé son arc et ses flèches et avait filé dans les bois sans rien dire à personne. Ce n'est qu'après avoir abattu l'oiseau en plein vol qu'il a commencé à se calmer. Il n'est pas peu fier de sa prouesse : jusqu'ici, il n'avait réussi à atteindre que des bêtes à quatre pattes. En plus, les plumes lui serviront à perfectionner l'empennage des nouvelles flèches qu'il compte emporter lorsqu'ils quitteront le groupe avec Octavia. Ce n'est que lorsqu'il revient au campement qu'il réalise qu'il n'a pas vu sa sœur depuis tôt ce matin, et il ressent une pointe d'inquiétude. Il aurait dû passer la voir avant de s'enfuir dans les bois comme un malpropre.

Tout est déjà prêt pour le feu du soir, et une douzaine de têtes se tournent dans sa direction. Personne ne lui sourit. Il détache l'oiseau de la cordelette à son épaule, pour qu'ils le voient mieux, mais rien n'y fait. Pourquoi le regardent-ils tous de travers ?

Un cri de colère s'élève derrière lui et il aperçoit un attroupement d'une dizaine d'ados à l'autre bout de la clairière, près de l'épave du vaisseau. Ils se tiennent en cercle autour d'une silhouette qui gigote au sol.

C'est alors qu'il la reconnaît, et son trouble se mue instantanément en une colère noire : ils sont en train d'encercler Octavia !

Il jette l'oiseau par terre et se met à courir vers le groupe.

— Ôtez-vous de mon chemin ! beugle-t-il en se frayant un passage à grands coups d'épaule.

Octavia est à terre, en pleurs. Graham et quelques Arcadiens se tiennent au-dessus d'elle, le regard mauvais.

— *Cassez-vous tous d'ici ! Personne ne touche ma sœur !* mugit-il en chargeant aveuglément. Mais avant qu'il ne puisse l'atteindre, quelqu'un l'attrape par le cou, lui coupant net le souffle. Bellamy déglutit, puis se retourne pour voir qui a osé l'arrêter ainsi. C'est Wells qui se tient derrière lui en le dévisageant froidement.

— C'est quoi ce délire ? crache Bellamy. Barre-toi de là.

En voyant qu'il ne bouge pas d'un pouce, Bellamy serre les dents et s'apprête à la frapper, mais quelqu'un d'autre lui attrape le col par-derrière.

— Bas les pattes ! s'emporte-t-il, en donnant un vigoureux coup de coude en arrière qui fait lâcher prise à son assaillant.

Octavia reste prostrée au sol, jetant des coups d'œil terrorisés à son frère puis à Graham.

— Vous feriez mieux de m'expliquer ce qui se passe, et plus vite que ça !

— Je vous ai entendu parler, toi et Clarke, à propos des médicaments qui ont disparu, lui répond Wells d'un ton calme qui l'exaspère. Personne à part Octavia n'était au courant. C'est donc elle qui a dû les voler.

— Mais, j'ai rien volé du tout ! sanglote Octavia. Elle s'essuie le visage du revers de la main puis renifle bruyamment. Ils sont tous devenus fous !

Elle se lève sur des jambes chancelantes et esquisse un pas vers son frère.

— Tu bouges pas d'ici, aboie Graham en la saisissant avec rudesse par le poignet.

— Touche pas à ma sœur ! rugit Bellamy. Il se lance sur Graham, mais Wells s'interpose à nouveau, tandis qu'un autre adolescent lui immobilise le bras derrière le dos.

— Lâchez-moi !

Il se débat comme un beau diable, mais ils sont trop nombreux et Bellamy finit par arrêter de lutter.

— Écoutez, poursuit Bellamy en essayant de se calmer, elle est blessée depuis l'atterrissage. Vous pensez vraiment qu'elle était en état d'aller voler deux malles de médicaments et d'aller les planquer à l'écart du campement ?

— Elle était en état de m'accompagner dans les bois hier soir, réplique calmement Wells. Et on a fait un bon bout de chemin ensemble...

Bellamy manque s'étrangler de rage et recommence à se débattre en entendant ces mots. Si ce salaud s'est permis quoi que ce soit avec sa sœur...

— Ne te mets pas dans des états comme ça, le gronde Wells avant d'adresser un signe de tête à un jeune Waldénite qui s'approche derrière Bellamy avec un rouleau de corde.

— Dis à ce connard de pas toucher à un cheveu d'Octavia.

Clarke arrive sur ces entrefaites, se frayant un chemin à travers la foule qui s'est densifiée.

— Que se passe-t-il ici ? demande-t-elle, les yeux écarquillés en découvrant Octavia toujours en pleurs. Tu vas bien ?

Cette dernière secoue la tête.

— Nous attendons juste qu'elle nous dise où elle a mis les médicaments, dit Wells, et après on décidera de la marche à suivre.

— *Je les ai pas !* répète-t-elle, la voix rauque.

— On sait que tu mens, siffle Graham qui la tient toujours par le poignet. Tu ne fais qu'aggraver ton cas !

— Alors, tu vas faire quoi, maintenant ? Nous laisser attachés tous les deux jusqu'à ce que vous les retrouviez ? s'énerve Bellamy.

— Tout à fait, réplique Wells du tac au tac. On va garder Octavia enfermée jusqu'à ce qu'elle nous dise où elle les a cachés, ou jusqu'à ce qu'on trouve des preuves qui la disculpent.

— L'enfermer ? Bellamy scrute la clairière sur sa droite et sur sa gauche. Et tu comptes l'enfermer où au juste ?

Les traits tendus, Clarke intervient.

— Je passe la plupart de mon temps à l'infirmerie. Octavia peut y rester. Je pourrai la surveiller et je vous garantis qu'elle ne s'enfuira pas.

— T'es sérieuse ? s'esclaffe Graham. Elle a piqué les médocs sous ton nez, et ton plan, c'est de la *surveiller* ?

Clarke se tourne vers lui en le fusillant du regard.

— Si ça ne te satisfait pas, Graham, tu n'as qu'à poster un de tes gardes devant la porte.

— C'est ridicule, tout ça, proteste Bellamy, manifestement épuisé par son coup de colère. Regardez-la, elle n'est un danger pour personne. Détachez-la et je vous promets que je ne la quitterai pas d'une semelle.

Il dévisage tous ceux qui se sont groupés autour d'eux, cherchant du soutien dans l'assistance. Il y a bien quelqu'un qui comprend que tout ça est vraiment stupide. Mais personne n'ose croiser son regard.

— Vous êtes tous complètement dingues ! grogne-t-il avant de se tourner vers Graham. C'est un coup monté, c'est *toi* qui as volé les médocs !

Graham ricane et se tourne vers Asher, son lieutenant.

— Je t'avais bien dit qu'il essaierait de me faire porter le chapeau.

En arrière-fond, le crépuscule s'est déjà installé dans le ciel, les nuages tissant un camaïeu de gris sombre.

Bellamy prend une profonde inspiration.

— OK, croyez ce que vous voulez. Détachez Octavia et laissez-nous partir. On va quitter le campement pour de bon. On tapera même pas dans vos précieuses provisions.

Il jette un coup d'œil à sa sœur et s'aperçoit qu'elle ne semble pas ravie à cette idée. Elle arbore même une grimace choquée.

— Vous n'aurez plus jamais à vous soucier de nous.

Bellamy remarque aussi de la peine qui traverse fugacement les traits de Clarke, mais elle se compose aussitôt un masque d'indifférence. *Elle s'en remettra,* se dit amèrement Bellamy. *Elle trouvera quelqu'un d'autre avec qui aller batifoler dans les bois.*

— Pas si vite, intervient Graham avec un petit sourire méprisant. On la garde jusqu'à ce qu'on ait remis la main sur les médocs. On va pas laisser mourir des gens juste parce que ta petite sœur est une junkie…

L'accusation fait frémir Bellamy de tout son être, et il n'a qu'une envie en tête, étrangler Graham de ses propres mains.

— Ça suffit, dit Clarke qui lève une main en geste d'apaisement. Personne n'a plus envie que moi de retrouver ces médicaments, mais tu ne fais qu'ajouter de l'huile sur le feu, Graham.

— OK, fulmine Bellamy, mais c'est *moi* qui l'escorte jusqu'à la tente, et *personne* ne met plus la main sur elle, pigé ?

Il se libère des adolescents qui le retiennent et va prendre Octavia par la main, jetant au passage un regard noir à Graham.

— Tu vas le regretter, lui souffle-t-il d'un ton menaçant.

Un bras sur l'épaule de sa sœur tremblante, il la conduit vers la tente de l'infirmerie.

Il est prêt à tout pour la protéger. Il l'a toujours été.

C'est la troisième visite de gardes ce mois-ci. Ils sont venus plus régulièrement cette année, et Octavia est de plus en plus grande. Bellamy essaie de ne pas penser à ce qui pourrait se passer la fois suivante, mais il a bien conscience qu'ils ne pourront pas la cacher éternellement.

— J'arrive pas à croire qu'ils aient ouvert la porte du placard, s'étonne leur mère d'une voix enrouée. Dieu merci, elle n'a pas pleuré !

Bellamy contemple ce bébé qui est sa sœur en allant l'asseoir sur le divan. Tout en elle est miniature : du bout de ses tout petits pieds jusqu'à ses minuscules doigts potelés. Tout sauf ses bonnes grosses joues et ses grands yeux ronds qui luisent en permanence de larmes qui ne s'écoulent jamais. Est-il normal qu'une petite fille de deux ans soit silencieuse à ce point ? Comprend-elle ce qu'il se passerait si son existence était découverte ?

Bellamy prend place à côté d'Octavia, qui le regarde de ses grands yeux d'un bleu profond. Il entortille une de ses boucles brunes autour de son index. Elle lui rappelle la tête de poupée qu'il a trouvée un jour dans l'entrepôt alors qu'il était à la chasse aux reliques. Il avait songé à la rapporter à sa sœur, mais s'était ensuite décidé à aller la troquer à la Bourse d'échange pour obtenir de précieux points de rationnement. Il n'était pas sûr non plus que ç'aurait été une bonne idée de donner une tête dépourvue de corps à un bébé, aussi jolie soit-elle.

Il sourit à pleines dents lorsque Octavia lui attrape le doigt dans son petit poing.

— Eh ! Rends-le-moi ! gémit-il en faisant semblant d'avoir mal.

Elle sourit à son tour, mais ne rit pas. Il ne l'a jamais entendue rire.

— C'était trop juste, marmonne sa mère en arpentant le salon de long en large, trop juste… trop juste… trop juste…

— Maman, ça va ? demande Bellamy qui sent une nouvelle vague de panique s'emparer de lui.

Elle marche jusqu'à l'évier qui déborde toujours de plats sales, bien qu'ils aient disposé de l'heure d'eau hebdomadaire ce matin même. Bellamy n'a pas eu le temps de tout finir avant que les gardes n'arrivent. Il faudra désormais attendre sept jours pour avoir de l'eau.

Un grand fracas résonne dans le couloir extérieur, suivi d'un éclat de rire. Sa mère balaye la pièce d'un regard affolé.

— Cache-la dans le placard, vite !

Bellamy met un bras protecteur devant sa sœur.

— C'est bon, les gardes viennent à peine de passer, ils vont pas se repointer avant un bon bout de temps.

— Vite, vite ! Il faut la cacher ! répète sa mère avec une lueur de folie dans les yeux.

— *Non !* s'insurge Bellamy.

Il se lève du canapé et fait rempart de son corps devant Octavia.

— Ce n'était même pas les gardes, juste des jeunes qui s'amusent. C'est pas la peine de l'enfermer !

Octavia gémit doucement, mais lorsque sa mère pose les yeux sur elle, elle redevient silencieuse.

— Oh non, non, non, non, non ! grommelle sa mère en se passant une main dans des cheveux déjà totalement décoiffés. Elle finit par s'adosser contre un mur et se laisse glisser au sol.

Bellamy échange un regard avec sa petite sœur, puis va s'accroupir au côté de sa mère.

— Maman ?

Une nouvelle sorte de peur est en train de s'insinuer en lui, différente de celle qu'il ressent durant les visites d'inspection. Cette peur est glaciale, elle semble émaner tout droit de son ventre et lui gèle le sang.

— Tu ne peux pas comprendre, murmure sa mère, les yeux perdus dans le vague. Ils vont me tuer. Ils vont vous emmener, et après, ils me tueront.

— Nous emmener où ? demande Bellamy, la voix tremblante.

— Tu ne peux pas avoir les deux, chuchote-t-elle. Tu ne peux pas avoir les deux.

Elle cligne des yeux et reporte son attention sur son fils.

— Tu ne peux pas avoir une mère *et* une sœur.

CHAPITRE *20*

Glass

Glass flotte littéralement en montant les escaliers qui mènent jusqu'à son unité résidentielle. Elle ne se soucie pas le moins du monde d'être arrêtée par la garde pour violation du couvre-feu. Elle a l'impression d'être légère comme une plume et elle porte une main à ses lèvres où le contact de celles de Luke persiste délicieusement.

Il est un peu plus de 3 heures du matin, le vaisseau est désert et les lumières qui éclairent les couloirs sont réglées sur l'intensité la plus basse. S'arracher aux baisers de Luke lui a presque causé une douleur physique, mais elle sait qu'elle doit tout faire pour éviter que sa mère se rende compte de quoi que ce soit, et ne pouvait donc rester plus longtemps. Si elle parvient à s'endormir rapidement, elle pourra peut-être faire croire à son cerveau qu'elle est encore dans les bras de Luke, pelotonnée dans son lit à ses côtés.

Elle présente son pouce au scanner et se glisse dans l'appartement.

— Bonjour Glass, l'accueille sa mère, assise sur le canapé.

Glass manque s'étrangler, surprise, et se met à bredouiller.

— Coucou, j'étais… euh… je…

Elle bute sur les mots, cherchant désespérément un prétexte valable qui pourrait expliquer qu'elle rentre au milieu de la nuit. Mais elle ne peut plus mentir, pas à propos de ça, plus maintenant.

Les deux femmes restent face à face un long moment sans parler, et bien que Glass ait du mal à déchiffrer l'expression de sa mère dans la pénombre, elle devine que c'est un mélange de confusion et de colère.

— Tu étais avec *lui*, je me trompe ? finit par lui demander Sonja.

— Oui, lâche Glass, soulagée d'enfin dire la vérité. Je l'aime.

Sa mère fait un pas vers elle, et Glass s'aperçoit qu'elle est encore en longue robe de soirée noire. Sa bouche porte une légère trace de rouge à lèvres et des effluves d'un parfum poivré émanent d'elle.

— Et toi, tu étais où ce soir ? demande Glass d'un ton las.

Ça recommence comme l'an dernier. Depuis que son père les a quittées, sa mère n'est presque jamais à la maison, sortant jusqu'à des heures tardives et dormant pendant la journée. Glass n'a plus l'énergie d'être embarrassée, et encore moins énervée, par le comportement de sa mère. Tout ce qu'elle ressent maintenant, c'est une pointe de tristesse.

Les lèvres de Sonja se tordent alors en un rictus qui n'a plus grand-chose d'un sourire.

— Tu n'as pas idée de tout ce que j'ai fait pour te protéger, dit-elle simplement. Je te demande juste de rester à distance de ce garçon.

— Ce *garçon* ? se hérisse Glass. Tu sais bien qu'il...

— *Assez !* la coupe sa mère d'un ton qui n'admet pas la réplique. Tu ne te rends donc pas compte de la chance que tu as d'être encore en vie ? Je ne vais pas te laisser mourir pour un pouilleux de *Walden* qui séduit des filles de *Phoenix* avant de les laisser tomber !

— Luke n'est pas comme ça ! s'écrie Glass, la voix montant dans les aigus. Tu ne le connais même pas !

— Il s'en fout de toi. Tu étais prête à mourir pour le *sauver* ! Je suis sûre qu'il t'a oubliée dès que tu t'es retrouvée à l'Isolement.

Glass accuse le coup. C'est vrai que Luke s'est mis avec Camille tandis qu'elle se trouvait en prison. Mais elle ne peut pas lui en tenir rigueur, pas après toutes les atrocités qu'elle lui a dites pour faciliter leur rupture, désespérée qu'elle était et soucieuse uniquement de le protéger à tout prix.

— Glass, reprend sa mère d'une voix qui tremble de l'effort auquel elle s'astreint pour se contrôler.

Je suis désolée de devoir te dire les choses si durement, mais avec le chancelier toujours sous assistance respiratoire, il faut vraiment que tu sois prudente. S'il se réveille et qu'il trouve la moindre raison de révoquer ta grâce, sois sûre qu'il n'hésitera pas une seconde.

Elle lâche un long soupir avant de poursuivre.

— Je ne peux pas te laisser jouer à nouveau avec ta vie. As-tu déjà oublié ce qui s'est passé la dernière fois ?

Glass, bien entendu, se rappelle parfaitement. Le souvenir est aussi indélébile que les marques laissées par le bracelet sur son poignet, et il restera gravé en elle à vie.

Et dire que sa mère n'est au courant que d'une partie de la vérité.

Glass ne relève pas les regards interrogateurs que lui jettent les gardes tandis qu'elle franchit le poste de contrôle et emprunte le pont qui mène sur *Walden*. Qu'ils pensent qu'elle va acheter de la drogue si ça leur chante. Aucun des châtiments qu'ils pourraient lui infliger ne la ferait davantage souffrir que ce qu'elle s'apprête à faire.

L'après-midi touche à sa fin et les couloirs sont heureusement encore vides. Luke doit être rentré de son service du matin, tandis que Carter est normalement toujours au centre de distribution où son travail consiste à trier les packs de nutrition. Glass sait bien que c'est stupide – Carter la déteste, et il la détestera encore plus une fois qu'il apprendra qu'elle a brisé le cœur de Luke –, mais rompre avec Luke alors qu'il se trouve dans la pièce d'à côté lui est insupportable.

Elle s'arrête un instant devant la porte, se caressant le ventre d'une main distraite. C'est maintenant ou jamais. Elle a déjà repoussé ce moment trop souvent. Plusieurs fois, elle a été à deux doigts de prononcer les mots sans retour avant qu'une hésitation irrépressible ne les lui fasse ravaler. *La prochaine fois*, se promettait-elle alors. *Il faut que je le voie une dernière fois.*

Mais voilà que son ventre s'arrondit de jour en jour. Même en se limitant à des demi-rations, Glass a de plus en plus de mal à masquer sa prise de poids sous les robes informes qui font ricaner Cora. Sa grossesse sera bientôt flagrante. Et les questions ne tarderont pas à suivre. Le Conseil exigera de connaître l'identité du père. Si elle a le malheur d'être toujours en relation avec Luke, il finira par l'apprendre et se portera volontaire dans un geste chevaleresque pour la sauver, ce qui n'aura d'autre conséquence que leur condamnation à mort à tous les deux.

Tu lui sauves la vie, se convainc Glass en toquant à la porte. Elle prend simultanément conscience que c'est la dernière fois qu'elle se trouve là. La dernière fois que Luke lui a souri, c'est comme si elle était la seule fille de l'Univers. À cette pensée, les mots dont elle s'encourage sonnent soudain très creux à ses oreilles.

Lorsque la porte s'ouvre, ce n'est pas Luke qui se tient face à elle, mais Carter, vêtu en tout et pour tout de son pantalon de travail.

— Il est pas là, grogne-t-il en guise de salutation. Ses yeux s'étrécissent en apercevant le feu qui lui brûle les joues.

— Oh, désolée, dit Glass en reculant d'un pas. Je repasserai.

Mais voilà que Carter la surprend en l'attrapant par le poignet et en la tirant à l'intérieur de l'unité résidentielle.

— Où est l'urgence ? lui demande-t-il avec un sourire soudain qui lui met le cœur au bord des lèvres. Viens donc l'attendre ici. Je suis sûr qu'il ne va plus tarder.

Glass réprime une grimace de douleur et se frotte le poignet en suivant Carter. Elle avait oublié qu'il était si grand.

— Tu n'es pas allé travailler aujourd'hui ? s'enquiert-elle de son ton le plus poli en s'asseyant sur l'accoudoir du canapé où elle a l'habitude de se lover contre Luke. Son cœur se serre à l'idée qu'elle ne puisse plus jamais se blottir contre son épaule, ou passer la main dans ses cheveux bouclés lorsqu'il a la tête posée sur ses genoux.

— J'étais pas d'humeur, explique Carter dans un haussement d'épaules.

— Ah, dit Glass en ravalant un commentaire désobligeant.

Si Carter ne fait pas attention, il sera tôt ou tard rétrogradé une nouvelle fois, et le seul poste qui reste en deçà du centre de distribution, c'est agent d'entretien.

— Je suis désolée, ajoute-t-elle, ne sachant pas trop quoi dire.

— Tu parles, rétorque-t-il en avalant une lampée d'une bouteille sans étiquette.

Glass ne peut s'empêcher de plisser le nez : c'est du whisky obtenu au marché noir.

— T'es comme tous ces connards qui vivent sur *Phoenix*, tu ne penses qu'à ta petite gueule.

— Tu sais quoi, je ferais mieux d'y aller, dit-elle en traversant rapidement la pièce. Tu diras à Luke que je suis passée.

— Attends un peu, la retient Carter.

Glass fait semblant de ne pas l'entendre et s'apprête à appuyer sur le bouton d'ouverture de la porte lorsqu'il vient y plaquer son épaule pour l'empêcher de l'ouvrir.

— Laisse-moi sortir, lui ordonne Glass en se tournant pour lui faire face.

Le sourire de Carter s'élargit, lui faisant courir un frisson glacé le long de la colonne vertébrale.

— Où est le problème ? demande-t-il en lui caressant d'un doigt l'intérieur du bras. On sait très bien tous les deux que t'adores venir t'encanailler sur *Walden*. Commence pas à jouer ta difficile.

— Qu'est-ce que tu racontes ? explose Glass en essayant en vain de se libérer de sa prise.

Il fronce les sourcils et resserre son étreinte sur le bras de Glass.

— Tu te prends pour une rebelle, hein, à traîner avec Luke en cachette. Moi, je connais plein de filles de *Phoenix* qui font la même chose. Vous êtes toutes pareilles.

La tenant toujours d'une main ferme, il glisse l'autre derrière elle et essaie de lui baisser sa culotte.

— Arrête ça tout de suite ! s'écrie-t-elle en tentant de le repousser, le visage déformé par l'horreur. Arrête ! Lâche-moi !

— Tout va bien se passer, lui murmure-t-il à l'oreille en l'attirant à lui.

Elle se tortille pour lui échapper, mais il pèse au moins deux fois plus qu'elle, et ses mouvements désordonnés ne parviennent qu'à le faire rire. Dans un geste de désespoir, elle essaie de lui décocher un coup de genou dans les parties, mais il la tient trop serrée contre lui.

— Ne t'inquiète pas, lui susurre-t-il, l'incommodant avec son haleine fétide. Luke ne dira rien. Il me doit bien ça après tout ce que j'ai fait pour lui. De toute façon, on partage *tout*, lui et moi.

Glass ouvre la bouche pour crier, mais Carter est tellement collé à sa poitrine qu'elle est au bord de l'asphyxie. Des mouches noires dansent devant ses yeux, et elle se sent au bord de l'évanouissement.

C'est alors que la porte s'ouvre. Carter relâche Glass si précipitamment qu'elle en tombe à la renverse.

— Glass ? Ça va ? demande Luke en entrant dans l'appartement. Qu'est-ce qui se passe ici ?

Elle peine à reprendre son souffle, et avant qu'elle ait eu le temps d'ouvrir la bouche, Carter, qui est allé s'asseoir en toute nonchalance sur le canapé, répond à sa place.

— Ta petite amie était en train de me montrer le dernier pas de danse à la mode sur *Phoenix*. Apparemment, elle est pas encore tout à fait au point, rigole-t-il.

Luke essaie de croiser le regard de Glass, mais elle fait de son mieux pour l'éviter. Sous le coup de l'adrénaline, son cœur bat à tout rompre, déchiré entre la rage et la peur.

— Désolé pour le retard, je discutais avec Bekah et Ali, s'excuse Luke en lui tendant une main pour l'aider à se relever. Ces deux collègues qui travaillaient avec Luke à l'unité d'ingénierie ont toujours été très sympathiques avec elle.

— Eh ? Quelque chose ne va pas ? s'enquiert-il en constatant qu'elle ne prend pas sa main tendue.

Après ce qu'il vient de se passer, Glass n'a qu'une envie : se jeter dans les bras de Luke et laisser sa chaleur la persuader que tout ira bien en effet. Mais elle n'est pas venue pour ça, bien au contraire. Elle ne peut pas se permettre de le laisser la réconforter.

— Ça va ? répète-t-il. Tu veux qu'on aille dans ma chambre ?

Glass tourne la tête vers Carter, invoquant toute la colère, le dégoût et la haine qu'il lui inspire, puis elle se lève.

— Je ne vais pas dans ta chambre, annonce-t-elle d'une voix dure qui la surprend elle-même. Je n'y mettrai plus jamais les pieds.

— Quoi ? Qu'est-ce que tu dis ? lui demande Luke en essayant d'attraper sa main, mais elle la retire immédiatement. Glass ?

L'incompréhension dans sa voix suffit à déclencher en elle des palpitations incontrôlables.

— C'est fini entre nous, décrète-t-elle avec une froideur qui la choque elle-même.

Une étrange torpeur s'empare de Glass, comme si ses nerfs se déconnectaient d'eux-mêmes pour la protéger du chagrin qui menace de la détruire sur place.

— Tu pensais vraiment que ça allait durer ?

— Glass, la supplie Luke à mi-voix, je ne suis pas sûr de bien comprendre, mais pourrait-on au moins avoir cette conversation dans ma chambre ?

Il tente de nouveau de la toucher, et elle se dérobe encore.

— Non ! Elle fait semblant de frissonner d'horreur et détourne la tête pour qu'il ne voie pas ses larmes. Je ne sais pas comment j'ai seulement pu te laisser m'y emmener !

Luke se tait, et Glass ne peut se retenir de lui jeter un coup d'œil : bouche bée, il la regarde, la douleur palpable dans ses yeux. Il lui a si souvent dit qu'il n'était pas assez bien pour elle, qu'il l'empêchait d'avoir une meilleure vie sur *Phoenix*. Et voilà qu'elle utilise à présent pour mieux le faire la détester ces mêmes peurs qu'elle dissipait auparavant.

— C'est vraiment ça que tu ressens ? finit-il par lâcher. Je pensais qu'on... Je t'aime, Glass, conclut-il, totalement désemparé.

— Je ne t'ai jamais aimé, se force-t-elle à lui rétorquer, et les mots sortent de sa bouche avec une telle intensité qu'elle craint un instant que son âme ne se déchire en deux. Tu ne comprends donc pas ? Tout ça n'a jamais été qu'un *jeu* pour moi, je voulais voir combien de temps ça pouvait durer avant que je ne me fasse attraper. Mais c'est fini maintenant, ça ne m'amuse plus.

Luke lui saisit délicatement le menton et la force à le regarder droit dans les yeux. Elle le sent chercher frénétiquement un signe qui lui montrerait la Glass qu'il connaît, cachée quelque part.

— Tu ne penses pas ce que tu dis, souffle-t-il au bord des larmes. Je ne sais pas ce qui se passe, mais ce n'est pas toi. Parle-moi, Glass, je t'en prie.

L'espace d'un instant, sa résolution faiblit. Elle pourrait bien sûr lui avouer la vérité, et bien sûr il comprendrait, il lui pardonnerait toutes les choses épouvantables qu'elle vient de lui asséner. Elle poserait la tête sur son épaule, et tous deux feraient semblant que tout va pour le mieux. Ils feraient face ensemble.

Mais elle se force alors à imaginer l'exécution de Luke, l'injection létale qui paralyserait son corps avant qu'il ne soit lâché dans l'immensité glaciale de l'espace.

Le seul moyen de sauver Luke est de lui piétiner le cœur…

— Tu ne sais même pas qui je suis ! lui dit-elle en se reculant, son chagrin lui labourant les entrailles. Tiens, poursuit-elle en détachant son collier, reprends ça, je n'en veux plus !

Elle le laisse tomber dans sa paume tandis qu'il la regarde, son visage réduit à un masque de souffrance et d'incompréhension.

Glass a à peine conscience de sortir en courant de l'unité résidentielle, claquant la porte derrière elle. Elle court à en perdre haleine, se concentrant sur le bruit de ses pas qui martèlent la structure métallique du pont. Gauche, droite, gauche, droite. *Rentre à la maison*, se répète Glass en boucle, *rentre à la maison et, là-bas, tu pourras pleurer.*

Mais au dernier tournant, elle glisse et s'étale sur le sol froid, ses mains se portant instinctivement à son ventre.

— Je suis désolée, chuchote-t-elle doucement, ne sachant pas bien si elle s'adresse au bébé, à Luke, ou à son propre cœur meurtri.

CHAPITRE 21

Clarke

La tension qui règne sous la tente de l'infirmerie est si palpable que Clarke en éprouve presque des difficultés à respirer.

Elle s'affaire silencieusement au chevet de Thalia, essayant en vain de combattre l'infection qui a déjà atteint sérieusement ses reins et qui semble inexorablement devoir s'étendre à son foie. Elle maudit mentalement l'égoïsme et l'entêtement d'Octavia. Comment ose-t-elle rester tranquillement assise à regarder Thalia lutter pour sa survie sans rendre les médicaments qu'elle a volés ?

Mais elle jette alors un coup d'œil à la jeune fille, recroquevillée sur son lit de camp. Avec ses bonnes joues et ses longs sourcils épais, Octavia a encore l'air si jeune, et la colère de Clarke se transforme un instant en doute et en culpabilité. Peut-être n'est-elle pas coupable. Mais si ce n'est pas elle, qui a bien pu faire ça ?

Ses yeux vont se poser sur le bracelet qui lui enserre le poignet. Si Thalia parvient à tenir le coup jusqu'à l'arrivée de la prochaine vague de colons, elle sera tirée d'affaire. Mais Clarke n'a aucun moyen de savoir quand la navette suivante sera envoyée. Le Conseil attendra sans doute d'avoir collecté des données suffisamment concluantes quant au niveau de radiations, quoi qu'il se passe sur Terre.

Elle sait bien que le Conseil ferait aussi peu de cas de la mort de Thalia que de celle de Lilly. Les orphelins et les criminels ne comptent pas.

En écoutant la respiration saccadée de Thalia, Clarke sent une vague de colère l'envahir. Elle refuse de rester les bras croisés à attendre que son amie meure. Les humains n'ont-ils pas guéri leurs malades pendant des siècles avant que la pénicilline ne soit découverte ? Il doit y avoir quelque chose dans ces bois qui combatte l'infection ! Elle tâche de se souvenir du peu qu'elle a appris sur les plantes en cours de biologie terrienne. Qui sait si ces plantes existent encore, tout semble avoir évolué si bizarrement depuis le Cataclysme. Peu importe, elle a le devoir d'essayer.

— Je reviens, chuchote-t-elle à son amie endormie. Sans décrocher un mot à l'Arcadien qui fait le planton devant l'infirmerie, Clarke se dirige à la hâte vers les bois. Elle décide de ne rien passer prendre à la tente des stocks, de peur d'attirer l'attention. Mais à peine a-t-elle parcouru dix mètres qu'une voix familière vient lui agresser les oreilles.

— Où vas-tu ? lui demande Wells en la rattrapant.

— À la recherche de plantes médicinales.

Elle est trop fatiguée pour lui mentir, et de toute manière il a toujours su repérer quand elle ne disait pas la vérité. Étrangement, l'autosatisfaction permanente qui l'aveugle sur les choses les plus évidentes ne l'empêche nullement de déceler d'un coup d'œil les secrets qu'elle tente de dissimuler.

— Je t'accompagne.

— Je vais me débrouiller toute seule, merci, dit Clarke en accélérant l'allure, comme si cela pouvait décourager le garçon qui a traversé le système solaire pour elle. Reste ici au cas où ils aient besoin de quelqu'un pour prendre le commandement d'une foule en colère.

— Tu as raison. Les événements d'hier soir m'ont un peu échappé, concède-t-il, les sourcils froncés. Je ne voulais pas qu'il arrive le moindre mal à Octavia. J'avais simplement envie d'aider. Je sais combien tu as besoin de ces médicaments pour Thalia.

— Tu *avais simplement envie d'aider*, j'ai déjà entendu ça quelque part.

Clarke fait volte-face et le fusille du regard. Elle n'a ni le temps ni l'énergie de s'occuper de son besoin de rédemption.

— Eh ben, tu sais quoi, Wells ? Encore une fois, il y a quelqu'un qui se retrouve enfermé au bout du compte !

Il s'arrête net, et Clarke reprend sa marche, incapable d'affronter la douleur qui fait briller ses yeux. Elle refuse néanmoins de se sentir coupable. Rien de ce qu'elle pourra lui dire ne la dédommagera de la souffrance qu'il lui a causée.

Clarke arrive à la lisière des bois sans s'être retournée, s'attendant à moitié à entendre des bruits de pas derrière elle ; mais cette fois, le silence est total.

Le temps qu'elle atteigne le ruisseau, la fureur qui l'animait s'est muée en désespoir. La scientifique en elle se mettrait des claques tant elle a été naïve. C'était bien présomptueux de sa part de croire qu'elle reconnaîtrait une plante étudiée quelques minutes il y a plus de six ans, d'autant plus que les mutations génétiques ont sans doute modifié son apparence. Mais elle refuse de baisser les bras, en partie par fierté, mais aussi parce qu'elle désire éviter Wells aussi longtemps que possible.

Il fait trop froid pour qu'elle s'aventure dans l'eau, elle escalade donc la pente et longe la crête pour passer de l'autre côté. Elle ne s'est jamais tant éloignée du camp en solo, et il y a quelque chose de différent ici, même l'air a un *goût* différent de celui de la clairière. Elle ferme les yeux, espérant que ça l'aide à analyser le tourbillon de senteurs sur lesquelles elle ne peut pas mettre de mots. C'est comme essayer de se rappeler un souvenir qui ne serait pas le sien à la base.

Le sol est plus plat par ici que nulle part ailleurs dans les bois. Un peu plus haut, l'espacement entre les arbres semble encore s'accroître, et ils s'alignent en rangées régulières, comme s'ils s'étaient donné le mot pour constituer une haie d'honneur sur son passage.

Clarke commence à arracher une feuille en forme d'étoile lorsqu'un éclat lumineux lui attire l'œil. Quelque chose de niché entre deux énormes troncs reflète le soleil descendant.

Le cœur battant, elle s'approche de quelques pas.

C'est une fenêtre.

Clarke se dirige lentement vers celle-ci, elle a l'impression de se mouvoir comme dans un de ses propres rêves. La fenêtre est encastrée entre les deux arbres qui ont dû pousser sur les ruines de l'édifice qui se trouvait là auparavant. Le verre n'est pas transparent. En arrivant plus près, elle s'aperçoit que la fenêtre est en fait composée d'une multitude de petits carreaux de verre coloré, arrangés de sorte à créer une image, aujourd'hui trop altérée pour qu'elle puisse reconnaître ce qu'elle représente.

Elle se penche et passe le bout des doigts sur le verre, surprise par sa froideur. C'est comme si elle touchait un cadavre. Elle se trouve un instant à regretter que Wells ne soit pas là à ses côtés. Aussi en colère soit-elle contre lui, jamais elle ne le priverait du bonheur de contempler ces ruines dont il a rêvé toute sa vie.

Elle fait le tour d'un des troncs colossaux et découvre une autre fenêtre, cassée celle-là. Quelques fragments de verre coupants jonchent le sol, luisant sous le soleil. Clarke s'accroupit pour regarder à l'intérieur. L'ouverture semble suffisamment grande pour qu'elle s'y faufile. Le soleil commence à peine à se coucher et ses rais orangés semblent justement éclairer le trou béant, révélant ce qui ressemble à du plancher. Tous ses sens disent à Clarke de déguerpir au plus vite, mais elle a besoin d'en savoir plus.

Prenant soin de ne pas se couper sur les bouts de verre saillants encore attachés au cadre de métal, Clarke passe le bras à travers la percée et pose une main sur le sol. Rien ne se produit. Elle tape ensuite du poing dessus, soulevant un nuage de poussière qui la fait éternuer. Le plancher semble solide. Elle réfléchit un instant. Si le bâtiment a résisté tout ce temps, le sol devrait bien supporter son poids. Elle glisse précautionneusement une jambe à travers l'ouverture, puis l'autre. Elle retient sa respiration, mais toujours rien d'anormal.

Une fois complètement à l'intérieur, elle attend quelques secondes que ses yeux s'habituent à l'obscurité ambiante, puis explore du regard les alentours. Elle en a le souffle coupé.

Des murs impressionnants se dressent vers le ciel, convergeant tous vers un point central à plusieurs mètres au-dessus de sa tête, encore plus haut que la coupole recouvrant les champs solaires. Son œil est ensuite attiré par des sources de lumière qui s'avèrent être d'autres fenêtres sur le mur d'en face qu'elle n'avait pas vu de l'extérieur. Celles-ci sont translucides, mais intactes. La lumière trouble qui en sort illumine un ballet de particules de poussières en suspension.

Clarke se lève lentement, puis avise une rambarde à hauteur de taille à quelques mètres d'elle. Elle s'en approche avec mille précautions et ne peut retenir un cri étranglé. L'écho qui se réverbère contre la voûte du bâtiment manque la faire crier à nouveau.

Elle se tient sur une sorte de balcon qui surplombe une énorme salle plongée presque entièrement dans l'obscurité, sans doute parce que la majeure partie de l'édifice se trouve désormais sous terre. Elle parvient néanmoins à distinguer des bancs. Elle n'ose pas s'avancer davantage, mais, peu à peu, d'autres formes lui apparaissent.

Des corps.

Clarke croit tout d'abord que son imagination lui joue des tours. Elle ferme les yeux et s'exhorte à ne pas être stupide, mais lorsqu'elle les rouvre, les formes sont toujours les mêmes.

Deux squelettes sont affalés sur l'un des bancs, tandis qu'un autre, plus petit, est allongé à leurs pieds. Bien qu'elle ne puisse pas savoir si leurs ossements ont été dérangés, il semblerait que ces gens soient morts enlacés. Ont-ils essayé de se tenir chaud quand les cieux se sont obscurcis et que l'hiver nucléaire s'est installé ? Combien de gens étaient encore en vie sur le globe à ce moment-là ?

Clarke hasarde un autre pas vers l'avant, mais cette fois le bois émet un grincement sinistre. Elle se fige avant de faire marche arrière. C'est alors qu'un craquement retentissant vient déchirer le silence, et le sol se dérobe soudain sous ses pieds.

Elle bat frénétiquement des bras et parvient à s'accrocher in extremis à ce qu'il reste du balcon, tandis que la rambarde et un pan du plancher vont s'écrouler dans un grand fracas plusieurs mètres en contrebas.

Les jambes ballottant dans le vide, elle pousse un hurlement qui rebondit au plafond avant de s'évanouir, rejoignant les fantômes des autres cris captifs de la poussière. Ses doigts commencent à glisser sur la surface patinée par le temps.

— Au secours !

Faisant appel aux quelques forces qu'il lui reste, Clarke essaie de se hisser sur la plate-forme, les muscles tremblants sous l'effort fourni, sans succès. Elle tente d'appeler de nouveau à l'aide, mais elle n'a plus assez d'air dans les poumons, et elle s'aperçoit que le nom qui n'a pas passé le seuil de ses lèvres n'était autre que celui de Wells.

CHAPITRE 22

Wells

Lorsque le cri de Clarke lui parvient aux oreilles, Wells pique un sprint sans se poser de questions. Il a eu du mal à la suivre à travers les bois, surtout parce qu'il devait garder ses distances : elle aurait été furieuse si elle l'avait repéré. Mais désormais, il vole littéralement sur l'herbe, sentant à peine ses pieds toucher le sol. Il atteint juste le vitrail quand retentit le second cri de détresse, plus désespéré encore que le premier.

— Clarke ! s'époumone Wells en glissant la tête à travers l'ouverture. L'intérieur de la ruine est plongé dans les ténèbres, mais il n'a pas le temps de sortir sa lampe torche. À quelques mètres de lui, il distingue des doigts blancs qui s'accrochent à un rebord. Il se faufile par le carreau cassé et se met directement à plat ventre, attrapant le poignet de Clarke d'une main tandis qu'il se retient à l'arête du renfoncement de la fenêtre de l'autre pour s'aider à faire levier.

— Je te tiens ! lui dit-il.

Mais il a parlé trop tôt. L'autre main de Clarke disparaît et il se retrouve à soutenir tout son poids d'une seule main. Il se sent glisser lui aussi, centimètre par centimètre.

— Tiens bon, Clarke ! s'écrie-t-il.

Il laisse échapper un grognement tandis qu'il fournit un effort surhumain pour se mettre en position assise, un pied contre le mur. Il a la paume moite et Clarke menace de lui glisser des mains.

— *Wells !* implore-t-elle.

Les échos démultipliés de son cri donnent l'impression qu'il y a une centaine de Clarke en péril.

Les dents serrées, il tire de toutes ses forces et exhale un soupir de soulagement lorsque l'autre main de Clarke réapparaît sur le rebord.

— T'y es presque, encore un petit effort !

Elle réussit enfin à poser ses coudes et Wells l'attrape sous un bras, tirant jusqu'à ce qu'elle se hisse sur le sol. Elle vient s'écrouler sur lui, et tâche de reprendre sa respiration entre deux sanglots.

— Ça va, maintenant, la rassure-t-il en l'entourant d'un bras protecteur, tu es hors de danger.

Il s'attend à tout instant à ce qu'elle se dégage de son étreinte, mais au contraire, elle vient se lover contre lui. Wells la serre plus fort encore.

— Qu'est-ce que tu fais là ? lui demande-t-elle finalement d'une voix étouffée. Je pensais que… J'espérais que…

— Je t'ai suivie, je me faisais de la bile, répond-il, la bouche enfouie dans ses cheveux. Je ne laisserai jamais rien t'arriver, rien, tu m'entends.

Il a eu beau parler d'instinct, il réalise immédiatement qu'il pense sincèrement ce qu'il a dit. Même si elle embrasse un autre que lui, même si elle veut être avec quelqu'un d'autre, il sera toujours là pour elle.

Clarke ne répond rien, mais elle ne bouge pas non plus.

Wells la tient blottie contre lui sans mot dire, terrifié à l'idée d'écourter ce moment magique dont il rêve depuis si longtemps, son soulagement initial se transformant en joie. Peut-être a-t-il une chance de la reconquérir. Peut-être qu'ici, sur les ruines de l'ancien monde, ils pourront repartir de zéro.

CHAPITRE *23*

Bellamy

Il va commencer par laisser ces bâtards crever la dalle. Ensuite, lorsqu'ils seront suffisamment torturés par les affres de la faim, ils viendront peut-être ramper à ses pieds et le supplier. Ce n'est qu'à ce moment qu'il envisagera de retourner chasser. Il ne faudra toutefois pas qu'ils s'attendent à du gros gibier, ils devront se contenter de bouffer de l'écureuil, ça leur fera les pieds.

Bellamy n'a pas pu fermer l'œil de la nuit, se sentant obligé de surveiller l'infirmerie pour s'assurer que personne ne s'approche de sa sœur. À présent que le soleil s'est levé, il longe le périmètre du campement d'un pas énergique, trop à cran pour pouvoir rester tranquille.

Bellamy décide de s'engager sous le couvert des arbres et sent son corps se détendre à mesure qu'il s'y enfonce. Ces dernières semaines, il s'est rendu compte qu'il apprécie plus la compagnie des arbres que celle des gens. Le souffle frais de la brise matinale le fait frissonner et lui fait lever les yeux. Les plages de ciel visibles à travers la canopée virent au gris et l'air semble s'être chargé d'humidité. Tête baissée, il poursuit sa progression à travers le taillis. Peut-être que la Terre en a déjà marre de leurs conneries et a décidé de déclencher un nouvel hiver nucléaire.

Sans qu'il y prête vraiment attention, ses pas le mènent près du ruisseau où les empreintes d'animaux foisonnent. C'est alors qu'il aperçoit du coin de l'œil un mouvement dans les arbres à quelques mètres de lui.

Quelque chose de rouge oscille au gré du vent. Ça pourrait être une feuille, mais il n'y en a aucune de cette teinte à proximité. Bellamy plisse les yeux, s'avance plus avant et un mauvais pressentiment vient lui picoter la nuque.

Il s'agit bel et bien du ruban à cheveux d'Octavia.

Ce qui n'a aucun sens : cela fait des jours qu'elle n'a pas mis les pieds dans les bois ! Il est pourtant catégorique, il reconnaîtrait ce ruban entre mille…

Bellamy grimpe deux par deux dans la pénombre les marches qui mènent à leur unité résidentielle. Ça a valu le coup d'enfreindre le couvre-feu, à condition de ne pas se faire attraper maintenant, bien sûr. Il s'est introduit dans un vieux conduit d'aération où seul un enfant de son âge est en mesure de se glisser, et a rampé jusqu'à un espace de stockage abandonné qu'il avait entendu des gardes mentionner sur le pont C. À l'intérieur, c'était une véritable caverne aux trésors : un chapeau à large bord coiffé d'un oiseau bizarre, une boîte où il y avait écrit « ABDOS HUIT MINUTES CHRONO », quoi que cela veuille dire, et un ruban rouge qu'il avait trouvé attaché à la poignée d'un étrange sac sur roulettes. Bellamy a échangé ses trouvailles contre des points de rationnement, mais il a conservé le ruban, même s'il suffirait à les nourrir pendant un mois. Il meurt d'envie de l'offrir à sa petite sœur.

Il présente son pouce au scanner et entre sur la pointe des pieds avant de se figer sur place. Quelqu'un se déplace dans l'appartement. À cette heure, sa mère est habituellement endormie. Il s'avance discrètement, l'oreille aux aguets, et il se détend en entendant des sons familiers : sa mère est en train de chanter à Octavia sa berceuse favorite. Elle la fredonnait tous les soirs avant, assise par terre devant la porte du placard jusqu'à ce qu'Octavia s'endorme à l'intérieur. Bellamy pousse un soupir de soulagement. Elle est apparemment de bonne humeur et ne va pas lui crier dessus, ou avoir une de ces interminables crises de larmes qui lui donnent envie d'aller se réfugier dans le placard avec sa sœur.

C'est donc le sourire aux lèvres qu'il entre dans le salon et distingue sa mère agenouillée par terre.

— Ne pleure pas mon petit bébé, maman va t'acheter une étoile du ciel, et si l'étoile ne sait pas chanter, maman t'offrira la lune douce comme miel.

Un autre son lui parvient alors aux oreilles à travers la pénombre, un genre de sifflement étouffé. Le système de ventilation fait-il à nouveau des siennes ? Il s'avance d'un autre pas discret.

— Et si la lune perd son éclat, maman t'achètera…

Bellamy entend à nouveau le bruit étrange, mais cette-fois il ressemble davantage à un hoquet.

— Maman ?

Sa mère semble tenir quelque chose dans les bras.

— *Maman !* s'écrie-t-il en se jetant sur elle.

Sa mère a les deux mains autour du cou d'Octavia, et même dans l'obscurité, Bellamy voit bien qu'elle a le visage violacé. Il pousse sa mère violemment sur le côté et attrape sa petite sœur dans ses bras. Il s'écoule une terrible seconde pendant laquelle il la croit morte, mais elle se met soudain à tousser, le corps secoué de spasmes. Bellamy pousse un long soupir, et son cœur se remet à battre.

— Nous étions juste en train de jouer, proteste faiblement sa mère, elle n'arrivait pas à dormir, alors on a joué à un jeu…

Bellamy berce Octavia dans ses bras tout en lui murmurant des paroles réconfortantes à l'oreille, tandis qu'une pensée inquiétante chemine dans son esprit. Il n'est pas certain de ce que faisait sa mère, mais il a la conviction qu'elle risque de recommencer.

Bellamy se dresse sur la pointe des pieds et tend le bras vers le ruban. Il attrape le tissu satiné du bout des doigts, et s'aperçoit en tirant dessus pour le décrocher qu'il a été délibérément attaché à la branche.

Quelqu'un aurait-il trouvé le ruban et l'aurait noué là pour que sa propriétaire le retrouve ? Pourquoi dans ce cas ne l'aurait-il pas rapporté au campement ? Il laisse distraitement sa main courir le long de la branche, descendant ensuite sur l'écorce rugueuse du tronc, lorsqu'il s'arrête tout à coup. Ses doigts se sont pris dans une légère dépression qui semble signaler qu'un bout d'écorce a été retiré puis soigneusement replacé. Peut-être est-ce un nid d'oiseau ?

Bellamy tire sur l'écorce et voit avec horreur le matériel médical qu'il a rapporté avec Clarke dégringoler du trou. Les pilules, les seringues, les bouteilles de sérum... tout se retrouve éparpillé à ses pieds. Son cerveau turbine à cent à l'heure pour trouver une explication, n'importe laquelle, pourvu qu'elle réfrène la panique qui s'est emparée de lui.

Il tombe à genoux dans l'herbe et se prend la tête à deux mains.

C'est donc vrai. C'est bien Octavia qui a volé les médicaments. Elle les a cachés dans l'arbre et y a noué son ruban afin de localiser plus facilement son butin. Mais il n'arrive pas à comprendre le pourquoi de son geste. Les a-t-elle pris dans l'éventualité où l'un des deux tomberait malade ? Peut-être comptait-elle les emporter lorsqu'ils quitteraient le camp ensemble ?

Les mots de Graham lui reviennent alors à l'esprit. *On va pas laisser mourir des gens juste parce que ta petite sœur est une junkie...*

Le garçon assigné à garder l'infirmerie s'est endormi. À peine a-t-il le temps d'ouvrir un œil et de marmonner : « Eh, t'as pas le droit de rentrer » que Bellamy s'est déjà engouffré dedans. Il balaye l'intérieur de la tente des yeux pour s'assurer qu'il n'y a personne d'autre que l'amie souffrante de Clarke, puis se rend à grandes enjambées vers le lit de camp d'Octavia où celle-ci, assise en tailleur, est en train de se tresser les cheveux.

— Qu'est-ce que t'es en train de foutre ? siffle-t-il à mi-voix.

— De quoi tu parles ?

Sa voix est un mélange d'ennui et d'irritation, comme si son frère la sermonnait pour du travail scolaire non fait, ce qu'il avait l'habitude de faire lorsqu'il venait lui rendre visite au foyer.

Bellamy jette son ruban à cheveux sur le lit, et ne peut réprimer une grimace en voyant le visage de sa sœur se décomposer.

— Je n'ai pas…, bredouille-t-elle, ce n'était pas…

— Épargne-moi tes bobards, O ! la coupe-t-il sèchement. Finis donc ta tresse en regardant cette pauvre fille mourir !

Le regard d'Octavia se pose un instant sur Thalia, puis elle baisse les yeux.

— Je ne pensais pas qu'elle était si malade, dit-elle d'une voix penaude. Clarke lui avait déjà donné des médicaments. Quand j'ai réalisé qu'elle en avait encore besoin, c'était trop tard. Je peux pas avouer maintenant, tu as vu comment ils étaient… Je sais pas ce qu'ils me feraient…

Lorsqu'elle relève les yeux, ils sont embués de larmes.

— Même toi tu me détestes, maintenant, et pourtant t'es mon frère.

Bellamy soupire et s'assied à côté de sa sœur.

— Je ne te déteste pas.

Il lui prend la main et la lui serre doucement.

— C'est juste que je ne comprends pas. Pourquoi tu as fait ça ? Et tu me dis la vérité, cette fois.

Octavia se mure dans le silence, et Bellamy sent sa main devenir moite tandis qu'elle commence à trembler.

— O ?

— J'en avais besoin, finit-elle par dire d'une toute petite voix. J'arrive pas à dormir sans.

Elle marque une pause, puis poursuit.

— Au début, j'en prenais juste pour la nuit. J'arrêtais pas d'avoir ces affreux cauchemars, et l'infirmière du foyer m'a donné des pilules pour m'aider à dormir, mais c'est devenu de pire en pire. À certains moments, j'arrivais plus à respirer, j'avais la sensation que l'univers tout entier se refermait sur moi, qu'il me broyait… Et l'infirmière ne voulait plus m'en donner, même quand je la suppliais, alors j'ai commencé à en voler. C'était la seule chose qui me faisait me sentir mieux.

— C'est *ça* que tu piquais quand ils t'ont attrapée ? réagit Bellamy avec de grands yeux ronds tandis qu'il commence à se rendre compte des implications de tout cela. C'était pas de la nourriture pour les gamins du foyer, mais des *pilules* ?

Les larmes aux yeux, Octavia se contente de hocher la tête.

— O, soupire Bellamy, pourquoi tu ne m'as rien dit ?

— Je sais à quel point tu te fais du souci pour moi. Je sais que tu fais toujours tout ton possible pour me protéger... et je voulais pas que tu ressentes ça comme un échec.

Une douleur sourde vient envahir la poitrine de Bellamy. Il a du mal à déterminer ce qui le fait le plus souffrir : le fait que sa sœur soit une droguée, ou qu'elle n'ait pas osé lui confier la vérité à cause de sa tendance compulsive de frère à la couver dans n'importe quelle circonstance. C'est d'une voix rauque qu'il finit par reprendre la parole.

— Bon, alors, on fait quoi maintenant ? demande-t-il. Pour la première fois de sa vie, il n'a aucune idée de comment aider sa sœur. Qu'est-ce qui va se passer quand on va rendre les médicaments ?

— Ça ira pour moi. Je dois juste apprendre à m'en passer. C'est déjà plus facile depuis qu'on est arrivés sur Terre.

Elle tend la main à son frère et lui jette un regard qu'il ne lui a jamais vu où se mêlent une promesse autant qu'une prière.

— Est-ce que tu regrettes d'être venu ici pour moi ?

— Non, répond-il sans hésitation. J'ai simplement besoin de temps pour digérer tout ça.

Il se lève, puis regarde sa sœur dans les yeux.

— Dans un premier temps, il faut que tu rendes tout le matériel médical à Clarke. Ça doit venir de *toi*, O, c'est bien compris ?

— Je sais, dit-elle en acquiesçant avant de se tourner vers Thalia d'un air piteux. Je le ferai ce soir.

— OK, soupire Bellamy avant de sortir de la tente et de se diriger vers la clairière.

Lorsqu'il atteint le couvert des arbres, il prend une profonde inspiration, laissant l'air humide pénétrer ses poumons et alléger un tant soit peu le malaise persistant. Il renverse la tête en arrière pour que le vent lui rafraîchisse les idées et son front qui transpire. Il a une vue dégagée sur le ciel à travers une trouée dans les arbres, et celui-ci lui semble plus sombre, presque noir. Soudain, un rai blanc de lumière vient déchirer le ciel, suivi au bout de quelques secondes par un craquement sonore qui fait trembler la terre. Bellamy sursaute et il entend des cris qui s'élèvent du campement. Mais ceux-ci sont vite noyés par un grondement menaçant, comme si le ciel allait leur tomber sur la tête.

C'est alors que quelque chose se met à tomber. Des gouttes de liquide viennent s'abattre en cascade sur sa peau, lui dégoulinant des cheveux et pénétrant ses vêtements. *De la pluie*, songe Bellamy, *de la vraie pluie !* Il lève le visage pour accueillir ce don du ciel, et son émerveillement prend temporairement le pas sur tous ses autres sentiments, sur sa colère envers Graham, Wells et Clarke, la bile qu'il se fait pour sa sœur et son irritation à l'égard de ces gamins stupides qui ne savent pas que la pluie est inoffensive. Il ferme les yeux et laisse l'eau nettoyer son visage de la sueur et de la saleté accumulées. Il se prend même à rêver un instant que la pluie puisse tout laver, le sang, les larmes et le fait qu'Octavia et lui aient manqué à leurs devoirs l'un envers l'autre. Si seulement cette pluie pouvait leur accorder un nouveau départ...

Bellamy rouvre les yeux et ses lèvres esquissent un sourire amer – il a bien conscience d'être ridicule. Cette pluie n'est que de l'eau et les nouveaux départs n'existent pas. C'est le lot des secrets : on les porte avec soi toute sa vie, quel que soit le prix à payer.

CHAPITRE 24

Glass

Alors qu'elle traverse le pont d'observation, Glass sent un poids énorme lui peser sur le cœur : et si sa mère avait raison ? Elle ne peut pas s'autoriser le moindre faux pas, pas pour elle-même, mais pour Luke. Que se passera-t-il si le chancelier sort du coma et annule sa grâce ? Et si jamais Luke commettait l'erreur d'admettre la vérité quant à sa grossesse ? C'est comme si l'histoire se répétait, et pourtant Glass sait qu'elle referait toujours le même choix. Elle choisira toujours de protéger le garçon qu'elle aime.

Ça fait plusieurs jours qu'elle évite délibérément Luke. En même temps, il a été sur le pied de guerre presque en permanence avec toutes ces missions d'urgence qui lui ont été confiées et ne s'en est peut-être même pas rendu compte. Ils sont finalement convenu d'un rendez-vous ce soir à son appartement sur *Walden*, et à l'idée qu'il l'accueille avec un sourire, elle ne peut réprimer un pincement au cœur. Cette fois au moins, il n'y aura plus ni tromperie ni mensonges. Elle lui dira la vérité, aussi dure à dire qu'elle soit. Peut-être repartira-t-il vers Camille, auquel cas la boucle sera définitivement bouclée. Clarke décide d'ignorer la douleur aiguë qui la transperce à cette pensée, et continue son chemin d'un pas déterminé.

Lorsqu'elle arrive en vue de l'extrémité de la passerelle, elle aperçoit un petit groupe réuni autour du poste de contrôle. Des gardes sont en train de s'entretenir en cercle tandis que plusieurs civils gesticulent en direction de la baie vitrée ouverte sur les étoiles qui borde le pont. En s'approchant, Glass reconnaît des collègues de Luke, des membres d'élite de l'unité d'ingénierie mécanique. La femme aux cheveux argentés qui manipule avec dextérité un holodiagramme dans les airs n'est autre que Bekah. À côté d'elle se tient Ali, un garçon à la peau sombre dont les yeux verts sont rivés sur la projection créée par Bekah.

— Glass ! s'exclame chaleureusement Ali en la repérant. Il vient à sa rencontre au petit trot et prend ses mains dans les siennes. Ça fait super plaisir de te voir, comment te portes-tu ?

— Bien… bien, bredouille-t-elle, prise au dépourvu par son accueil.

Jusqu'où sont-ils au courant ? La saluent-ils en tant qu'ex de Luke, cette Phoenicienne pourrie gâtée qui lui a brisé le cœur, ou comme la fille qui s'est évadée de prison avant d'être graciée ?

Dans tous les cas, elle ne mérite pas cette gentillesse de la part d'Ali.

Bekah décoche un petit sourire à Glass avant de se reconcentrer sur ses diagrammes, fronçant les sourcils tandis qu'elle fait pivoter l'image 3D d'un schéma technique tarabiscoté.

— Où est Luke ? demande Glass en le cherchant des yeux. Si son équipe est au travail, il n'est sans doute pas encore rentré chez lui.

— Regarde plutôt dehors, l'enjoint Ali en désignant la vitre avec un sourire espiègle.

Glass se retourne au ralenti, et chaque molécule de son corps menace de se transformer en glace : elle sait d'avance qu'elle va détester ce qu'elle va voir.

De fait, deux silhouettes engoncées dans des combinaisons spatiales sont en train de flotter, rattachées au vaisseau par un mince filin. Une boîte à outils fixée dans le dos, les deux ingénieurs progressent le long de la structure du vaisseau à l'aide de leurs mains gantées.

Comme en état de transe, Glass va se coller à la vitre. C'est avec horreur qu'elle observe les deux scaphandriers échanger un signe de tête avant de disparaître sous le pont d'observation. L'unité de Luke est chargée des missions de réparation les plus délicates, mais il n'était que junior l'année précédente quand ils sortaient ensemble. Elle a beau savoir qu'il a été promu, elle ne s'attendait pas à ce qu'il s'aventure si tôt dans le vide intersidéral.

Glass est prise de vertiges de le savoir ainsi dehors, avec pour seules protections une corde de secours ridiculement fine et une combinaison pressurisée qui n'est plus de première jeunesse. Elle s'accroche à la rambarde pour ne pas tomber et envoie une prière silencieuse aux étoiles pour qu'elles le lui rendent sain et sauf.

Cela fait deux semaines qu'elle n'a pas quitté l'appartement. Même ses vêtements les plus larges ne parviennent plus à masquer le ventre distendu qui semble lui avoir poussé si soudainement. Glass se demande combien de temps sa mère va encore réussir à trouver des excuses pour la couvrir. Elle a cessé de répondre aux messages de ses amis, et ceux-ci ont progressivement arrêté de lui en envoyer. Tous sauf Wells qui met un point d'honneur à lui écrire quotidiennement.

Glass remonte l'historique des messages de la journée pour relire son mot du matin.

Je sais qu'il y a quelque chose qui ne tourne pas rond en ce moment, et j'espère que tu sais que je serai toujours à ta disposition quel que soit le problème. Et même si tu ne me réponds pas (ou ne peux pas le faire), je continuerai à remplir quotidiennement ta boîte de mes propos insensés pour que tu saches que, peu importe ce qu'il s'est passé, tu resteras toujours ma meilleure amie et que je n'arrêterai jamais de regretter ton absence.

Wells poursuit ensuite en décrivant sa frustration dans le cadre de sa formation d'officier, avant de glisser quelques allusions cryptiques à Clarke. Glass espère que tout va bien entre eux, que Clarke se rend compte à quel point elle a de la chance. Jamais elle ne trouverait un garçon aussi doux et intelligent que lui sur tout *Phoenix* – après son Luke, bien sûr, ce Luke qui ne fait plus partie de sa vie.

La seule chose qui empêche Glass de basculer dans la folie, c'est cette présence à l'intérieur d'elle. Posant la main sur son ventre, elle chuchote au bébé, à son fils (elle est convaincue, son instinct le lui souffle, que c'est un garçon), lui disant encore et encore combien elle l'aime.

Des coups frappés à la porte l'interrompent soudain, et Glass bondit sur ses pieds pour aller s'enfermer dans sa chambre à double tour. Mais déjà trois gardes ont fait irruption dans l'appartement.

— Glass Sorenson ! aboie l'un d'eux, ses yeux allant se poser sur le ventre rebondi de Glass qu'il faudrait être aveugle pour ne pas voir. Vous êtes en état d'arrestation pour violation de la Doctrine Gaia.

— Laissez-moi vous expliquer, glapit-elle, submergée par une soudaine vague de panique qui lui donne l'impression de se noyer. La pièce tourne autour d'elle et Glass ne sait plus quelles paroles elle prononce vraiment et lesquelles ne font que se bousculer frénétiquement dans son cerveau en surchauffe.

En un éclair, l'un des gardes est sur elle. Il lui attrape les bras et les lui plaque dans le dos tandis qu'un autre se charge de lui menotter les poignets.

— Non, gémit-elle, s'il vous plaît, c'était un accident.

Elle essaie de se camper au sol pour leur résister, mais c'est bien inutile. À trois, ils n'ont aucun mal à la traîner hors de son unité résidentielle.

Alors qu'ils s'apprêtent à lui faire passer le seuil, elle est saisie d'un violent instinct de survie, l'énergie du désespoir, qui lui donne la force de se débattre. Elle décoche des coups de pied à l'aine au garde qui la tient par-derrière, tout en lui administrant un coup de coude dans la gorge. Mais son attaque est trop désordonnée, il resserre son étreinte et la tire dans le couloir jusqu'à la cage d'escalier. Un sanglot incontrôlable échappe alors à Glass. Elle vient de comprendre qu'elle ne verrait plus jamais Luke, cette prise de conscience lui coupe subitement les jambes et elle glisse au sol comme un poids mort. Surpris, le garde trébuche en essayant de la retenir.

C'est ma chance, se dit Clarke, et elle profite du déséquilibre de l'homme pour se jeter en avant. L'espace d'un instant, la panique s'évapore pour laisser place à l'exaltant parfum de l'espoir : elle peut le faire, elle va réussir à leur échapper !

Mais à peine s'est-elle relevée qu'une main ferme s'abat sur son dos, lui faisant perdre l'équilibre. Son épaule vient heurter la rampe et le sol se dérobe sous elle. Elle tombe la tête la première dans l'escalier, et tout devient noir autour d'elle.

Lorsqu'elle rouvre les yeux, son corps entier lui fait mal. Ses genoux, ses épaules, son ventre...

Son ventre ! Glass essaie de bouger ses mains pour aller le toucher, mais elles sont attachées. Non, *menottées*, se corrige-t-elle, le souvenir de son arrestation lui revenant à l'esprit. Bien sûr, elle est maintenant considérée comme une criminelle.

— Oh, mon chou, tu es réveillée, lui dit une voix chaleureuse.

La vision encore floue, Glass distingue une silhouette féminine qui s'approche de son lit. Une infirmière.

— S'il vous plaît, demande-t-elle d'une voix rocailleuse, est-ce qu'il va bien ? Je peux le prendre dans mes bras ?

La femme se fige sur place, et Glass devine ce qu'elle va lui annoncer. Le terrible pressentiment lui glace déjà le ventre, y creusant un vide béant.

— Je suis désolée, répond l'infirmière d'un ton contrit. Glass ne voit pas ses lèvres remuer, ce qui lui donne l'impression d'une voix désincarnée. Nous n'avons pas pu le sauver.

Glass détourne la tête, laissant l'acier froid des menottes lui meurtrir les chairs. Cette douleur est la bienvenue, tout vaut mieux que ce chagrin incommensurable qui ne la quittera plus jamais.

Les deux silhouettes réapparaissent finalement de sous le pont d'observation. Glass expire longuement en plaçant une paume contre la vitre. Depuis combien de temps retenait-elle son souffle ?

— Tout va bien ? s'enquiert une voix, et Glass se croit l'espace d'un instant replongée dans l'horreur de l'hôpital avec l'infirmière. Mais ce n'est que Bekah, l'amie de Luke, qui la regarde d'un air inquiet.

Glass se rend compte qu'elle a le visage humide de larmes. Elle ne ressent aucune gêne, soulagée qu'elle est que Luke soit sain et sauf.

— Merci, parvient-elle à dire à Bekah en prenant le mouchoir que celle-ci lui tend pour s'essuyer les joues. À l'extérieur, Luke est en train de regagner le sas, se hissant une main après l'autre le long du filin.

Autour d'elle, les spectateurs se mettent à applaudir et à se congratuler, mais Glass reste à la vitre, les yeux rivés sur l'endroit où Luke a disparu de son champ de vision. Les pensées qu'elle ressassait en traversant le pont d'observation lui semblent désormais aussi distantes qu'un rêve qui s'est effiloché et qu'on n'arrive plus à recapturer. Elle ne peut pas plus trancher le lien qui l'unit à Luke qu'elle ne pourrait couper celui qui le maintient attaché au vaisseau. Sans Luke, sa vie serait aussi vide et froide que l'espace lui-même.

— Hé, toi ! la surprend la voix de Luke dans son dos.

Glass pivote sur ses talons pour se jeter dans ses bras. Sa chemise thermique est trempée, et ses cheveux bouclés dégouttent de sueur, mais elle s'en moque.

— Je me faisais du souci pour toi, lui susurre-t-elle à l'oreille.

Il part d'un petit éclat de rire et la serre fort dans ses bras, déposant un baiser sur son front.

— C'est une bonne surprise de te trouver là.

Glass lève les yeux sur lui, se fichant bien qu'ils soient bouffis de larmes et que son nez coule.

— Je vais bien, tu vois, la rassure-t-il en échangeant un bref regard amusé avec Ali avant de se retourner vers elle. C'était une mission de routine.

Son cœur bat toujours trop vite pour qu'elle ose lui parler, et elle se contente de hocher la tête, jetant au passage un coup d'œil embarrassé à Ali, à Bekah et aux autres.

— Allez, viens, lui dit Luke en la prenant par la main.

Tandis qu'ils arpentent les couloirs de *Walden*, le pouls de Glass revient enfin à la normale.

— Je n'arrive pas à croire que tu fasses ça, lui dit-elle. Tu n'es pas mort de trouille ?

— C'est vrai que ça a un côté angoissant, mais en même temps, c'est super exaltant. C'est si… énorme en dehors du vaisseau. Je sais que ça a l'air stupide, dit comme ça…

Il marque une pause, mais Glass le rassure d'un signe négatif de la tête. Tous les deux connaissent bien le sentiment d'enfermement ; même à l'échelle du vaisseau, on peut se sentir pris au piège.

— En tout cas, ça me décharge d'un poids de savoir que tout s'est bien passé.

— Oui, pour la majeure partie de la mission, confirme Luke d'une voix où émerge une pointe de nervosité. On a quand même eu un petit incident dans le sas de décompression. Une valve a dû perdre de son étanchéité parce qu'on a repéré une petite fuite d'oxygène qui s'écoulait à l'extérieur.

— Vous l'avez réparée, j'imagine ?

— Bien sûr, ça fait partie de notre boulot, dit-il en exerçant une pression sur sa main.

Soudain, Glass s'arrête en plein milieu du couloir rempli de monde, elle se met sur la pointe des pieds et l'embrasse. Elle se fiche bien de qui peut les voir. Quoi qu'il se produise, se dit-elle intérieurement en se perdant dans le baiser comme s'il devait être leur dernier, elle ne laissera plus jamais rien ni personne s'immiscer entre eux deux.

CHAPITRE 25

Bellamy

Bellamy a le regard perdu dans les flammes, le ronronnement des conversations autour de lui finit par se confondre avec le crépitement des bûches. Sa confrontation avec Octavia remonte à quelques heures désormais, et il ne l'a pas revue depuis. Il espère qu'elle va bientôt trouver le courage de rendre les médicaments volés. Il ne peut pas la forcer à le faire, sinon leur relation en souffrirait irrémédiablement. Il faut lui montrer qu'il a confiance en elle, et que pour mériter cette confiance elle doit accomplir le geste qu'il attend d'elle.

La pluie s'est arrêtée, mais le sol demeure toujours gorgé d'eau. Quelques disputes se sont élevées pour savoir qui aurait l'honneur d'occuper les quelques rochers qui, dans ces circonstances, sont devenus des sièges VIP, mais, dans l'ensemble, la plupart des adolescents s'accommodent d'une place dans l'herbe humide, pourvu qu'ils soient près du feu.

Quelques filles ont opté pour une troisième solution, se juchant sur les genoux de garçons qui, en conséquence, arborent des mines réjouies et pas peu fières.

Bellamy balaye l'assemblée du regard, à la recherche de Clarke. Le feu dégage beaucoup plus de fumée que d'habitude, sans doute parce que le bois était mouillé. Il lui faut donc de longues secondes avant de repérer l'éclat familier de ses cheveux blond vénitien. Il cligne des yeux à plusieurs reprises en découvrant qu'elle est assise à côté de Wells. Ils ne se touchent pas, ils ne parlent pas non plus, mais quelque chose a manifestement changé entre eux. La tension qui raidissait le corps de Clarke chaque fois que Wells s'approchait d'elle n'est plus là, et au lieu de la regarder à la dérobée, le visage fermé, comme les jours précédents, Wells contemple sereinement le spectacle du feu.

Une pointe de ressentiment vient se ficher dans le cœur de Bellamy. Il aurait dû se douter que cela n'était qu'une question de jours avant que Clarke ne se rue à nouveau sur Wells. Pourquoi l'avait-il embrassée dans les bois ? Une seule fois dans sa vie, il s'était attaché à une fille, et la blessure était encore vivace.

La couverture nuageuse est encore suffisamment épaisse pour occulter la plupart des étoiles, mais Bellamy renverse quand même la tête en arrière, se demandant combien de temps en avance ils seraient avertis de l'arrivée d'un vaisseau de sauvetage. Le verraient-ils fendre l'atmosphère, suivi d'une traîne de feu ?

Son regard est alors attiré par une silhouette familière qui, tête haute, se dirige vers le feu de camp. Lorsque Octavia sort de l'ombre pour pénétrer dans le cercle éclairé par les flammes, Bellamy se lève à la hâte tandis que les remarques commencent à fuser.

— Pour l'amour de Dieu, entend-il Graham grogner, qui est l'incapable qui était chargé de la surveiller ce soir ?

Wells échange un regard avec Clarke, puis se lève pour aller faire face à Graham.

— C'est bon, elle peut venir avec nous.

Octavia reste tout d'abord muette, jaugeant tour à tour le visage fermé des deux garçons. Mais avant qu'ils n'aient le temps de prendre la parole, elle inspire profondément et fait un pas en avant.

— J'ai quelque chose à vous annoncer, déclare-t-elle d'un ton décidé, bien que Bellamy la devine tremblante.

Les murmures et chuchotements se tarissent progressivement et ce qu'il reste des 100 tourne la tête à l'unisson vers Octavia. Dans le vacillement des flammes, Bellamy décèle des signes de panique sur les traits de sa sœur, et il se fait violence pour ne pas courir à elle afin de lui tenir la main. Il parvient peu à peu à se raisonner : il a passé tant d'années à s'occuper en pensées de la petite fille qu'il n'a jamais pris le temps d'apprendre à connaître la personne qu'elle est devenue. Et maintenant, c'est à elle et à elle seule de réparer ses torts.

— C'est moi qui ai pris les médicaments, commence Octavia.

Elle marque une pause pour que chacun mesure la portée de son aveu, et c'est dans un chœur croissant de « Je le savais » et de « Je te l'avais bien dit » qu'elle livre à tout le monde son histoire, une version plus ou moins semblable à celle qu'elle avait confiée à Bellamy plus tôt dans la journée : combien il avait été dur pour elle de grandir au foyer et comment son besoin de médicaments s'était rapidement transformé en véritable addiction.

Lorsque la voix d'Octavia chancèle, la rumeur qui grondait autour du cercle laisse enfin place au silence.

— Quand j'étais sur la Colonie, sanglote-t-elle à moitié avant de se reprendre, je n'ai jamais imaginé que je faisais du mal à quelqu'un. Le fait de voler n'était pour moi qu'un moyen d'obtenir ce qui me revenait de droit. Je pensais que tout le monde avait le droit de s'endormir le soir, le droit de se réveiller le matin sans avoir l'impression que ses cauchemars lui ont laissé des cicatrices dans la tête.

Elle ferme les yeux un instant et en profite pour reprendre son souffle. Lorsqu'elle les rouvre, Bellamy y aperçoit le reflet de larmes retenues.

— J'ai été si égoïste, si terrifiée aussi. Mais je vous jure que je n'ai voulu blesser personne, ni Thalia, ni qui que ce soit d'autre.

Elle se tourne vers Clarke et déglutit avec difficulté.

— Je suis tellement désolée. Je sais que je ne mérite pas ton pardon, mais j'aimerais que tu m'accordes une chance de repartir de zéro.

Elle redresse le menton et balaye la foule des yeux jusqu'à trouver Bellamy à qui elle adresse un petit sourire.

— Vous tous assemblés ici, vous désirez la même chose, il me semble. Je sais que beaucoup d'entre nous ont commis des actes dont ils ne sont pas fiers, mais on nous a donné l'opportunité de prendre un nouveau départ. Je sais que mon geste aurait pu empêcher plusieurs d'entre vous de la saisir, mais si seulement vous me laissez une seconde chance, je ferai de mon mieux pour devenir une personne meilleure, pour faire en sorte que la Terre devienne le lieu dont on a toujours rêvé.

Bellamy sent une bouffée de fierté l'envahir à ces mots. Des larmes se forment dans ses yeux, mais si quelqu'un s'avise de lui en faire la remarque, il accusera la fumée. La vie de sa sœur n'a longtemps été qu'une succession d'épreuves et de souffrances diverses. Elle a commis des erreurs, lui aussi du reste, mais elle a réussi à garder courage et force de caractère.

Pendant la minute qui suit son discours, on entendrait une mouche voler. Le feu semble crépiter en sourdine, comme si la Terre elle-même retenait son souffle. C'est Graham qui rompt le silence le premier.

— Tout ça, c'est de la connerie !

Bellamy se hérisse de colère à ces paroles, mais il se retient d'intervenir. Pas étonnant que Graham se comporte en parfait connard ; cela ne signifie pas pour autant que le reste du groupe n'ait pas été touché par le discours d'Octavia. Toutefois, au lieu de provoquer une vague d'indignation, la saillie de Graham est saluée par des murmures approbateurs qui évoluent rapidement en cris de soutien. Satisfait de son effet, il poursuit :

— Pourquoi est-ce qu'on se casserait le cul tous les jours à couper du bois, à aller chercher de l'eau, à faire tout ce qu'il faut pour la survie du groupe, tout ça pour qu'une sale junkie mythomane vienne nous dicter sa loi ? C'est comme si...

— C'est bon, ça suffit maintenant, le coupe Bellamy qui ne tient plus en place. Il jette un coup d'œil à sa sœur et voit sa lèvre inférieure se mettre à trembler de manière incontrôlable. On a bien compris où tu voulais en venir. Mais il y a quatre-vingt-treize autres personnes autour de ce feu, chacun sait se faire sa propre opinion et personne n'a besoin que tu lui dises quoi penser.

— Je partage l'avis de Graham, s'écrie alors une voix féminine. Bellamy se tourne et aperçoit une jeune Waldénite avec une coupe au carré qui fusille Octavia du regard. On a tous eu des vies de merde sur la Colonie, et pourtant il n'y a qu'elle pour avoir volé quelque chose. Qui sait ce qu'elle ira piquer la prochaine fois ?

— Que tout le monde se détende un peu, intervient Clarke qui s'est levée à son tour. Elle s'est excusée. Nous *devons* lui donner une deuxième chance.

Surpris, Bellamy la dévisage, s'attendant à éprouver au moins une pointe d'acrimonie. Après tout, c'est quand même Clarke la première à avoir accusé Octavia. Mais c'est la gratitude qui s'impose à lui.

— Hors de question, réplique Graham d'un ton dur. Il promène son regard sur les visages attentifs autour du feu, et Bellamy y décèle une lueur qui lui déplaît fortement.

Graham finit par se tourner vers Wells, toujours assis à côté de Clarke.

— On va faire comme tu disais, il faut que l'ordre règne ici, sinon on va jamais s'en sortir.

— Qu'est-ce que tu préconises, alors ? lui demande Wells.

Graham se fend d'un sourire carnassier, et Bellamy sent des sueurs froides lui ruisseler dans le dos. Ne le quittant pas des yeux, il se dépêche d'aller rejoindre Octavia et place une main protectrice sur son épaule.

— Tout ira bien, la rassure-t-il à voix basse.

— Je suis désolé, reprend Graham en se plantant en face de Bellamy et d'Octavia, mais nous n'avons pas le choix. Elle a mis en danger la vie de Thalia. On ne peut pas se permettre de courir le moindre risque. Nous devons la condamner à mort !

— Quoi ? s'étrangle Bellamy. Mais t'es complète-ment dingue !

Il jette des regards effarés de droite et de gauche, espérant découvrir des expressions aussi révoltées que la sienne. Quelques personnes ont beau être visiblement choquées par ses propos, la majorité acquiesce en hochant la tête.

Bellamy s'interpose devant sa sœur qui tremble désormais comme une feuille. Il est prêt à brûler toute cette putain de planète avant que quelqu'un n'ose toucher à un cheveu de sa sœur.

— On devrait peut-être voter pour ou contre cette décision ? propose Graham en interpellant Wells d'un signe du menton. Il me semble que t'étais tout excité à l'idée de ramener la *démocratie* sur Terre. Ça me semble être équitable, comme façon d'agir.

— C'est pas du tout ce que je voulais dire, s'em-porte Wells. Ses traits ont perdu toute la réserve du politicien, remplacée par un frémissement de colère. On ne va pas voter pour décider de la *mort* de quelqu'un !

— Ah bon ? réplique ingénument Graham, alors ton père a le droit de procéder comme ça, mais pas nous ?

Bellamy ne peut s'empêcher d'accuser le coup et ferme les yeux en entendant l'approbation bruyante du public. Il aurait utilisé exactement le même argument dans cette situation, sauf que Bellamy l'aurait juste avancé pour titiller Wells, jamais il n'irait réellement proposer de *tuer* quelqu'un.

— Le Conseil n'exécute pas les gens par plaisir, rétorque Wells dont la voix tremble de fureur contenue. Assurer la survie de l'humanité dans l'espace requiert des mesures extraordinaires, même des mesures *cruelles*, parfois… Mais nous avons la chance de pouvoir faire mieux.

— Ah ouais ? le moque Graham. Tu proposes de lui donner une tape sur la main, et de lui faire promettre « croix de bois, croix de fer » de plus enfreindre les lois ?

Quelques ricanements s'élèvent de l'assemblée.

— Non, répond Wells. Tu as raison, il faut qu'il y ait des conséquences.

Il inspire profondément avant de reprendre.

— Nous les bannirons du camp.

Malgré la fermeté de son ton, Bellamy détecte dans les yeux de Wells un curieux mélange d'angoisse et de soulagement.

— Les bannir ? répète Graham. Tu veux rigoler ? Comme ça, ils pourront revenir nous voler du matériel quand ils veulent ? C'est de la connerie, ton truc !

Bellamy ouvre la bouche pour parler, mais le concert de voix dissonantes a déjà repris de plus belle et vient noyer ses paroles. Finalement, une Waldénite que Bellamy reconnaît vaguement se lève.

— Ça me semble être une décision juste, crie-t-elle pour se faire entendre par-delà les conversations houleuses de la foule, qui vont decrescendo jusqu'à un quasi-silence. À condition qu'ils promettent de ne plus jamais revenir.

Bellamy rattrape de justesse Octavia qui menace de défaillir. Il hoche la tête d'un air grave.

— Nous partirons à l'aube.

Il se tourne alors vers sa sœur, le sourire aux lèvres. Après tout, c'est ce qu'il avait prévu de faire depuis le début. Alors, pourquoi éprouve-t-il plus d'appréhension que de soulagement ?

Le feu rougeoie de ses dernières braises, laissant l'obscurité recouvrir peu à peu le campement et étouffant les pas de ceux qui regagnent leur tente, tandis que d'autres vont s'installer en lisière de forêt avec leur couverture.

Bellamy a monté un lit de fortune pour Octavia à proximité de l'épave du vaisseau. Ils n'en ont pas discuté, mais ni l'un ni l'autre n'a franchement envie d'aller partager une tente cette nuit.

Elle se recroqueville en position fœtale sur sa couverture et ferme les yeux, bien qu'elle ne soit manifestement pas prête à s'endormir. L'excursion dans les bois avec Clarke pour aller récupérer les médicaments a été pour le moins tendue. Personne n'a décroché un seul mot, même si Bellamy, en tête de troupe, a senti tout du long les yeux de Clarke dans son dos.

Il est maintenant assis à côté d'Octavia, adossé à un arbre, les yeux perdus dans le vague. Il a du mal à se dire que demain ils quitteront définitivement le camp.

Une ombre s'approche alors d'eux. C'est Wells, l'arc de Bellamy en bandoulière.

— Hé, dit Wells doucement tandis que Bellamy se lève, je suis profondément désolé pour tout ce qui s'est dit tout à l'heure. Je sais que le bannissement est une décision très sévère, mais je ne savais pas quoi proposer à la place...

Il exhale un soupir puis poursuit.

— Je pensais vraiment que Graham allait les convaincre de...

Ses yeux glissent sur la silhouette si vulnérable d'Octavia et il laisse sa phrase en suspens.

— Non pas que je les aurais laissé faire, mais nous ne sommes que deux et ils sont...

Bellamy sent une réplique acerbe pointer sur le bout de sa langue, mais il la ravale. Wells a fait de son mieux étant donné les circonstances.

— Merci.

Ils restent face à face un moment à se regarder, puis Bellamy s'éclaircit la gorge.

— Écoute, je devrais sans doute...

Il marque une pause, faisant tourner les mots dans sa bouche, avant de reprendre.

— Je m'excuse pour ton père.

Il respire un grand coup et se force à affronter le regard de Wells.

— J'espère qu'il va bien.

— Merci, répond doucement Wells, moi aussi.

Il garde un instant le silence, et quand il reprend la parole, sa voix ne tremble pas.

— Je sais que tu essayais juste de protéger ta sœur. J'aurais agi de la même façon.

Il sourit.

— D'une certaine manière, c'est un peu ce que j'ai fait.

Il tend la main à Bellamy.

— En tout cas, j'espère qu'Octavia et toi prendrez bien soin de vous.

Bellamy lui serre la main et lui décoche un large sourire.

— J'ai du mal à imaginer qu'on puisse rencontrer des choses plus dangereuses que Graham. Garde-le toujours à l'œil !

— J'y comptais bien, acquiesce Wells avant de se tourner et de se fondre dans l'obscurité.

Bellamy se rassied et laisse son regard vagabonder sur la clairière. Il parvient à peine à distinguer la tente de l'infirmerie où Clarke doit être en train d'administrer à Thalia l'injection tant attendue. Son ventre gargouille étrangement tandis qu'il se repasse la scène près du feu, la lumière des flammes dansant sur l'expression déterminée de Clarke. Il n'a jamais connu une fille à la fois si belle et si intense.

Il s'allonge enfin dans un soupir et clôt les paupières, se demandant combien de temps encore son image restera imprimée sur sa rétine – et il sombre dans le sommeil.

CHAPITRE 26

Clarke

Les antibiotiques fonctionnent. Bien que cela fasse à peine deux heures que Clarke est rentrée en trombe dans la tente avec les médicaments sous le bras, la fièvre de Thalia est déjà bien retombée et elle est plus alerte que ces derniers jours.

Clarke s'assied précautionneusement sur le bord du lit de son amie tandis que celle-ci ouvre les yeux.

— De retour parmi nous, sourit Clarke. Tu te sens comment ?

Les yeux de Thalia font le tour de la tente vide avant de se fixer sur ceux de son amie.

— Je suis pas au paradis, si ?

— J'espère bien que non, dit Clarke en secouant la tête.

— Tant mieux. Parce que je me suis toujours dit qu'il y aurait plein de garçons là-bas. Des garçons qui ne prendraient pas le rationnement d'eau comme prétexte pour ne pas se laver, souffle-t-elle en esquissant un petit sourire. Quelqu'un a-t-il construit la première douche sur Terre pendant que j'étais dans les vapes ?

— Non, t'as pas manqué grand-chose.

— Là, j'ai du mal à te croire.

Thalia essaie de se redresser, mais cela lui demande trop d'efforts et elle retombe sur son oreiller dans un grognement. Clarke roule une couverture et la lui installe sous le haut du dos pour la surélever.

— Merci, marmonne Thalia tout en regardant son amie, les sourcils froncés. Allez, crache le morceau, dis-moi ce qui ne va pas.

— Rien, lui répond Clarke avec un sourire forcé. Je suis tellement heureuse que tu te sentes mieux !

— S'il te plaît, tu sais parfaitement que tu ne peux rien me cacher, je finis toujours par te tirer les vers du nez, enchaîne Thalia du tac au tac. Tu n'as qu'à commencer par me dire où tu as trouvé les médicaments.

— C'est Octavia qui les avait.

Clarke lui explique ensuite en quelques mots comment la jeune fille a été démasquée avant de conclure :

— Bellamy et elle partent demain matin. C'est l'arrangement auquel Wells est parvenu avec les autres. Je sais que ça peut paraître dingue, mais j'ai vraiment cru hier soir qu'ils allaient l'attaquer physiquement. Si Wells ne s'était pas interposé, Octavia ne serait peut-être plus en vie à l'heure où je te parle.

Clarke surprend une expression étrange sur les traits de son amie.

— Quoi ? lui demande-t-elle.

— Rien, c'est juste que c'est la première fois que tu prononces son nom sans avoir l'air de vouloir donner un coup de poing dans un mur.

— Pas faux, admet Clarke dans un sourire.

Ses sentiments envers lui ont changé, songe Thalia, ou tout du moins ils commencent à...

— Alors ? Raconte !

Clarke tripote nerveusement les flacons de pilules. Elle a préféré passer sous silence l'épisode dans les bois pour ne pas que Thalia se sente coupable, c'est en effet pour elle que Clarke est partie en quête de plantes médicinales et a bien failli y laisser sa peau à elle.

— Je t'ai pas tout dit. Ça ne semblait pas si important avant, lorsque tu souffrais de fièvre, mais...

Elle se lance alors dans la narration de ce qui s'est passé dans les ruines, en finissant par le sauvetage de Wells.

— Il t'a suivie jusque là-bas ?

Clarke opine du chef.

— Le plus bizarre, reprend-elle, c'est que quand j'étais suspendue dans le vide, certaine que j'allais mourir, c'est à lui que j'ai pensé. Et lorsqu'il est arrivé, je n'ai pas éprouvé la moindre colère qu'il m'ait suivie. J'étais simplement soulagée qu'il tienne encore suffisamment à moi pour se préoccuper de mon sort malgré toutes les atrocités que je lui ai dites.

— Il t'aime. Quoi que tu dises et quoi que tu fasses, ça n'y changera rien.

— Je sais bien, acquiesce Clarke en fermant les yeux, bien qu'elle ait toujours peur des images qui pourraient venir la hanter. Même lorsque nous étions à l'Isolement et que je t'ai dit que j'aimerais voir ses organes exploser dans l'espace, il y avait une partie de moi qui l'aimait toujours. Et ça rendait la souffrance encore plus difficile à supporter.

Thalia l'écoute attentivement avec un regard où se mêlent la compréhension et la compassion.

— Il est temps que tu arrêtes de te punir, Clarke.

— De le punir lui, tu veux dire ?

— Non, tu dois arrêter de t'en vouloir parce que tu l'aimes. Ça ne signifie pas que tu trahis la mémoire de tes parents.

Clarke se raidit ostensiblement.

— Tu ne les as pas connus. Comment veux-tu savoir ce qu'ils penseraient ?

— Je sais qu'ils te souhaitaient tout ce qu'il y a meilleur. Ils se sont lancés dans des expériences qu'ils réprouvaient en connaissance de cause, tout ça pour qu'il ne t'arrive rien… Comme Wells.

Clarke soupire et s'assied en tailleur à côté de Thalia, comme elle avait l'habitude de le faire lorsqu'elles étaient compagnes de cellule.

— Tu as peut-être raison. Je ne suis pas sûre d'avoir encore la force de me battre. C'est tellement épuisant de le détester.

— Tu devrais lui parler.

— Oui, j'y songerai.

— Non, va lui parler maintenant, l'enjoint Thalia, une lueur d'excitation dans les yeux.

— Quoi ? Mais il est tard !

— Je suis persuadée qu'il ne trouve pas le sommeil et qu'il est en train de penser à toi...

Clarke déplie les jambes et se lève.

— OK, dit-elle, s'il n'y a que ça qui puisse te faire te tenir tranquille et te reposer, j'y vais.

Elle se dirige vers la porte de la tente en levant les yeux au ciel d'une manière exagérée. Une fois dehors, elle s'arrête un instant, se demandant si elle n'est pas en train de commettre une erreur.

Trop tard pour faire machine arrière. Son cœur bat si fort qu'il semble être doté d'une volonté propre, tambourinant en boucle un message à Wells : *J'arrive j'arrive j'arrive...*

CHAPITRE 27

Wells

Wells contemple la voûte étoilée, les nuages se sont dissipés. Il ne s'est jamais senti à son aise dans les tentes bondées, et après les événements de la soirée, il n'avait aucune envie d'en partager une avec des gens qui étaient prêts à mettre à mort Octavia. En dépit du froid, il trouve un certain réconfort à s'endormir sous les mêmes étoiles qu'il regardait depuis son lit à la maison. Il apprécie particulièrement les moments où la lune disparaît derrière un voile nuageux, au point qu'on ne puisse même plus distinguer la silhouette des arbres. Le ciel semble alors s'étendre du firmament jusqu'au sol, donnant l'impression à Wells qu'il n'est plus sur Terre, mais bel et bien de retour au beau milieu des étoiles. Tous les matins, il éprouve un pincement au cœur en découvrant au réveil qu'elles ont toutes disparu.

Mais ce soir, même la vue du ciel ne suffit pas à apaiser son esprit tourmenté.

Il se redresse en position assise lorsqu'un bruissement dans un arbre à proximité attire soudain son attention. Il se lève avec mille précautions en tendant le cou pour repérer l'origine du son.

Bouche bée, il découvre qu'un arbre qui n'avait jamais porté la moindre fleur depuis leur arrivée s'épanouit tout à coup en une ode à la beauté : des pétales d'un rose brillant se déplient langoureusement hors de bourgeons qu'il n'avait pas remarqués jusqu'alors, comme de petits doigts graciles cherchant leur chemin à tâtons dans l'obscurité. Wells se met sur la pointe des pieds et tend les bras pour attraper une tige.

— Wells ?

Il se retourne d'un bond et voit Clarke debout à quelques mètres de lui.

— Qu'est-ce que tu fais ?

Il était sur le point de lui poser la même question, mais il décide à la place de s'avancer vers elle et dépose dans sa paume la fleur qu'il vient de cueillir. Elle la regarde, et il craint un instant qu'elle ne la lui rende, mais à son grand soulagement, elle lève les yeux sur lui et le gratifie d'un sourire.

— Merci.

— Je t'en prie.

Ils restent face à face sans rien dire jusqu'à ce qu'il brise le silence.

— Toi non plus, tu n'arrives pas à dormir ?

Elle fait non de la tête.

Wells s'assied sur une grosse racine qui affleure et fait signe à Clarke de venir le rejoindre.

Elle finit par s'y installer, laissant un infime espace entre eux deux.

— Comment va Thalia ? s'enquiert-il.

— Beaucoup mieux, je suis tellement reconnaissante envers Octavia d'avoir avoué. Elle baisse les yeux et entortille la tige autour de deux de ses doigts. Je n'arrive toujours pas à croire qu'ils vont partir demain.

La note de regret qui affleure dans sa voix assombrit Wells.

— Je pensais que tu serais au contraire soulagée de son départ, après tout ce qu'elle t'a fait subir.

— Même les gens bien font parfois des erreurs, déclare-t-elle après un moment de réflexion, en regardant Wells droit dans les yeux. Mais ce n'est pas pour autant qu'on arrête de les aimer.

Pendant un long moment, ils n'entendent plus que le vent dans les branches, leur silence empli de tous ces mots qui leur restent sur le cœur. De toutes ces excuses qui jamais ne pourront faire justice à leurs peines.

Le procès de deux des scientifiques les plus renommés de *Phoenix* est vite devenu l'événement de l'année. Le public rassemblé dans la chambre du Conseil est plus nombreux que pour n'importe quelle conférence, à l'exception peut-être de la cérémonie du Souvenir.

Mais Wells ne prête à la foule qu'une attention distraite. Le dégoût qu'il éprouve eu égard à leur curiosité morbide qui le fait songer à ces Romains assoiffés de sang lors des combats au Colisée a immédiatement disparu au moment où il a aperçu la fille assise au premier rang. Il n'a pas revu Clarke depuis le soir où elle s'est confiée à lui quant à la teneur des recherches de ses parents. Wells en avait parlé à son père et celui-ci avait longuement pesé le pour et le contre. Comme Wells s'y était attendu, le chancelier n'était pas du tout au courant de ces expériences et avait lancé une enquête sur-le-champ. Mais les investigations avaient pris une tournure affreuse que Wells était bien loin d'imaginer, et voilà qu'aujourd'hui les parents de Clarke vont devoir répondre de plusieurs chefs d'accusation devant le Conseil.

Miné par la culpabilité et la terreur, Wells a passé sa semaine à essayer de joindre Clarke, mais son flot de messages est resté sans réponse, et lorsqu'il s'est rendu chez elle, il a trouvé l'appartement verrouillé et sous bonne garde.

Clarke demeure impassible lorsque les membres du Conseil prennent place. Elle se tourne alors, et lorsqu'elle reconnaît Wells ses yeux se chargent d'une haine tellement viscérale qu'il en a des remontées d'acide.

Wells se fait tout petit sur son banc de la troisième rangée. Il avait seulement voulu que son père mette un terme aux recherches de ses parents afin d'abréger les souffrances de Clarke. Il n'avait pas envisagé une seconde qu'ils puissent risquer leur vie lors d'un procès à charge.

Deux gardes font leur entrée dans la salle, escortant la mère de Wells jusqu'au box des accusés. Elle dévisage les membres du Conseil la tête haute, mais dès que ses yeux se posent sur sa fille, son visage se décompose.

Clarke bondit sur ses pieds et dit quelque chose que Wells ne parvient pas à entendre. Peu importe, le sourire triste qui s'affiche alors sur le visage de sa mère suffit à lui fendre le cœur.

Une seconde paire de gardes amène ensuite son père dans la salle d'audience. Le procès peut débuter.

L'une des conseillères entame la séance en lisant un compte-rendu de la commission d'enquête. Selon les Griffin, rapporte-t-elle, c'est sur les ordres du vice-chancelier Rhodes qu'ils ont entrepris de tester l'effet des radiations sur des sujets humains, ce que Rhodes réfute farouchement.

C'est comme dans un état second que Wells voit ensuite le vice-chancelier se lever, la mine grave, et expliquer que s'il leur a bien donné son accord pour un nouveau laboratoire, jamais au grand jamais il ne leur avait donné la permission d'expérimenter sur des enfants.

Wells entend les voix comme à travers un voile cotonneux, des fragments de questions des membres du Conseil et les réponses des époux Griffin lui parviennent distordus, telles des ondes sonores en provenance de galaxies lointaines. Ce n'est que lorsque les cris étouffés de la foule se fraient un chemin jusqu'à son cerveau que Wells comprend que quelque chose est en train de se passer.

Le Conseil est sur le point de passer au vote.

Le premier « Coupable ! » franchit le mur de son engour-dissement et Wells cherche Clarke des yeux. Elle est figée sur son siège, le dos raide.

— Coupable.

Non, crie mentalement Wells, *non, s'il vous plaît !*

— Coupable.

Le verdict tombe, toujours le même, des lèvres impitoyables des membres du Conseil, jusqu'à ce que ce soit au tour de son père de se prononcer. Il s'éclaircit la gorge et Wells se prend à rêver un instant qu'il reste une chance, que son père va trouver un moyen de renverser la vapeur.

— Coupable.

— *Non !* hurle Clarke dans un cri déchirant qui s'élève par-delà les murmures choqués et les approbations. Elle se lève d'un bond. Vous ne pouvez pas faire ça, ce n'est pas leur faute !

Lorsqu'elle se tourne vers le vice-chancelier, pointant sur lui un index accusateur, ses traits sont déformés par la rage.

— *Vous !* C'est vous qui les avez forcés à le faire, espèce de sale monstre menteur !

Elle fait un pas en avant, et des gardes viennent immédiatement se masser autour d'elle.

Le vice-chancelier Rhodes exhale un long soupir.

— Je crains fort que vous ne soyez beaucoup plus douée pour expérimenter sur des enfants que pour mentir, mademoiselle Griffin.

Il se tourne vers le père de Wells.

— Nous savons grâce au journal digital du laboratoire qu'elle visitait régulièrement les lieux. Elle *était au courant* des atrocités auxquelles se livraient ses parents et n'a rien fait pour les en dissuader. Il se peut même qu'elle les ait secondés.

Wells inspire si subitement qu'il en a mal aux côtes. Il prie pour que son père fasse taire Rhodes d'un de ses regards glaçants, mais à sa grande horreur le chancelier examine Clarke d'un air grave. Après quelques secondes qui lui paraissent des siècles, Wells voit les mâchoires de son père se crisper avant qu'il ne se tourne vers les autres membres du Conseil.

— Je soumets à votre accord une motion en vue de juger Clarke Griffin pour le crime de complicité de trahison.

Non. Les mots de son père le paralysent sur place et son cœur cesse de battre un instant.

Wells a beau voir remuer les lèvres des conseillers, il ne distingue rien de ce qu'ils disent. Toutes les molécules de son corps s'unissent pour implorer quelque dieu oublié d'écouter sa prière.

Laissez-la partir, je ferais n'importe quoi. Et il ne ment pas, il est prêt à sacrifier sa vie en échange de celle de Clarke.

Prenez-moi à la place !

Le vice-chancelier se penche vers le père de Wells pour lui chuchoter quelque chose à l'oreille.

Peu importe la souffrance !

Le visage du chancelier se ferme davantage.

Balancez-moi à travers un portail d'évacuation que mon corps implose !

Le voisin de Wells est saisi d'un frisson en entendant l'annonce du chancelier.

Relâchez-la !

C'est alors que Wells sort de son engourdissement qui bloquait tous les sons, une sensation affreusement désagréable, pour entendre les commentaires et les huées de la foule. Deux gardes se saisissent de Clarke et la traînent hors de la salle d'audience.

La fille qu'il ferait tout pour protéger sera bientôt condamnée à mort. Et elle a tous les droits de mourir en le haïssant.

Tout est de sa faute.

— Je suis désolé, chuchote Wells, comme si ces mots pouvaient changer le cours de l'histoire.

— Je sais, répond-elle d'une voix feutrée.

Wells se fige sur place. Pendant un instant, il n'ose pas lever les yeux vers elle, craignant de voir son chagrin sourdre d'une blessure dont il sait qu'elle ne guérira jamais. Mais lorsque enfin il trouve le courage de la regarder, il découvre que, malgré les larmes qui lui embuent les yeux, elle sourit.

— Je me sens plus proche d'eux ici, confesse-t-elle, la tête levée vers la cime des arbres. Ils ont dédié leur vie à essayer de trouver le moyen qui nous permettrait de revenir sur Terre.

Wells ne sait pas ce qu'il pourrait dire sans rompre la magie du moment. À la place, il se penche lente-ment vers elle et l'embrasse, retenant sa respiration jusqu'à ce qu'il voie les yeux de Clarke se fermer.

Il effleure les lèvres de velours de Clarke. Leur baiser est doux tout d'abord, et lorsqu'il la sent le lui retourner, toutes les cellules de son corps se mettent à vibrer. Ce contact si familier et le goût de ses lèvres débloquent quelque chose au plus profond de son être, et il l'attire tout contre lui.

Clarke s'abandonne aux sensations retrouvées, lèvres contre lèvres, peau contre peau. Elle fond au contact du corps de Wells, leur souffle se mêlant jusqu'à en perdre haleine. Le monde autour d'eux disparaît, la Terre se réduisant à un tourbillon de fragrances humides et boisées qui les fait se rapprocher encore davantage. Bientôt, ils glissent de la racine pour s'enlacer sur un tapis de feuilles. Il aurait tant de choses encore à lui dire, mais les mots n'ont pas leur place tandis que ses lèvres voyagent fiévreusement du cou de Clarke au lobe de son oreille.

À cet instant, plus rien ni personne n'existe. Ils sont les seuls humains sur Terre, comme il en a toujours rêvé.

CHAPITRE 28

Glass

Cette année, de la musique sera jouée à deux reprises sur *Phoenix*. Le Conseil a donné son accord pour cette exception, et pour la première fois de mémoire de Phoenicien les instruments provenant de la Terre ont été ressortis de leurs vitrines sous vide, et apportés avec mille précautions sur le pont d'observation pour la fête de la Comète.

Cela devrait normalement être l'une des soirées les plus magiques de la vie de Glass. Toute la population de *Phoenix* s'est rassemblée dans le grand hall, chacun paré de ses plus beaux habits et discutant avec animation dans l'attente de l'ouverture de la cérémonie. Autour d'elle, les gens rient, un verre de vin de racine à la main, les retardataires convergeant vers la majestueuse baie vitrée. Glass se tient aux côtés de Cora et d'Huxley qui échangent les derniers ragots. Elle a beau voir remuer les lèvres de ses amies, elle ne prête aucune attention aux sons qui en sortent. Elle est absorbée par l'arrivée des musiciens, qui prennent discrètement place sur l'estrade à l'autre extrémité de la salle.

Cependant, alors qu'ils entonnent les premières mesures, Glass a du mal à rester sur place : où est donc Luke ? Sans lui, la musique qui l'enveloppe d'habitude comme dans un enchantement sonne étrangement creux. Les mélodies qui jadis semblaient exprimer les secrets enfouis au tréfonds de son âme ne sont pas moins belles ce soir, mais le cœur de Glass se serre parce que la seule personne avec qui elle a envie de les partager n'est pas là.

Elle balaye la foule du regard et trouve rapidement sa mère, vêtue d'une longue robe grise et des gants familiaux, en daim, l'une des dernières paires existant à bord de la station, et infiniment précieux malgré les taches qui les parsèment. Elle est en pleine conversation avec un homme portant l'uniforme du chancelier, mais qui n'est pas le chancelier. Glass s'aperçoit avec stupeur qu'il s'agit du vice-chancelier Rhodes. Bien qu'elle ne l'ait vu qu'en de très rares occasions, elle reconnaît son nez aquilin et son air méprisant.

Glass a bien conscience qu'elle devrait aller rejoindre sa mère, se présenter à Rhodes, lui sourire et porter un toast à son honneur. Elle devrait le remercier pour la grâce qu'il lui a accordée et paraître transportée de joie tandis que tous les regards seraient tournés vers eux. C'est ce que sa mère attend d'elle, et c'est ce qu'elle ferait si elle tenait vraiment à la vie. Mais à la vue de ces petits yeux noirs débordant de méchanceté, elle reste clouée sur place, comme repoussée par son aura maléfique.

— Tu peux me tenir ça, j'ai besoin d'aller prendre l'air, dit-elle à Cora en lui tendant son verre dans lequel elle n'a même pas trempé les lèvres.

Son amie lève les sourcils, mais s'abstient de tout commentaire. Après tout, chaque invité n'a le droit qu'à un verre pour toute la soirée, ça lui en fera un de plus. Glass lance un dernier coup d'œil pour vérifier que sa mère est toujours occupée, puis se fraye un chemin à travers la foule jusqu'au couloir le plus proche. Elle ne croise pas âme qui vive en retournant d'un pas vif jusqu'à son unité résidentielle. Une fois à l'intérieur, elle se change rapidement et enfile un pantalon informe avant de dissimuler sa chevelure sous un chapeau.

Il n'y a pas de pont d'observation à proprement parler sur *Walden*, mais certains couloirs sont dotés de hublots donnant à tribord, le côté de la station où la comète est censée passer. Les Waldénites qui ne travaillaient pas aujourd'hui ont réservé les meilleures places tôt ce matin. Le temps que Glass y parvienne, les couloirs sont déjà pleins à craquer et la foule massée autour des hublots vibre d'une énergie et d'un bonheur communicatifs. Certains enfants sont montés sur les épaules de leurs parents et ont le visage collé contre la vitre en quartz, des étoiles dans les yeux.

Au détour d'un couloir, l'attention de Glass est attirée par un petit groupe aggluttiné autour d'un hublot : trois femmes et quatre enfants. Elle ne peut s'empêcher de se demander si le quatrième appartient à l'un de leurs voisins ou s'il s'agit d'un orphelin dont elles s'occupent.

La plus jeune des quatre enfants vient tituber jusqu'à elle et lui adresse un sourire désarmant.

— Bonjour, toi, lui dit Glass en s'accroupissant pour être à sa hauteur. Alors, tu es excitée par le passage de la comète ?

La petite fille ne répond rien, ses grands yeux sombres rivés sur sa tête.

Glass y porte une main instinctivement et ne peut réprimer une légère grimace en découvrant qu'une mèche de cheveux s'est échappée de sous son chapeau. Elle essaie de la rentrer à la hâte, mais la petite fille s'en est déjà saisie de sa main potelée.

— Posy, laisse la dame tranquille.

Glass lève les yeux et voit l'une des femmes qui s'approche.

— Excusez-la, dit-elle dans un petit rire. Elle est fascinée par vos cheveux.

Glass lui sourit, mais ne dit rien. Elle a appris à masquer autant que possible son accent de *Phoenix*, mais moins elle parle et mieux ça vaut.

— Allez, Posy, viens, dit la femme en prenant l'enfant par l'épaule.

Il est 21 heures passées. La comète peut apparaître à tout moment. Un silence quasi religieux doit désormais régner sur le pont d'observation de *Phoenix*. Ici, en revanche, les enfants sautent et crient tandis qu'une poignée d'adolescents a entamé un compte à rebours tonitruant.

Glass cherche à nouveau Luke des yeux dans le couloir, mais toujours aucune trace de lui.

— Regardez ! s'exclame alors une petite fille.

Une ligne blanche s'élève en effet juste au-dessus du croissant de lune. C'est elle. Au lieu de s'évanouir peu à peu comme les autres comètes, celle-ci grandit progressivement, sa longue traîne gagnant en intensité tandis qu'elle file à travers l'espace. Même les étoiles semblent ternes en comparaison.

Glass s'approche presque malgré elle d'un hublot, et un couple qui y était collé lui laisse un peu de place. C'est tellement magnifique, se dit Glass, hypnotisée par le spectacle. Et terrifiant à la fois. La comète grossit à vue d'œil, remplissant progressivement tout le champ de vision laissé par le hublot, comme si elle filait droit sur eux.

Les astronomes se seraient-ils trompés dans leurs calculs ? Glass s'enfonce les ongles dans les paumes. Autour d'elle certaines personnes reculent tandis que d'autres laissent échapper des cris d'angoisse.

Glass ferme les yeux. Elle ne veut pas voir ça.

Un bras vient alors s'enrouler autour d'elle. Sans même se retourner, elle sait que c'est Luke. Elle le sent à son odeur et à la manière dont il la touche.

— Je te cherchais, lui dit-elle en se tournant à moitié.

En dépit de l'événement stellaire le plus formidable auquel ils assisteront jamais dans leur vie, il n'a d'yeux que pour elle.

— J'espérais que tu viendrais, lui chuchote-t-il à l'oreille.

Les murmures apeurés de la foule laissent place à des « Oh » et des « Ah » d'émerveillement lorsque la comète infléchit sa trajectoire pour passer au-dessus de la station dans une traînée de feu. Le bras de Luke l'attire tout contre lui et elle se blottit contre sa poitrine.

— Je ne pouvais pas imaginer voir ça sans toi.

— Tu n'as pas eu de mal à quitter la réception ?

— Pas vraiment, non, répond-elle, mais elle ressent une bouffée d'angoisse en revoyant sa mère discuter avec le vice-chancelier. Je préférerais quand même mille fois que nous n'ayons pas à nous cacher.

Elle lève une main vers sa bouche, et d'un doigt, trace le contour de sa mâchoire.

Luke lui prend la main et y dépose un baiser.

— Peut-être existe-t-il un moyen pour faire changer ta mère d'avis ? déclare-t-il avec gravité. Je pourrais lui parler, tu sais, lui prouver que je ne suis pas un barbare. Que je prends mon avenir, *notre* avenir, très au sérieux. Que je suis on ne peut plus sérieux à propos de toi.

— Si seulement c'était aussi facile, soupire-t-elle en lui adressant un petit sourire.

— Je ne plaisante pas. Elle est persuadée que je suis un de ces connards de *Walden* qui veut juste profiter de sa fille. Il faut qu'elle se rende compte qu'il ne s'agit pas d'une simple aventure. Toi et moi, c'est pour la vie.

— Je sais, répond Glass, je sais.

— Je n'en suis pas sûr, réplique-t-il en sortant quelque chose de sa poche.

Il la prend par les épaules en la dévisageant.

— Glass, dit-il, les yeux luisants. Je ne veux pas passer un jour de plus séparé de toi. Je veux me coucher tous les soirs à côté de toi. Me réveiller tous les matins à côté de toi. Je ne veux que toi et toi seule pour le restant de mes jours.

Il tend alors la main et ouvre sa paume. À l'intérieur se trouve son médaillon.

— Je sais que ce n'est pas tout à fait une bague de fiançailles, mais…

— Oui, chuchote-t-elle simplement.

Parce qu'il n'y a rien d'autre à dire. Rien d'autre à faire que d'attacher le collier à son cou et d'embrasser ce garçon qu'elle aime tellement que c'en est douloureux. Et pendant ce temps, la comète scelle leur amour de ses derniers reflets flamboyants.

CHAPITRE *29*

Bellamy

Bellamy ne trouve pas le sommeil. Son esprit est occupé par un fatras de pensées qui se bousculent pour réclamer son attention, rendant impossible tout effort de les organiser par ordre de priorité.

Il contemple la voûte étoilée en tentant d'imaginer ce qu'il est train de se passer à bord de la station spatiale. Ça lui fait tout drôle de penser que la vie poursuit son cours là-bas, à plusieurs centaines de kilomètres de la Terre. Les Waldénites et les Arcadiens continuent de se tuer à la tâche pendant que les résidents de *Phoenix* doivent se complimenter sur leur tenue sur le pont d'observation, accordant à peine un regard aux étoiles. C'est la seule chose de sa vie passée qu'il lui manque : la vue. Avant que la navette ne soit envoyée sur Terre, il a entendu parler du passage d'une comète, et depuis la station, le spectacle doit être grandiose.

Sourcils froncés dans l'obscurité, il essaie de calculer combien de jours se sont écoulés depuis leur atterrissage. Si ses comptes sont justes, c'est ce soir que la comète doit frôler la station. Ils ont sans doute organisé une soirée mondaine sur *Phoenix*, tandis que sur *Walden* et *Arcadia* se déroulent des fêtes moins guindées et ô combien plus conviviales.

Bellamy se redresse sur son séant et balaye le ciel des yeux. Il n'en a qu'une vision limitée depuis la clairière, les arbres obstruant une partie de la scène. La crête lui fournira un meilleur point d'observation.

Octavia dort à poings fermés à côté de lui, le visage serein et son ruban rouge noué autour du poignet.

— Je reviens tout de suite, lui chuchote-t-il avant de partir à petites foulées à travers la clairière.

Les épaisses frondaisons du sous-bois ont beau partiellement masquer la lumière des étoiles, ses expéditions de chasse lui permettent de suffisamment connaître cette zone pour ne pas trébucher. Lorsqu'il atteint la crête, il s'arrête quelques instants pour reprendre son souffle. La fraîcheur de la nuit l'a aidé à s'éclaircir les idées et la tension dans ses mollets lui apporte une distraction bienvenue.

Le ciel étoilé ressemble à première vue à celui de toutes les autres nuits passées sur Terre, mais Bellamy détecte tout de même une certaine différence : en effet, c'est comme si les étoiles pulsaient plus fort que d'habitude, préparant la venue d'un phénomène hors du commun. Et Bellamy n'a pas longtemps à attendre. La comète arrive sans crier gare à travers le ciel, une virgule dorée qui file sur la toile de fond argentée des constellations, éclairant tout sur son passage, même le sol sur lequel il se tient.

Sa peau crépite comme si des étincelles de la queue de la comète avaient pénétré son corps, diffusant dans ses cellules quelque chose qui va bien au-delà de l'énergie : de l'espoir. Demain, Octavia et lui quitteront le camp pour de bon. Demain, ils seront enfin libres du joug de la Colonie. Il n'y aura plus personne pour leur dire quoi faire ou quoi penser.

Il ferme les yeux pour imaginer à quoi cela ressemblera. Affranchi des autres, et de son passé, peut-être même parviendra-t-il à faire table rase de ces souvenirs qui le hantent depuis si longtemps.

Bellamy dévale la passerelle, il ignore les grommellements des passants et se moque éperdument des menaces des gardes. Il sait bien qu'ils sont trop paresseux pour donner la chasse à un garçon de neuf ans qui connaît *Walden* comme sa poche, tout ça pour lui coller un avertissement. Mais en se rapprochant de son appartement, son excitation cède la place à l'appréhension. Depuis cette terrible nuit où il a surpris sa mère en train de faire du mal à Octavia, son pouls s'accélère chaque fois qu'il rentre à la maison.

Il ouvre la porte et se précipite à l'intérieur.

— Maman ? s'enquiert-il.

Avant de prononcer une autre parole, il vérifie qu'il a bien refermé la porte derrière lui.

— Octavia ? lance-t-il alors.

Aucune réponse.

— Maman ? appelle-t-il de nouveau.

Il traverse la pièce principale et ses yeux s'écarquillent en voyant les meubles sens dessus dessous. Sa mère est sans doute encore d'humeur massacrante. Il va à pas de loup jusqu'à la cuisine, son estomac se tordant dans tous les sens comme s'il voulait s'échapper par son nombril.

Un grognement lui parvient, et il découvre sa mère affalée par terre au milieu d'une flaque de sang, un couteau posé à côté d'elle.

Bellamy émet un cri étouffé puis se précipite sur elle. Il la prend par les épaules et la secoue violemment.

— Maman, s'écrie-t-il, *maman !* Réveille-toi !

Mais à part cligner faiblement des yeux et lâcher un soupir presque inaudible, elle ne réagit pas. Bellamy se relève à la hâte, notant avec effroi que les genoux de son pantalon sont barbouillés de sang. Il faut qu'il trouve quelqu'un. De l'aide.

Il repart dans le salon, bien décidé à aller chercher un garde lorsqu'un bruit en provenance de la cuisine le coupe net dans son élan. Ses yeux se portent instantanément sur le placard entrebâillé, une fente d'ombre entre la porte et le mur. En s'approchant, il voit y pointer un visage poupin baigné de larmes.

— Tu vas bien ? chuchote-t-il à la sœur en prenant sa petite main dans la sienne. Viens, sors de là.

Mais Octavia va se terrer au fond du placard, toute tremblante. La terreur qu'éprouve Bellamy pour sa mère se transforme en empathie pour sa sœur en état de choc et il adoucit encore la voix.

— Allez ma petite Octavia, viens.

Celle-ci hésite un instant et Bellamy voit finalement son petit nez émerger dans l'embrasure de la porte.

Elle en sort finalement sur des jambes malhabiles, regardant la pièce autour d'elle avec de grands yeux.

— Tiens, lui dit-il en ramassant son ruban rouge qui gît par terre.

Il s'applique pour l'attacher autour de ses boucles brunes avec le plus joli nœud possible.

— Tu es très jolie comme ça.

Il lui prend la main et éprouve un serrement au cœur lorsqu'elle entrelace ses petits doigts autour des siens. Il l'emmène dans la chambre de leur mère, la hisse sur le lit puis s'allonge à côté d'elle, priant pour qu'aucun bruit ne leur parvienne de la cuisine.

Les faibles gémissements qu'il perçoit tout d'abord finissent par laisser place au silence absolu.

— Tout va bien se passer, O, la rassure-t-il en la prenant dans ses bras, tu n'auras plus jamais à te cacher.

Une fois les dernières lueurs de la queue de la comète évanouies, Bellamy redescend la pente au pas de course, pressé de retrouver sa sœur avant qu'elle ne s'éveille et ne se demande où il est passé. Mais en arrivant au coude qui surplombe le campement, cherchant des yeux la vue désormais familière des tentes alignées, il n'aperçoit que des flammes.

Tout le camp est en train de brûler.

Bellamy s'arrête net, s'étranglant presque de surprise lorsque ses poumons se remplissent d'un air chargé en fumée âcre. Il ne distingue pendant un moment que des ombres et des flammes, puis des silhouettes commencent enfin à émerger. Des gens courent dans tous les sens, certains se ruant hors des tentes tandis que d'autres se précipitent en direction des arbres.

Mais il n'a qu'une idée fixe à l'esprit en avalant les derniers hectomètres qui le séparent du camp : retrouver sa sœur. Quand il arrive à proximité de leurs couvertures, il a beau balayer les environs du regard, ses yeux viennent confirmer ce qu'il craignait déjà en son for intérieur : Octavia n'y est pas.

Il hurle son nom dans toutes les directions, priant pour qu'elle lui réponde de la lisière des bois, ou tout du moins d'un endroit où elle serait en sécurité.

— Octavia !!! rugit-il encore, plissant les yeux pour voir à travers la fumée qui s'épaissit. *Ne cède pas à la panique*, se sermonne-t-il. En vain. Les flammes baignent la clairière d'une clarté irréelle, mais il n'y a nulle part trace d'Octavia.

Bellamy contemplait le paradis il y a quelques minutes à peine, et voilà qu'il se retrouve en plein cœur de l'enfer…

CHAPITRE *30*

Clarke

Clarke a du mal à évaluer le temps (quelques minutes ? plusieurs heures ?) pendant lequel elle n'a plus entendu que les battements de leurs cœurs et le souffle de leurs respirations synchrones. Mais lorsqu'un cri déchirant résonne dans la clairière, elle s'extrait des bras de Wells en sursaut. Ils bondissent sur leurs pieds, et Clarke se retient à Wells, le temps que ses yeux s'habituent à la clarté environnante.

Il lui empoigne la main et tous deux se précipitent vers le campement. De nouveaux cris s'élèvent, mais ceux-ci sont moins terrifiants que le rugissement des flammes qui crépitent.

Elles dévorent goulûment certaines des tentes, d'autres étant déjà totalement carbonisées, gisant tels des cadavres sur un champ de bataille antique. Elle distingue d'obscures silhouettes qui sprintent vers le couvert des arbres, des flammèches leur léchant les talons.

Thalia ! songe-t-elle soudain avec horreur avant de se mettre à courir comme une dératée en direction de l'infirmerie. Elle se sent toutefois trop faible pour affronter ce qui risque de l'attendre là-bas.

— Non ! lui crie Wells pour se faire entendre par-dessus le chaos ambiant. Clarke ! Ce n'est pas prudent !

Mais ses mots glissent sur elle comme des retombées de cendres. Elle file en ligne droite vers la tente, aspirant malgré elle la fumée irritante et clignant des yeux pour se repérer à travers l'air surchargé de particules en suspension.

Le bras de Wells autour de sa taille vient alors la stopper dans son élan et il la tire malgré elle vers la protection qu'offre le sous-bois.

— Laisse-moi y aller ! s'époumone-t-elle, se débattant de toutes ses forces.

Elle ne parvient pas à se dégager de la poigne de fer de Wells et, impuissante, regarde avec lui le feu engloutir l'infirmerie à moins de cent mètres d'eux. Des vapeurs noires s'échappent de l'entrée de la tente. Le pan de toile qui leur fait face part en fumée en une poignée de secondes, tandis que la bâche de plastique qui fait office de toit fond inexorablement.

— Lâche-moi, sanglote-t-elle, se tortillant de plus belle dans les bras de Wells.

Il l'empoigne sous les bras et commence à la tirer vers l'arrière.

— *Non !* s'égosille-t-elle, la voix éraillée d'avoir trop respiré d'émanations toxiques, en le bourrant de coups de poing inefficaces. Il faut que je la sorte de là.

Elle plante les talons dans l'herbe, mais Wells est plus fort qu'elle et elle ne peut lui résister.

— *Thalia !*

— Je suis désolé, lui glisse Wells à l'oreille. Il l'entend bien pleurer, mais il s'en fiche. Tu vas mourir si je te laisse y aller. Je ne peux pas faire ça.

Au mot *mourir*, une réserve insoupçonnée d'énergie lui traverse les veines. Clarke serre les dents et s'élance de tout son poids vers l'avant. Elle échappe momentanément à Wells, poussée par une seule et unique pensée : sauver la dernière amie qui lui reste dans tout l'univers.

Elle pousse un cri autant de rage que de frustration lorsque Wells lui rattrape le bras droit par-derrière.

— Laisse-moi y aller, je t'en supplie, laisse-moi, l'implore-t-elle, sentant ses forces fondre à la vitesse grand V.

— Je ne peux pas, lui murmure-t-il à l'oreille en la retenant entre ses bras, je ne peux pas.

Pendant leur lutte, la clairière s'est intégralement vidée. Tout le monde s'est réfugié en forêt, chacun emportant le maximum de provisions avec lui. Mais personne n'a songé à aller chercher la fille alitée qui désormais se fait brûler vive à quelques mètres d'eux.

— À l'aide, pleure Clarke maintenant à chaudes larmes. S'il vous plaît, à l'aide !

Elle ne reçoit en guise de réponse que celle des flammes qui craquent et qui crépitent.

Sur le toit de l'infirmerie, la flambée atteint son paroxysme tandis que les pans de la tente s'affaissent, comme si le feu se nourrissait de ce qu'il y a dedans.

— *Non !*

Le brasier monte encore plus haut dans le ciel, arrachant à Clarke un dernier cri de détresse, puis toute la structure s'effondre dans un maelström incandescent, ne laissant bientôt plus que des cendres.

L'incendie est fini ; la vie de Thalia aussi.

Tandis qu'elle s'éloigne du centre médical, Clarke sent presque la fiole pulser dans sa poche, comme ce cœur dans la vieille histoire que Wells a dénichée à la bibliothèque l'autre jour. Il lui a proposé de la lire à haute voix, mais elle a refusé tout net. Ce n'était vraiment pas le moment pour elle d'entendre une sordide nouvelle de la littérature pré-Cataclysme. Elle a suffisamment d'horreurs à affronter dans sa vie quotidienne.

Clarke sait pourtant que cette fiole ne peut pas émettre de battements de cœur, ce serait plutôt l'inverse : elle contient un cocktail médicamenteux destiné à provoquer un arrêt cardiaque.

Lorsqu'elle entre chez eux, ses parents n'y sont pas. Ils ont beau passer le plus clair de leur temps au labo, ces dernières semaines, ils ont toujours réussi à trouver des prétextes pour quitter l'appartement avant qu'elle ne revienne, ne rentrant souvent que tard le soir, juste avant qu'elle n'aille se coucher. Ça vaut sans doute mieux comme ça. À mesure que l'état de santé de Lilly se détériore, Clarke a de plus en plus de mal à regarder ses parents en face sans être submergée par la rage. Elle sait qu'elle est injuste envers eux : à la moindre protestation, le vice-chancelier usera de son épée de Damoclès et elle sera exécutée avant la fin de la semaine tandis qu'ils seront conduits à l'Isolement. Mais cela ne facilite pas leurs contacts pour autant.

Le labo est silencieux. Seul le bourdonnement du système de ventilation accompagne Clarke, qui se faufile entre les lits vides. Les conversations qui égayaient un tant soit peu l'atmosphère lors de ses premières visites se sont progressivement tues à mesure que les corps étaient discrètement évacués.

Lilly est encore plus maigre que la veille. Clarke s'approche de son lit sur la pointe des pieds et caresse doucement le bras de son amie. Un frisson la parcourt lorsqu'elle constate que cela suffit à faire tomber la peau morte par plaques. Elle glisse son autre main dans sa poche et referme les doigts sur la fiole. Ce serait si facile. Personne n'en saurait jamais rien.

Lilly cligne alors des paupières, et Clarke se raidit. Lorsqu'elle ouvre finalement les yeux, une vague de terreur et de dégoût envers elle-même déferle sur Clarke. Qu'est-ce qui lui a pris ? Une envie presque irrépressible de détruire la fiole la saisit, et elle doit prendre une profonde inspiration pour ne pas la projeter de toutes ses forces contre le mur.

Lilly remue les lèvres, mais aucun son n'en sort. Clarke se penche vers elle en lui souriant.

— Excuse-moi, Lilly, j'ai pas bien entendu. Elle approche son oreille à quelques centimètres de la bouche de la jeune fille. Tu peux répéter, s'il te plaît ?

Dans un premier temps, Clarke ne sent qu'un faible déplacement d'air, comme si les poumons de Lilly n'avaient plus assez de souffle pour pousser ses mots jusqu'à ses lèvres abîmées.

— Tu l'as apportée ? parvient-elle enfin à râler d'une voix rauque.

Clarke hoche lentement la tête après avoir discerné la lueur de panique qui hante les yeux de Lilly.

— Maintenant, murmure-t-elle dans un souffle à peine audible.

— Non, proteste Clarke, des trémolos dans la voix, c'est trop tôt.

Elle fait au mieux pour chasser les larmes qui montent en elle.

— Ton état peut encore s'améliorer, dit-elle, mais même à ses oreilles, le mensonge sonne creux.

Le visage de Lilly se tord en une grimace de douleur et Clarke lui prend la main.

— Je t'en prie, supplie Lilly.

— Je suis désolée, s'excuse Clarke en fondant en larmes. Je ne peux pas.

Les yeux de Lilly s'écarquillent alors, focalisés sur quelque chose qu'elle seule peut voir. Quelque chose qui la remplit d'épouvante. Clarke sait que la douleur physique qui harcèle la jeune fille est déjà terrible, mais les hallucinations, ces démons qui ne la quittent pas, toujours à rôder autour de son chevet, sont encore pires.

— Plus possible…, articule péniblement Lilly.

Clarke clôt un instant les paupières. La culpabilité et le remords qui la rongent ne sont rien comparés aux souffrances de Lilly. Il serait égoïste de laisser sa propre peur l'empêcher d'apporter à son amie la paix qu'elle appelle de tous ses vœux, cette cessation de la douleur qu'elle mérite amplement.

Clarke tremble tellement qu'elle a du mal à sortir la fiole de sa poche, et encore plus à remplir la seringue. Debout à côté du lit, elle attrape le bras de Lilly et positionne la seringue juste au-dessus de la veine.

— Dors bien, Lilly, lui chuchote-t-elle.

Lilly lui adresse un petit hochement de tête et son sourire véhicule tant de soulagement et de gratitude qu'il restera à jamais gravé dans la mémoire de Clarke.

— Merci.

Clarke lui tient la main pendant les quelques minutes qu'il lui faut pour partir en douceur. Elle se lève ensuite et vient placer ses doigts sur le cou encore chaud de Lilly, cherchant vainement le pouls.

Lilly ne souffre plus.

Clarke tombe à genoux sur le sol encore humide, suffoquant sous l'effet de la fumée avant de s'affaler joue contre terre pour respirer goulûment l'air frais qui y circule encore. Malgré les larmes qui lui brouillent le regard, elle distingue des silhouettes sombres et silencieuses qui sont venues se rassembler autour d'elle.

Sa meilleure amie, la seule personne qui la connaisse vraiment, la seule au courant de ce qu'elle avait fait à Lilly et qui l'aimait pourtant toujours. Thalia. Celle qui lui a dit de recoller les morceaux avec Wells un peu plus tôt. Et voilà que celui-ci l'a forcée à regarder Thalia mourir sans la laisser la secourir.

— Je suis désolé, Clarke, dit Wells une nouvelle fois en lui touchant le bras.

Elle repousse sa main.

— Je ne te crois pas, rétorque-t-elle sur un ton glacial.

Il suffirait d'une étincelle pour que la rage qui lui gonfle la poitrine s'embrase en une fureur destructrice.

— Tu n'y serais jamais arrivée à temps, bredouille Wells, je… je ne pouvais pas te laisser y aller. Tu aurais péri toi aussi.

— Alors tu as préféré laisser mourir Thalia. Parce que, bien sûr, c'est toi qui décides qui vit et qui meurt.

Il commence à protester mais, tremblante de colère, Clarke enchaîne aussitôt :

— Comment ai-je pu me rapprocher de toi ? Quelle erreur ! Tout ce que tu touches, tu le détruis.

— Clarke, s'il te plaît, je…

Mais le temps qu'il trouve quelque chose à répliquer, elle s'est déjà levée et éloignée, ne lui accordant même pas un regard.

Ils ont tous de la cendre dans les poumons et des larmes aux yeux, mais Wells, lui, a du sang sur les mains.

CHAPITRE *31*

Glass

— Je t'achète une alliance dès que j'en trouve une à la Bourse d'échange, dit Luke à Glass, une main au creux de ses hanches pour la guider à travers les couloirs encore bondés qui mènent à *Phoenix*. La plupart des Waldénites qui ont assisté au passage de la comète sont désormais en chemin vers leur unité résidentielle sur les ponts inférieurs, ralentissant la circulation en direction de la passerelle. De toute façon, Glass ne prête guère attention à leur direction. Le cœur trépidant de joie et sa main dans celle de Luke, elle est sur son petit nuage.

— Je n'ai pas besoin de bague, répond-elle en portant une main à son médaillon, qui semble diffuser une douce chaleur à travers toute sa poitrine. Elle sait bien qu'il ne faut pas précipiter les choses. Bien que ses dix-huit ans arrivent dans quelques semaines à peine, ils doivent attendre pour se marier que le chancelier sorte de son coma et confirme sa grâce… ou qu'il ne se réveille plus jamais. Sa mère finira bien par entendre raison lorsqu'elle aura vu combien Luke l'aime. Ils se marieront et déposeront un dossier pour obtenir l'autorisation de fonder une famille. Dans l'immédiat, la promesse d'un futur avec Luke lui suffit amplement.

Ils sortent de la cage d'escalier et empruntent le dernier tournant qui mène à la passerelle d'observation. Luke a juste le temps d'attirer Glass contre lui qu'une dizaine de gardes déboulent en courant à petites foulées, le regard fixé droit devant eux. Glass ne peut réprimer un léger tremblement et se blottit de plus belle contre Luke qui les suit des yeux, une expression indéchiffrable sur le visage.

— Tu sais ce qu'il se passe ? lui demande Glass.

— Je suis sûr que ce n'est rien de grave, réplique-t-il immédiatement, ses mots venant contredire la tension de sa mâchoire.

Il porte la main de Glass à ses lèvres pour y déposer un baiser.

— Allons-y.

L'écho des bottes des gardes a désormais disparu et un sourire vient s'afficher sur les lèvres de Glass lorsqu'elle remarque qu'ils ont le couloir pour eux seuls. Luke lui lève soudain le bras et la fait tourner sur elle-même avant de la faire basculer la tête en bas.

Glass éclate de rire en se laissant emporter dans la danse improvisée.

— Qu'est-ce qui te prend ?

Il marque une pause et la redresse.

— J'entends de la musique dès que je suis avec toi, lui glisse-t-il à l'oreille.

Glass ferme les yeux pour savourer l'instant tandis que le rock des premières mesures se transforme en slow langoureux.

Luke finit par desserrer son étreinte et montre d'un doigt la direction de la passerelle.

— C'est presque l'heure du couvre-feu.

— C'est vrai, soupire Glass.

Main dans la main, ils traversent la passerelle, échangeant des œillades et des sourires complices qui font vibrer toutes les cellules du corps de Glass.

Arrivés à l'entrée de *Phoenix*, ils s'arrêtent de nouveau, n'ayant aucune envie de se dire au revoir. Les doigts de Luke viennent caresser le médaillon.

— Je t'aime, dit-il en lui serrant la main. Tu m'envoies un message pour me dire que tu es bien rentrée. Je passerai demain pour parler à ta mère.

— OK, acquiesce-t-elle, à demain.

Glass s'engage à regret sur la passerelle, mais alors qu'elle en a traversé la moitié, une alarme stridente se met à retentir. Stupéfaite, elle regarde tout autour d'elle. La grappe de gardes stationnée à l'entrée de *Phoenix* se scinde lorsque leur supérieur aboie des ordres. Comme paralysée par ce soudain chaos sonore, Glass tourne la tête vers Luke qui s'est avancé de quelques pas hésitants.

— Fermeture du pont, annonce une voix désincarnée de femme à travers des haut-parleurs. Veuillez évacuer la zone.

Après une courte pause, le message reprend :

— Fermeture du pont. Veuillez évacuer la zone.

Glass manque s'étrangler lorsqu'elle voit une paroi de plexiglas commencer à s'abaisser derrière elle. Elle se précipite vers la barrière translucide et Luke fait de même, mais tous deux arrivent trop tard. Glass l'atteint au moment où elle se scelle au sol et elle abat violemment ses poings dessus. Luke lui fait face de l'autre côté. Il essaie de lui dire quelque chose, mais elle a beau voir ses lèvres remuer, elle ne l'entend pas.

Les yeux de Glass s'emplissent de larmes en voyant Luke tambouriner de frustration contre la paroi. Elle ne comprend pas. Jamais la passerelle n'a été fermée depuis l'épidémie de peste au premier siècle. Elle a conscience que si cette barrière est abaissée, c'est peut-être pour toujours.

— Luke ! s'écrie-t-elle, en vain.

Elle place ses paumes en miroir de celles de Luke, ses yeux dans les siens.

— Je t'aime, articule-t-elle.

Glass a fugacement l'impression de sentir sa chaleur à travers le plexiglas froid. *Je t'aime aussi*, lit-elle sur ses lèvres. Il lui adresse un sourire triste et lui fait signe de la main de rentrer chez elle. Elle ne bouge pas tout de suite, ne voulant pas le quitter de cette manière. Pas avant de savoir ce qu'il se passe, pas avant de savoir si elle le reverra un jour.

L'alarme sonne toujours, noyant jusqu'aux battements effrénés de son cœur.

Vas-y, l'enjoint Luke, la mine grave.

Elle finit par hocher la tête et se retourne, se forçant à garder les yeux rivés droit devant elle. Mais avant d'emprunter le couloir qui bifurque vers son unité résidentielle, elle jette un dernier regard en arrière. Luke n'a pas bougé, une main toujours posée sur la paroi.

Glass rentre chez elle en courant, se frayant un chemin à travers les civils paniqués et les gardes au visage fermé.

— Oh, Dieu merci, s'exclame Sonja lorsque sa fille franchit la porte de l'appartement. J'étais si inquiète.

Elle tend un pichet vide à Glass.

— Va vite remplir ça dans la salle de bains. L'eau risque d'être coupée très bientôt.

— Que se passe-t-il ? lui demande Glass. Ils ont fermé le pont d'observation.

— Qu'est-ce que tu fabriquais du côté de la passerelle ? s'étonne sa mère en apercevant tout à coup la tenue que Glass a revêtue après s'être éclipsée de la fête de la Comète.

— Oh, souffle-t-elle tandis qu'une compréhension teintée de lassitude se peint sur ses traits. Je vois, c'est *là-bas* que tu étais.

— Qu'est-ce qu'il se passe ? répète Glass, choisissant d'ignorer la mine réprobatrice de sa mère.

— Je ne suis pas totalement sûre, mais j'ai un pressentiment…, énonce-t-elle lentement avant de pincer les lèvres. Je pense que ça y est. C'est le moment qui devait bien arriver un jour ou l'autre.

— De quoi tu parles ?

Sonja reprend le pichet des mains de sa fille et se tourne vers l'évier.

— La Colonie n'a pas été conçue pour durer si longtemps. Ça n'a toujours été qu'une question de temps avant que les pannes ne commencent à se multiplier.

Le pichet a beau être rempli à ras bord, elle ne coupe pas l'eau et le laisse déborder.

— Maman ? l'interpelle Glass.

Sonja finit par réagir et éteint le robinet avant de se tourner vers sa fille.

— C'est le sas, dit-elle à voix basse. Une brèche s'est ouverte.

Un cri s'élève du couloir extérieur et Sonja jette un regard vers la porte avant d'adresser un sourire forcé à Glass. Mais ne t'inquiète pas. *Phoenix* dispose d'une réserve d'oxygène. On n'aura aucun problème d'ici à ce qu'ils trouvent une solution. Je te promets qu'on s'en sortira.

Glass sent un nœud douloureux se former au creux de son estomac en pressentant ce que cela implique.

— Quel est le rapport avec la fermeture de la passerelle ? dit-elle dans un souffle.

— Ils commencent déjà à manquer d'oxygène sur *Walden* et *Arcadia*. Il fallait bien prendre des mesures de sécurité.

— *Non !* s'exclame Glass, tétanisée. Le Conseil va tous les laisser *mourir* ?

Sonja fait un pas vers elle et lui pose la main sur le bras.

— Ils devaient intervenir au plus vite, sinon il n'y aurait à terme plus aucun survivant à bord de la Colonie.

Mais Glass entend à peine ses paroles.

— Il faut que j'aille le trouver, dit-elle en frissonnant de terreur.

Dans sa tête, les mots et les images se bousculent à une vitesse vertigineuse, créant plus de panique que de sens.

— Glass, reprend doucement sa mère avec ce qui ressemble à de la pitié. Je suis affreusement désolée, mais tu ne peux rien faire. Tous les accès ont été bloqués.

Elle prend sa fille dans ses bras, et Glass essaie de se dégager de son étreinte, mais Sonja ne la lâche pas.

— Nous ne pouvons rien faire, lui murmure-t-elle à l'oreille.

— Je l'aime, craque Glass en éclatant en sanglots.

— Je sais, répond Sonja en lui caressant les cheveux. Et je suis sûre qu'il t'aime aussi. Mais peut-être que cela vaut mieux ainsi. Au moins, vous n'aurez pas à vous faire d'adieux déchirants.

CHAPITRE *32*

Wells

Impuissant, Wells regarde Clarke s'enfoncer à grandes enjambées dans les bois. Il a l'impression que ses mots lui ont perforé la cage thoracique et arraché une partie de son cœur. Il ne perçoit que très vaguement le rugissement joyeux des flammes qui continuent de dévorer tout leur matériel, les tentes et les infortunés qui se sont retrouvés pris au piège dedans. Autour de lui, quelques personnes se sont allongées en toussant pour aller chercher l'air frais près du sol, mais la plupart sont restés debout, épaule contre épaule, contemplant le brasier d'un air sombre.

— Tout le monde va bien ? s'enquiert-il d'une voix enrouée. Qui manque-t-il à l'appel ?

L'engourdissement dans lequel les mots de Clarke l'ont plongé se dissipe rapidement, laissant place à une énergie éperdue. Il fait quelques pas en dehors du couvert des arbres, plissant les yeux pour essayer de voir à travers le rideau de flammes et de fumée. Comme personne ne lui répond, il met sa main en porte-voix et s'écrie :

— Tout le monde a réussi à sortir des tentes ?

Cette fois, il obtient quelques vagues hochements de tête.

— Est-ce qu'on doit encore s'éloigner ? demande une fille menue de *Walden*, des tremblements dans la voix.

— J'ai pas l'impression que le feu se soit propagé jusqu'aux arbres, lui répond entre deux quintes de toux un garçon d'*Arcadia* qui a réussi à sauver des récipients noircis.

Et il a raison : la bande herbeuse qui encercle la clairière agit comme un pare-feu efficace, même les flammes les plus hautes n'atteignent pas les branches des arbres en périphérie.

Wells se retourne, cherchant dans la pénombre de la forêt un signe quelconque de Clarke. Mais elle a bel et bien disparu. Il a l'impression de ressentir l'immensité de son chagrin dans l'air vicié qu'il respire. Tout son corps brûle de l'envie d'aller la rejoindre, mais il sait parfaitement que c'est sans espoir.

Clarke a dit la vérité, il détruit vraiment tout ce qu'il touche.

— Tu as l'air fatigué, fait remarquer le chancelier, attablé en face de Wells.

Wells lève les yeux de son assiette et répond par un petit signe de tête.

— Ça va.

En fait, il ne dort plus depuis plusieurs nuits. Le regard haineux que lui a lancé Clarke l'a marqué au fer rouge, et chaque fois qu'il clôt les paupières, il revoit la peur panique qui déformait ses traits lorsque les gardes l'ont entraînée. Le cri déchirant qu'elle a alors poussé vient emplir les silences entre les battements de son cœur.

Après le procès, Wells a supplié son père de lever les charges retenues contre elle, jurant que Clarke n'avait rien à voir avec les recherches de ses parents et que la culpabilité avec laquelle elle avait vécu ces dernières semaines avait bien failli la tuer. Mais le chancelier lui a répliqué que cela ne dépendait plus de lui.

Mal à l'aise, Wells s'agite sur sa chaise. Déjà qu'il a du mal à digérer d'être à bord du même vaisseau que son père, dîner avec lui relève carrément du supplice ; mais il doit quand même maintenir un semblant de civilité. S'il laisse éclater sa colère, son père l'accusera d'être trop irrationnel, trop immature pour comprendre le bien-fondé des lois de la Colonie.

— Je sais que tu es furieux contre moi, lui dit le chancelier avant de boire une gorgée d'eau. Mais je n'ai pas le pouvoir d'annuler le vote. C'est d'ailleurs la raison pour laquelle le Conseil a été créé, afin qu'une seule personne ne détienne pas tous les pouvoirs.

Il jette un coup d'œil à la dépêche qui clignote sur sa montre, puis reprend.

— La Doctrine Gaïa est suffisamment sévère en soi. Nous devons donc préserver à tout prix les quelques parcelles de liberté qui nous restent.

— En gros, tu prétends que même si Clarke est innocente, cela vaudrait le coup de l'exécuter afin de sauvegarder la *démocratie* ?

Le chancelier décoche à Wells un regard qui, il y a quelques semaines à peine, l'aurait fait se recroqueviller sur sa chaise.

— Je pense que le terme d'*innocente* est assez mal choisi ici. C'est un fait avéré qu'elle était au courant des expériences.

— C'est Rhodes qui les a forcés à mener ces expériences, c'est lui qui devrait être puni !

— Ça suffit ! tonne le père de Wells sur un ton si glacial qu'il en éteindrait presque la rage qui le consume. Je refuse d'écouter de pareilles hérésies sous mon propre toit.

Wells est sur le point de lui lancer une réplique cinglante lorsque la sonnerie de la porte retentit. Son père lui fait signe de se taire tout en allant ouvrir à nul autre qu'au vice-chancelier en personne. Celui-ci adresse un bref salut de la tête à Wells, qui a du mal à contenir sa haine envers cet odieux personnage. Comme à son habitude, le vice-chancelier arbore un petit sourire satisfait. Il emboîte le pas au chancelier qui le précède dans son bureau. Ils referment soigneusement la porte derrière eux et Wells se lève de table. Il a conscience qu'il devrait aller s'enfermer dans sa chambre, comme il le fait lorsque son père reçoit des visiteurs importants à la maison.

C'est ce qu'il aurait fait il y a quelques jours. Il n'aurait jamais osé aller écouter aux portes. Aujourd'hui, il n'en a plus rien à faire. Il s'approche de la porte du bureau sur la pointe des pieds et colle son oreille contre la paroi.

— Les navettes de sauvetage sont prêtes, déclare Rhodes. Il n'y a aucune raison de repousser leur départ.

— Il y a mille et une raisons d'attendre, lui répond le chancelier, une pointe d'irritation dans la voix comme s'ils avaient déjà souvent eu cette conversation. En premier lieu, nous ne savons toujours pas avec certitude si le niveau des radiations permet d'envisager le retour.

Wells retient sa respiration pour que rien ne vienne trahir sa présence derrière la porte.

— C'est bien pour ça que nous allons vider le centre de détention. Pourquoi ne pas faire bon usage des prisonniers ?

— Même les enfants condamnés à l'Isolement ont le droit de vivre, Rhodes, d'où le second procès qui leur est accordé le jour de leurs dix-huit ans.

— Peuh, se moque le vice-chancelier, vous savez pertinemment qu'aucun d'entre eux ne sera gracié. Nous n'avons pas les ressources suffisantes pour nous le permettre. Déjà que les jours nous sont comptés…

Que veut-il dire par là ? s'interroge Wells. Avant qu'il n'ait eu le temps de trouver une réponse satisfaisante, son père reprend la parole.

— Les rapports sont largement exagérés, il nous reste encore assez d'oxygène pour tenir plusieurs années au moins.

— Et après ? Vous proposez peut-être de charger toute la Colonie sur les vaisseaux de sauvetage en croisant les doigts pour que tout se passe bien ?

— Nous enverrons les jeunes délinquants emprisonnés, comme vous l'avez suggéré, mais pas tout de suite. Nous ne le ferons qu'en dernier recours. À moins que la brèche du secteur C14 n'empire dramatiquement dans les semaines qui viennent, nous avons encore le temps de voir venir. Les premiers prisonniers seront envoyés dans un an.

— Si vous êtes persuadé que c'est la conduite à tenir...

En entendant la chaise du vice-chancelier grincer sur le parquet, Wells bondit dans sa chambre où il se laisse tomber sur son lit. Les yeux au plafond, il essaie de faire le point sur la discussion qu'il vient de surprendre. La Colonie n'a plus que quelques années d'oxygène à peine, après quoi il leur faudra quitter l'espace.

Les pièces du puzzle s'imbriquent tout à coup dans la tête de Wells. C'est pour ça que tous les accusés sont déclarés coupables : il n'y a plus assez de ressources à bord du vaisseau pour maintenir l'intégralité de la population en vie ! Cette pensée atroce laisse bientôt place à une autre encore plus insoutenable : l'anniversaire de Clarke tombe dans six mois et Wells sait qu'il ne parviendra pas à convaincre son père de la faire relâcher. Être envoyée sur Terre lui accorderait une seconde chance, mais si la mission n'est déclenchée que dans un an, Clarke aura, alors, déjà été exécutée.

Le seul moyen pour Wells de la sauver est donc que cette mission soit anticipée et que le premier groupe soit envoyé le plus tôt possible.

Un plan terrifiant commence à prendre forme dans son esprit, et sa poitrine se contracte à l'idée de ce qu'il va devoir faire. En même temps, Wells sait qu'il n'a pas d'autre choix. Pour sauver la fille qu'il aime, il va devoir mettre en péril toute l'espèce humaine.

CHAPITRE *33*

Bellamy

Bellamy glisse au bas du tronc et s'assied lourdement par terre, il se sent aussi vide que la carcasse calcinée du vaisseau. Il a passé plusieurs heures à chercher Octavia, courant partout dans la forêt en criant son nom à s'en faire éclater les cordes vocales. Mais il n'obtient qu'un silence exaspérant en guise de réponse.

— Hé, l'interpelle une voix lasse, le tirant de sa sombre rêverie.

Bellamy se retourne et voit Wells qui se dirige lentement vers lui, le visage couvert de suie, une estafilade courant tout le long d'un de ses avant-bras.

— Alors ? T'as trouvé quelque chose ?

Bellamy secoue la tête.

— Je suis désolé, commence Wells avant de pincer les lèvres, le regard rivé sur une touffe d'herbe. Si ça peut t'apporter un peu de réconfort, poursuit-il après quelques secondes, je suis convaincu qu'elle n'était pas dans le campement. On vient de passer la clairière au peigne fin. Tout le monde s'en est sorti, à l'exception de…

— Je sais, souffle Bellamy. Je suis désolé moi aussi, mec. Je suis sûr que t'as fait de ton mieux.

Wells part d'un petit rire désabusé.

— Je ne sais même plus ce que cela veut dire.

Surpris, Bellamy lève les yeux sur lui, mais avant qu'il n'ait eu le temps de réagir, Wells reprend la parole.

— Octavia va bientôt revenir, t'inquiète pas.

Cela dit, il pivote sur ses talons et repart en direction de la clairière où plusieurs petits groupes tamisent encore la cendre dans l'espoir de trouver quelque objet qui aurait survécu à l'incendie.

Dans la lumière rose pastel de l'aube, Bellamy pourrait presque réussir à croire que les horreurs de ces dernières heures n'ont été qu'un mauvais rêve. Les flammes se sont éteintes depuis longtemps déjà, et bien que l'herbe soit presque partout brûlée, le sol est resté humide. N'ayant pas atteint les arbres, le feu a épargné leurs fleurs délicates tendues vers la lumière, ignorant tout de la tragédie qui s'est jouée sous leurs pétales. Bellamy sait que c'est comme ça que fonctionne le chagrin : il serait vain de s'attendre à ce que les autres le partagent, à chacun de porter sa propre peine en soi.

Il entend des gamins qui essaient de déterminer ce qui a provoqué l'incendie. L'un suggère que le vent a dû transporter des braises incandescentes jusqu'à une tente tandis qu'un autre penche plutôt pour une erreur humaine.

Bellamy, lui, s'en contrefout, de la cause. La seule chose qui lui importe est de retrouver Octavia. Se serait-elle perdue en essayant de se mettre à l'abri ? Ou bien avait-elle déjà quitté le camp avant que le feu ne se déclare ? Si c'était le cas, qu'était-elle partie faire ?

Il se lève sur des jambes flageolantes et doit se tenir au tronc pour trouver l'équilibre. Ce n'est pas le moment de se reposer, pas lorsque chaque heure peut s'avérer cruciale pour retrouver sa sœur en vie. Maintenant que le jour s'est levé, il peut reprendre ses recherches. Il ira plus loin cette fois. Peu importe le temps qu'il mettra, il n'aura de cesse jusqu'à ce qu'elle soit en sécurité à ses côtés.

À mesure qu'il s'enfonce dans la pénombre du sous-bois, il ressent un profond soulagement à ne plus subir la lumière aveuglante du soleil matinal. Il est également soulagé d'être de nouveau seul. C'est alors que ses yeux se posent sur une silhouette à quelques mètres de lui. Il marque un temps d'arrêt et fronce les sourcils pour distinguer de qui il s'agit dans la lumière verdâtre qui filtre des frondaisons. C'est Clarke.

— Salut, lui dit-il d'une voix toujours rauque, sentant son estomac qui fait des siennes en découvrant son visage marqué et si pâle. Tu vas bien ?

— Thalia est morte ? lui demande-t-elle, comme si en posant la question il lui restait une chance d'obtenir une réponse négative.

Il hoche lentement la tête.

— Je suis désolé.

Clarke se met à trembler comme une feuille et il la prend instinctivement dans ses bras. Ils demeurent un long moment enlacés comme ça, et Bellamy lui susurre de nouveau à l'oreille.

— Je suis vraiment désolé.

Clarke finit par se ressaisir et s'éloigne de lui dans un soupir. Des larmes ont beau lui couler le long des joues, elle a repris un peu de couleurs.

— Où est ta sœur ? s'enquiert-elle en s'essuyant le nez d'un revers de manche.

— Elle est introuvable. Je l'ai cherchée pendant des heures, mais il faisait trop sombre. Je m'apprêtais à m'y remettre.

— Attends, le retient Clarke en tirant un bout de tissu de sa poche. J'ai trouvé ça dans les bois, de l'autre côté du ruisseau, vers la grande formation rocheuse.

Les doigts de Bellamy se referment sur la bande de satin si familière : le ruban rouge d'Octavia.

— Il était attaché à une branche ? demande-t-il, mal à l'aise, craignant de recevoir une réponse positive.

— Non, répond Clarke, son visage se détendant en une expression de sympathie. Je l'ai vu par terre, il a dû tomber de ses cheveux. Elle le portait hier au soir, non ?

— Il me semble, réfléchit Bellamy à haute voix, en tâchant de retrouver des lambeaux de souvenirs de la veille. Oui, elle l'avait au moment où elle s'est couchée.

— OK, annonce Clarke d'une voix décidée, ça veut donc dire qu'elle a quitté le campement avant le départ du feu. Regarde, dit-elle en réponse à la mine interrogatrice de Bellamy, il n'y a pas de cendre dessus, rien pour indiquer qu'elle se trouvait à proximité des flammes.

— Tu as sans doute raison, acquiesce-t-il, l'air songeur, en caressant le ruban entre deux doigts. Je n'arrive juste pas à comprendre pourquoi elle serait partie avant que l'incendie ne se déclare. Il relève les yeux sur Clarke. Tu es sortie de l'infirmerie hier soir, non ? Tu as peut-être remarqué quelque chose ?

Clarke fait non de la tête, son expression soudain indéchiffrable.

— Je me suis absentée un moment, lâche-t-elle, manifestement tendue. Je suis désolée.

— Tu n'as pas à t'excuser, lui assure Bellamy. En revanche, je dois te demander pardon… Tu avais raison tout du long à propos d'Octavia.

Clarke accepte ses excuses d'un infime mouvement de tête.

— Merci de m'avoir parlé du ruban, ça me donne une piste par laquelle commencer.

Alors qu'il s'apprête à se mettre en route, elle lui pose une main sur le poignet.

— Je vais t'accompagner.

— C'est gentil de proposer, mais je ne sais pas combien de temps ça va me prendre. C'est pas comme lorsqu'on a été récupérer les médicaments, ça risque d'être encore plus long.

— Je t'accompagne, répète-t-elle avec conviction.

Le feu qui luit dans ses yeux fait hésiter Bellamy à la contredire.

— Tu es sûre ? lui demande-t-il. Ça m'étonnerait que Wells soit très content d'apprendre ça.

— C'est pas moi qui irais lui dire. C'est fini entre nous.

Cette information a le don de mettre le cerveau de Bellamy en ébullition, mais il sait que ce n'est pas le moment de poser des questions.

— C'est d'accord dans ce cas.

Il se met en route et lui fait signe de le suivre.

— Je dois quand même te prévenir… il est fort probable qu'à un moment ou à un autre je fasse tomber la chemise.

Il jette un coup d'œil par-dessus son épaule et surprend ce qui lui semble être un petit sourire sur les lèvres de Clarke – ou s'agit-il seulement de la faible lumière qui lui joue des tours ?

CHAPITRE *34*

Glass

Un silence irréel flotte sur la Colonie, même s'il est 1 heure du matin. Glass ne croise d'ailleurs pas âme qui vive tandis qu'elle traverse d'un bon pas les couloirs sombres, éclairés uniquement par les diodes bleues au sol indiquant les voies vers les issues de secours.

Elle a faussé compagnie à Sonja dès que celle-ci s'est couchée, et elle tâche maintenant de chasser l'image de sa mère se réveillant pour découvrir son lit vide. Ses traits délicats se figeront en un masque de douleur et d'inquiétude, une expression qu'elle n'a que trop vue ces deux dernières années. Glass ne pourra jamais se pardonner tout ce qu'elle lui a fait subir, mais elle n'a pourtant pas le choix.

Il faut à tout prix qu'elle trouve un moyen d'entrer sur *Walden*, sinon elle ne reverra plus jamais Luke.

Elle fait une pause sur le pont F, l'oreille aux aguets afin de déceler le moindre bruit de pas, mais elle n'entend rien à part sa propre respiration. Soit les gardes sont en train de patrouiller dans une autre zone de *Phoenix,* soit ils ont tous été renvoyés sur *Walden* et *Arcadia* où ils ne gâcheront pas l'air pur réservé aux Phoeniciens.

Glass s'engage au petit trot dans un couloir qu'elle n'a que rarement emprunté, cherchant des yeux l'éclat argenté qui trahira le conduit d'aération sur lequel elle compte. Situé dans les sous-sols du vaisseau, le pont F sert principalement de lieu de stockage, et le boyau dans lequel elle avait rampé lors de son évasion l'avait mené sur le pont F de *Walden.* Elle espère que les deux communiquent. Elle ralentit l'allure et inspecte minutieusement tous les pans de mur, sentant une angoisse croissante l'envahir à chaque nouvelle foulée. Et si elle avait mal lu le plan ? Ou peut-être que le conduit qui relie *Phoenix* et *Walden* a été condamné depuis longtemps ?

Lorsque son œil est attiré par un reflet métallique, l'excitation et l'intense soulagement prennent immédiatement le pas sur sa peur. Elle se met sur la pointe des pieds, mais cela ne lui suffit pas pour atteindre le rebord de la grille. Elle pousse un soupir de frustration, puis balaye le couloir du regard. Rien n'est marqué sur les portes, toutefois, aucune ne semble être dotée de scanner rétinien. Elle attrape la poignée la plus proche et tire dessus. La porte s'ouvre dans un grincement, révélant l'intérieur sombre d'un cagibi rempli de fournitures.

Glass avise un petit tonneau et le fait rouler dans le couloir pour s'en servir comme marchepied. Quelques secondes lui suffisent pour grimper dessus, retirer la grille et se faufiler dans l'ouverture béante.

Elle se remémore un instant son dernier séjour dans un conduit d'aération, et ce souvenir d'avoir eu l'impression que les parois métalliques se refermaient sur elle la fait frissonner, avant qu'elle ne se reprenne et attrape sa lampe dans sa poche arrière. Cette fois, au moins, elle ne restera pas dans le noir. Glass braque sa torche sur le tunnel qui, dans la faible lumière, semble s'étendre jusqu'à l'infini.

Elle sait pourtant qu'il débouchera quelque part et espère juste ne pas manquer d'air en cours de route. Si elle doit mourir, elle veut que cela se passe dans les bras de Luke.

L'atmosphère qu'elle découvre sur *Walden* n'est pas celle à laquelle elle s'attendait. L'éclairage semble fonctionner normalement et elle ne croise aucun garde sur le trajet qui amène à l'unité résidentielle de Luke. L'espace d'un instant, Glass se prend à espérer que sa mère ait eu tort. La panique qui règne sur *Phoenix* vient peut-être d'une gigantesque méprise. Mais pendant qu'elle gravit les marches, elle ressent une certaine pression inhabituelle au niveau de ses poumons et qui empire même lorsqu'elle fait une pause pour reprendre son souffle. Son cœur bat sans doute plus vite étant donné son impatience de revoir Luke, mais Glass ne peut pas se voiler la face : l'oxygène se raréfie déjà sur *Walden*.

Elle s'oblige à ralentir la cadence en arrivant à son étage, faisant attention à prendre de brèves inspirations pour calmer son pouls. Des adultes échangent par petits groupes à voix basse en jetant des regards chargés d'inquiétude à leurs enfants tout excités d'être debout à cette heure tardive et qui jouent dans le couloir. Glass aimerait dire aux parents de les calmer afin qu'ils consomment moins d'oxygène, mais cela ne ferait qu'attiser la panique. De toute façon, personne ne peut plus rien y faire.

À peine a-t-elle toqué à la porte de Luke qu'il lui ouvre et la prend dans ses bras. Pendant un moment, elle oublie tout et s'abandonne à la chaleur de son étreinte. Il finit hélas par lâcher Glass, son regard partagé entre la joie et l'anxiété.

— Qu'est-ce que tu fais ici ? lui demande-t-il en lui caressant la joue, comme pour se prouver qu'elle est bien réelle. Il jette un rapide coup d'œil à la porte avant de reprendre à voix basse. Tu n'es pas en sécurité.

— Je suis au courant, murmure Glass en glissant sa main dans la sienne.

— Je ne sais pas comment tu t'es débrouillée pour venir jusqu'ici, mais il va falloir que tu repartes, lui dit-il en secouant la tête. Tu as de meilleures chances de survie sur *Phoenix*.

— Je n'irai nulle part sans toi.

Il la tire jusqu'au canapé dans un soupir, et l'assied sur ses genoux.

— Écoute, dit-il en entortillant une de ses mèches autour de son doigt, si des gardes nous attrapent à arriver en douce sur *Phoenix*, ils me tireront dessus, et sur toi aussi, sans doute.

Il ferme les yeux, l'air embarrassé.

— C'est ce pour quoi ils nous ont entraînés, Glass. Ils ne nous l'ont jamais avoué ouvertement, mais… on a bien senti qu'une catastrophe allait se produire tôt ou tard, et ils nous ont appris la marche à suivre dans ces cas-là…

Lorsqu'il rouvre les paupières, Glass découvre pour la première fois la fureur qui brille dans ses yeux, et l'expression de Luke s'adoucit en lisant l'inquiétude sur le visage aimé.

— Ne t'inquiète pas, tu n'as rien à craindre, et c'est tout ce qui compte pour moi.

— *Non !* rétorque Glass sur un ton dont la véhémence la surprend elle-même. J'ai tout à craindre !

Luke fait mine de vouloir parler, mais elle le coupe aussitôt.

— Ça me tuera de te savoir tout seul ici, ça me *tuera* ! répète-t-elle avant de hoqueter, épuisée par ces quelques mots. Si… si je dois mourir, je veux mourir ici avec toi.

— Chuuut, lui murmure Luke en caressant ses longs cheveux soyeux. D'accord, je me rends, plaisante-t-il. Le pire qu'il pourrait nous arriver, c'est qu'on en vienne à manquer d'oxygène pour s'être trop disputés.

— Tu as peur ? lui demande Glass après un long silence.

— Non, répond-il instantanément.

Il lui met un doigt sous le menton et le relève légèrement pour la regarder droit dans les yeux.

— Je n'ai peur de rien quand je suis avec toi.

Il se penche en avant et dépose un baiser sur ses lèvres. Le souffle de Luke sur sa peau la chatouille, elle est parcourue d'un frisson.

Elle se recule avec le sourire.

— Tu es certain que ce n'est pas du gâchis d'oxygène, ce qu'on fait ?

— Bien au contraire, chuchote-t-il en l'attirant de nouveau vers lui. On le conserve.

Sa bouche vient se plaquer sur celle de Glass, et leur baiser gagne en profondeur.

Glass lui passe la main sur le bras et sourit en sentant que cela lui donne la chair de poule. Dans un même mouvement, elle commence à lui débou- tonner la chemise, se convainquant mentalement que l'accélération du pouls de Luke est liée à ses caresses. Elle l'embrasse sur la mâchoire avant de descendre le long de son cou jusqu'à son torse. Elle marque une pause en découvrant des chiffres tatoués sur ses côtes. Deux dates qui vrillent l'esto- mac de Glass.

— Qu'y a-t-il ? demande Luke en se redressant.

Glass pointe les tatouages d'un doigt avant de le retirer aussi vite, répugnant à toucher l'encre.

— C'est quoi, ça ?

— Oh, fait-il en fronçant les sourcils. Je croyais t'en avoir parlé. Je voulais rendre hommage à Carter. C'est la date de son anniversaire… et celle de son exécution, lâche-t-il le regard distant.

Glass réprime à grand-peine un tremblement en lisant à nouveau la seconde série de chiffres. Nul besoin d'un tatouage pour qu'elle se souvienne du jour où Carter est mort. La date est gravée dans sa mémoire aussi profondément qu'elle l'est sous la peau de Luke.

Glass pousse un grognement en ramenant ses genoux contre sa poitrine. Les draps défaits de son petit lit sont trempés de sueur. Elle meurt de soif, mais il lui faut encore patienter plusieurs heures avant qu'on ne lui apporte son plateau-repas et sa maigre ration d'eau du soir. Elle ne peut s'empêcher de penser avec nostalgie à toutes ces années d'insouciance où elle n'avait pas conscience que l'eau était rationnée dans certaines parties de la Colonie.

Un *bip* persistant attire son attention, suivi de bruits de pas qui approchent. Elle grimace en relevant la tête de son oreiller, en proie à une migraine terrible, et découvre une silhouette dans l'encadrement de la porte : ce n'est pas un garde, mais le chancelier en personne.

Glass s'assied péniblement et chasse une mèche humide de devant ses yeux. Elle s'attend à être envahie par une poussée de rage en se retrouvant face à face avec l'homme qui l'a fait arrêter, mais à travers le voile de fatigue et de douleur qui lui brouille la vision, ce n'est pas le chef du Conseil qu'elle voit. C'est le visage inquiet du père de son meilleur ami.

— Bonjour, Glass, dit-il en désignant l'espace libre sur le lit à côté d'elle. Puis-je ?

Elle acquiesce d'un petit signe de tête.

Le chancelier lâche un soupir en s'asseyant.

— Je suis désolé pour ce qui s'est passé.

Il a les traits tirés et l'air hagard ; elle ne l'a jamais vu dans un tel état, même lorsque sa femme était à l'agonie.

— Je n'ai jamais voulu qu'il t'arrive du mal, ajoute-t-il.

Sans réfléchir, Glass porte une main à son ventre.

— Ce n'est pas à moi qu'il est arrivé malheur.

Le chancelier ferme les yeux et se masse les tempes dans un mouvement circulaire. Il ne se permet jamais de démonstration de fatigue ou de faiblesse en public d'habitude, mais Glass reconnaît cette expression pour l'avoir déjà vue chez lui, lorsqu'il travaille dans son bureau.

— J'espère que tu comprends que je n'ai pas eu le choix, déclare-t-il d'un ton plus affirmé. J'ai prêté le serment de faire respecter les lois de cette Colonie. Je n'ai pas le luxe de pouvoir fermer les yeux sur un crime, même si l'accusée se trouve être la meilleure amie de mon fils.

— Je comprends pourquoi vous devez vous convaincre de ça, réplique Glass d'une voix sans timbre.

— Es-tu enfin prête à me livrer le nom du père de l'enfant ? demande-t-il, le visage fermé.

— Pourquoi le ferais-je ? Pour que vous puissiez le jeter en cellule avec moi ?

— Parce que c'est la *loi* ! rétorque le père de Wells en se levant. Parce que ce n'est pas équitable que le père ne subisse pas la même peine. Et parce que mes enquêteurs peuvent découvrir en un tournemain son identité en étudiant les enregistrements des scanners rétiniens. Quoi qu'il arrive, nous le trouverons. En revanche, si tu daignes nous aider, tu obtiendras davantage de chances de te voir gracier lors de ton second procès.

Les yeux dans les yeux, ils se jaugent un moment, et c'est Glass la première qui détourne le regard. Elle imagine Luke se faisant arrêter au beau milieu de la nuit, suppliant les gardes de lui expliquer ce qu'on lui reproche. Lui diraient-ils la vérité, lui laissant juste assez de temps pour ressentir une terrible douleur ? Ou bien planteraient-ils l'aiguille fatale dans sa poitrine sans même qu'il connaisse son crime, se croyant victime d'une terrible erreur judiciaire ?

Elle ne peut pas laisser ce scénario se réaliser.

Mais le chancelier a raison. Le Conseil n'aura de cesse de trouver le complice de son crime, et l'un des gardes finira forcément par retrouver des traces de Glass qui le mèneront sur *Walden* puis chez Luke.

Lentement, elle se retourne vers le chancelier ; elle sait précisément ce qu'il lui reste à faire. Quand elle se décide enfin à parler, sa voix est glaciale comme une condamnation à mort.

— Le père est Carter Jace.

Un craquement sonore résonne dans le couloir. Elle se redresse du lit en sursaut, les oreilles à l'affût dans l'obscurité totale de la chambre de Luke. Une panique sourde vient lui comprimer les poumons. On dirait presque que c'est le vaisseau qui pousse un long gémissement.

— Mon Dieu, chuchote Luke en repoussant les couvertures.

Le son reprend, suivi cette fois d'un grondement qui fait trembler les murs, et le jeune homme bondit sur ses pieds.

— Allons-y !

Le couloir est encore rempli de gens, mais les enfants sont désormais étrangement calmes. Les lumières se mettent soudain à clignoter. Luke serre la main de Glass dans la sienne tandis qu'ils se frayent un passage à travers la foule vers l'unité résidentielle voisine. Debout sur le pas de sa porte, une femme souffle quelque chose à l'oreille de Luke, la mine grave. Glass a beau ne pas entendre ce qu'elle dit, elle devine à son expression que ce n'est pas une bonne nouvelle. C'est alors qu'une autre personne surgit à côté d'eux et Glass prend une profonde inspiration.

C'est Camille qui vient d'arriver et qui la dévisage d'un air suspicieux.

Glass détourne le regard, incapable de regarder Camille dans les yeux. Elle ne peut s'empêcher de se sentir coupable compte tenu de la tournure des événements. Comment pourrait-elle en vouloir à cette fille de la haïr ?

Glass remarque un groupe d'enfants blottis par terre autour de leurs parents qui discutent à voix basse, le sourcil grave. Les lèvres de l'une des petites filles arborent une inquiétante teinte bleuâtre, et le garçon dont elle tient la main semble avoir de grosses difficultés à respirer.

Les lumières crachotent à nouveau avant de rendre définitivement l'âme. Une série de cris apeurés s'élève alors dans la profonde obscurité. À la différence de *Phoenix*, *Walden* ne dispose d'aucune lumière de secours.

Luke passe son bras autour de la taille de Glass et l'attire contre lui.

— Ça va aller, ne t'en fais pas, lui murmure-t-il à l'oreille.

Une autre voix lui parvient alors à travers les ténèbres. Camille s'est glissée de l'autre côté de Glass et chuchote à son tour.

— Tu vas lui dire, ou c'est à moi de m'en charger ?

Choquée, Glass se tourne vers elle mais ne parvient pas à voir son expression dans le noir.

— De quoi tu parles ?

— Il mérite de connaître la vérité, de savoir que son ami est *mort* à cause de toi.

Glass est prise d'un frisson incontrôlable, et même si elle ne distingue pas le sourire de Camille, elle l'entend dans sa voix.

— Je connais ton secret. Je sais ce que tu as fait à Carter.

CHAPITRE *35*

Clarke

Ils marchent depuis plusieurs heures, décrivant des cercles concentriques de plus en plus étendus à travers les bois pour tâcher de couvrir le moindre mètre carré de terrain. L'arrière des mollets de Clarke commence à la faire souffrir, mais cette sensation est la bienvenue, la douleur physique la distrait de ses pensées cauchemardesques. Ces flammes engloutissant la tente de l'infirmerie... les bras de Wells l'enserrant comme une camisole de force... le bruit écœurant des cloisons qui s'affaissent tout d'un coup...

— Hé, viens voir par ici !

Clarke s'extrait de sa rêverie morbide pour découvrir Bellamy accroupi à proximité de l'endroit où elle avait trouvé le ruban d'Octavia. Il a les yeux rivés sur des empreintes de pas dans le sol meuble. Elle a beau ne pas être une pisteuse, elle comprend immédiatement qu'il y a eu lutte. Quiconque a laissé de telles traces n'était manifestement pas en train de se promener tranquillement à travers bois.

— On dirait que quelqu'un était en train de courir, ou de se battre, dit-elle à voix basse. Elle se retient de poursuivre sa phrase : *presque comme si on avait traîné quelqu'un qui se débattait.* Ils s'étaient jusqu'alors dit qu'Octavia s'était enfuie, mais peut-être a-t-elle été enlevée ?

Clarke remarque aux sourcils froncés de Bellamy qu'il tient le même raisonnement dans sa tête, et elle va s'accroupir à côté de lui.

— Elle ne doit pas être bien loin, déclare sincèrement Clarke, on va la trouver.

— Merci, lui dit Bellamy en se relevant. Je... je suis content de t'avoir avec moi pour ces recherches.

Le pas de plus en plus lourd, ils continuent de sillonner les bois, le soleil amorçant déjà sa descente dans le ciel. À mesure que les cercles qu'ils décrivent s'agrandissent, Clarke sent qu'ils atteignent les limites de la forêt.

Elle s'arrête net lorsqu'elle distingue une clairière à travers les silhouettes majestueuses de grands arbres. Celle-ci est également plantée d'arbres, mais différents. Clarke remarque en s'approchant que de leurs troncs massifs et noueux s'élancent des branches vigoureuses qui ploient sous le poids de fruits ronds et rouges. Des pommes.

Bellamy la rejoint près des pommiers.

— C'est bizarre, énonce-t-elle lentement. Les arbres sont tous espacés pareil. On dirait un verger de l'ancien temps. Mais comment aurait-il pu survivre toutes ces années durant ?

Le pommier le plus proche a beau la dominer de toute sa hauteur, il lui suffit de se mettre sur la pointe des pieds pour atteindre les premières branches. Elle en attrape une d'une main et cueille un fruit de l'autre. Elle le lance à Bellamy avant d'en arracher un second pour elle.

Clarke porte la pomme à hauteur de ses yeux pour mieux l'examiner. Ils faisaient bien pousser des fruits dans les champs solaires sur la Colonie, mais ils n'avaient rien à voir. La peau de cette pomme n'est pas tout simplement rouge : elle est veinée de petites tigrures rose et blanc, et elle dégage une odeur différente de tout ce qu'elle a pu sentir auparavant. Clarke croque dedans à belles dents, et ne peut contenir une exclamation de surprise en sentant du jus lui couler le long du menton. Comment quelque chose peut-il combiner une telle douceur et une telle acidité ? L'espace d'un instant, Clarke se permet d'oublier toutes les horreurs qui ont jalonné son court séjour sur Terre et s'abandonne à la saveur exquise du fruit.

— Est-ce que tu penses à ce que je pense ? demande Bellamy.

Clarke se tourne vers lui et le voit mesurer avec un bâton l'espace qui sépare les arbres.

— À vrai dire, je ne pensais à rien du tout, j'étais bien trop occupée à déguster cette pomme incroyable ! lâche-t-elle en souriant après avoir avalé sa bouchée.

Mais Bellamy ne lui renvoie pas son sourire. Il est pleinement focalisé sur l'espacement parfait des pommiers.

— Ces arbres n'ont pas survécu au Cataclysme, ils n'ont pas poussé tout seuls non plus, dit-il d'une voix où se mêlent surprise et angoisse. Avant même qu'il ne finisse sa phrase, Clarke devine ce qu'il va dire et la peur la submerge.

— Quelqu'un les a plantés.

CHAPITRE *36*

Wells

— C'est mieux comme ça ?

Wells se retourne et voit Asher, le garçon arcadien, montrer du doigt la bûche qu'il vient de tailler. L'herbe est jonchée de copeaux de bois et de tentatives avortées, mais celle qu'il désigne semble plutôt prometteuse

— Carrément, approuve Wells.

Il s'accroupit au-dessus de la bûche et caresse du bout des doigts les sillons qu'y a creusés Asher.

— Assure-toi juste qu'ils ont tous à peu près la même profondeur, sinon les rondins ne pourront pas s'encastrer.

Au moment où Wells se relève, Graham passe à côté de lui, les bras encombrés d'une bâche à moitié fondue qu'il va poser au centre de la clairière, sur le tas grandissant des affaires qu'ils ont pu sauver. Wells se raidit malgré lui, s'attendant à recevoir un commentaire sarcastique ou quelque autre pique, mais Graham poursuit sa route sans lui accorder un regard.

Toutes les tentes ont été carbonisées dans l'incendie, mais la plupart des outils sont encore intacts, les médicaments aussi. C'est Wells qui a eu l'idée de construire des structures en bois plus robustes. La tâche s'avère mille fois plus difficile que ce qui est écrit dans les livres, mais, petit à petit, ils commencent à mieux comprendre comment procéder.

— Wells ! Comment est-ce qu'on va suspendre les hamacs ? l'interpelle une fille originaire de *Walden*. Élisa dit qu'ils seront accrochés aux poutres du plafond, mais il faudra plusieurs jours avant qu'elles soient prêtes, non ? Alors, je me disais que...

— Je passe vous voir dans quelques minutes, OK ? la coupe Wells.

En voyant sur son visage qu'il l'a vexée, il ajoute en lui adressant un sourire :

— Je suis sûr que toi et Élisa faites un super boulot. J'arrive de suite.

Elle opine du chef et repart en courant, esquivant au passage une pile de piquets de tente fondus qui semblent encore trop brûlants pour qu'on y touche.

Wells jette un coup d'œil par-dessus son épaule, puis se dirige vers l'orée des bois. Il a besoin d'un moment à lui, pour réfléchir. Il progresse à pas lourds, comme si l'abattement qui lui pèse sur le cœur se diffusait lentement dans tous ses membres, rendant la marche laborieuse et douloureuse.

Il marque une pause à la lisière de la forêt, respirant à pleins poumons l'air plus frais, et clôt les
paupières. C'est ici qu'il a embrassé Clarke pour la
première fois sur Terre, et sans doute aussi pour
la dernière fois.

Il pensait avoir déjà enduré la pire des souffrances
possibles, à savoir que Clarke le haïssait et ne pouvait
même plus supporter sa vue. Mais il avait tort. La
voir partir avec Bellamy a bien failli l'achever. Elle
ne lui avait pas accordé le moindre coup d'œil en
venant récupérer ce qu'il restait de son équipement.
Elle s'était contentée d'un signe de tête au groupe
réuni, là avant de suivre Bellamy dans la forêt.

Si seulement elle savait ce qu'il a vraiment fait
pour venir avec elle sur Terre. Il a tout risqué. En
pure perte.

Aucun des gardes n'accorde à Wells plus qu'un regard en
passant tandis qu'il présente son œil droit devant le scanner
rétinien, puis franchit la porte coulissante. L'accès au secteur
C14 est limité à quelques personnes uniquement, mais son
uniforme d'officier, son pas décidé et son visage connu dans
toute la Colonie lui ont toujours garanti une grande liberté
de mouvement. Jusqu'à aujourd'hui, il n'a jamais profité
abusivement de son statut. Cependant, quelque chose en
lui a cassé net après qu'il a entendu la conversation entre
son père et le vice-chancelier.

Son plan est aussi audacieux que stupide et incroyablement égoïste, mais il s'en moque éperdument. Il est prêt

à tout pour que Clarke soit envoyée sur Terre et non à la chambre d'exécution.

Wells descend quatre à quatre les marches de l'étroit escalier en colimaçon, faiblement éclairé par quelques diodes. En temps normal, seule une visite de routine pourrait justifier que quelqu'un se rende dans le sas étanche que renferme le secteur C14, et Wells s'est assuré qu'il serait bien vide en piratant les fichiers contenant l'emploi du temps des agents de maintenance.

Le sas C14 a le même âge que le vaisseau. Et malgré les efforts répétés des ingénieurs pour le conserver dans le meilleur état possible, les trois cents ans passés à des températures extrêmes et à subir le rayonnement cosmique ont commencé à l'abîmer. Wells décèle des fissures microscopiques sur tout le pourtour ainsi que des pièces de fortune soudées à certains endroits pour renforcer la structure d'origine.

Wells attrape d'une main la pince qu'il a coincée dans l'élastique de son pantalon. *Tout ira bien*, se rassure-t-il, les bras tremblants. Tout le monde sera bientôt évacué de toute façon, il ne fait que rapprocher l'échéance. Et pourtant une petite voix dans sa tête lui rappelle qu'il n'y a pas assez de vaisseaux de sauvetage pour tous les habitants de la Colonie. Et il n'a strictement aucune idée de se qui se passera quand l'heure viendra de les utiliser.

Mais cela regarde son père, pas lui.

Wells glisse la pince entre le métal et le joint fragile du sas et commence à faire levier. Il ne peut s'empêcher de grimacer lorsqu'un léger sifflement d'air se fait entendre. Il pivote sur ses talons et remonte l'escalier en courant, essayant de faire abstraction de l'horreur qui lui ronge l'estomac. Il tente de chasser l'affreux sentiment de culpabilité qui l'assaille, mais en gravissant les marches, il se dit avant tout qu'il a accompli ce qui devait l'être.

Wells finit par se relever péniblement. Le soir est en train de tomber et il reste beaucoup de travail à effectuer sur les nouvelles cabanes. Il va leur falloir terminer au moins plusieurs de ces refuges avant le prochain orage. Tandis qu'il se rapproche du campement, il se demande si Clarke a pris suffisamment de couvertures avec elle, si elle aura assez chaud lorsque les températures chuteront. Asher accourt alors vers lui avant de se lancer dans une interminable série de questions. Il a en main l'un des rondins qu'il a taillés et semble vouloir l'opinion de Wells quant à sa taille et sa découpe.

Il est trop absorbé par ses propres pensées pour écouter le garçon. Il voit bien ses lèvres remuer à mesure qu'ils traversent le campement, mais aucune de ses questions n'atteint les oreilles de Wells.

— Écoute, commence Wells, se préparant à dire à Asher que ça peut sans doute attendre le lendemain matin. Mais à cet instant, quelque chose lui effleure le visage à pleine vitesse, suivi d'un son atroce, et il voit Asher volant en arrière.

Du sang lui bouillonne à la commissure des lèvres alors qu'il s'effondre de tout son long.

Wells tombe à genoux à côté de lui.

— *Asher !* hurle-t-il, sous le choc, en tentant de comprendre le tableau qu'il a sous les yeux : une flèche s'est fichée dans la gorge du garçon.

La première chose qui lui vient à l'esprit, c'est que c'est Bellamy le coupable. Il n'y a que lui qui sache viser avec autant de précision.

Wells se retourne dans un cri, mais ce n'est pas Bellamy qu'il aperçoit. Une rangée de silhouettes indistinctes se dresse au pied de la colline, avec le soleil couchant en arrière-fond. Il manque s'étrangler, le sang figé dans ses veines par l'horreur de cette vision. Il comprend soudainement qui a mis feu au campement, et, accessoirement, qui a enlevé Octavia. Ce n'est pas quelqu'un de la Colonie.

Les 100 ont beau être les premiers humains à avoir posé le pied sur la Terre depuis trois siècles, ils ne sont pas tout seuls.

Certains ne sont jamais partis.

Remerciements

J'ai une incommensurable dette et suis pleine de gratitude envers Joelle Hobeika qui non seulement a rêvé les prémisses des *100*, mais dont l'imagination, la sagacité éditoriale et la ténacité ont permis de donner vie à ce roman. Il en va de même pour Katie McGee, Elizabeth Bewley et Farrin Jacobs dont les questions incisives et les suggestions intelligentes ont donné forme à ce livre à tous les niveaux. Je suis également reconnaissante envers l'équipe d'Alloy, tellement brillante que c'en est intimidant, et tout particulièrement envers Sara Shandler, Josh Bank et Lanie Davis, ainsi qu'envers les équipes dédiées à ce projet chez Little, Brown et Hodder & Stoughton.

Merci à mes formidables amis sur les deux rives de l'East River, du Gowanus Canal, du Mississippi et de l'Atlantique pour votre soutien et vos encouragements. Un coucou spécial à mes confidents et à mes coconspirateurs des deux côtés de 557 Broadway, à l'équipe de Crossroads qui m'a fait découvrir la science-fiction, et à Rachel Griffin pour avoir largement dépassé le cadre de sa mission en me faisant grandir en tant qu'auteure, ainsi qu'en tant qu'éditrice.

Et par-dessus tout, je voudrais remercier ma famille, mon père, Sam Henry Kass, dont l'écriture déborde d'un esprit inégalable et d'une générosité sans bornes ; ma mère, Marcia Bloom, dont l'art scintille de la sagesse du philosophe et de l'âme d'une pure esthète ; mon frère brillant, Petey Kass, qui sait me faire rire jusqu'à ce que je ne puisse plus respirer ; mes grands-parents qui m'ont beaucoup inspirée, Nance, Peter, Nicky et David ; ainsi que les clans Kass-Bloom et Greenfield qui me font toujours me sentir chez moi quand je suis auprès d'eux.

En attendant de découvrir
le **tome 2** de la série *Les 100*
en septembre 2014...

Entrez
dans un
nouvel

avec d'autres romans
de la collection

LA 5ᵉ VAGUE

de Rick Yancey

Tome 1

**1ʳᵉ VAGUE : *Extinction des feux*. 2ᵉ VAGUE : *Déferlante*.
3ᵉ VAGUE : *Pandémie*. 4ᵉ VAGUE : *Silence*.**

À L'AUBE DE LA 5ᵉ VAGUE, sur une autoroute désertée, Cassie tente de *Leur* échapper… *Eux*, ces êtres qui ressemblent trait pour trait aux humains et qui écument la campagne, exécutant quiconque a le malheur de croiser *Leur* chemin. *Eux*, qui ont balayé les dernières poches de résistance et dispersé les quelques rescapés.

Pour Cassie, rester en vie signifie rester seule. Elle se raccroche à cette règle jusqu'à ce qu'elle rencontre Evan Walker. Mystérieux et envoûtant, ce garçon pourrait bien être son ultime espoir de sauver son petit frère. Du moins si Evan est bien celui qu'il prétend…

Ils connaissent notre manière de penser. *Ils* savent comment nous exterminer. *Ils* nous ont enlevé toute raison de vivre. *Ils* viennent maintenant nous arracher ce pour quoi nous sommes prêts à mourir.

**Le premier tome de la trilogie phénomène,
bientôt adapté au cinéma par Tobey Maguire
et les producteurs de *World War Z, Argo, Hugo Cabret,
The Aviator, Gangs of New york, Ali*.**

Tome 2 à paraître en mai 2014

de Myra Eljundir

SAISON 1

C'est si bon d'être mauvais...

À 19 ans, Kaleb Helgusson se découvre empathe : il se connecte à vos émotions pour vous manipuler. Il vous connaît mieux que vous-même. Et cela le rend irrésistible. Terriblement dangereux. Parce qu'on ne peut s'empêcher de l'aimer. À la folie. À la mort.

Sachez que ce qu'il vous fera, il n'en sera pas désolé. Ce don qu'il tient d'une lignée islandaise millénaire le grise. Même traqué comme une bête, il en veut toujours plus. Jusqu'au jour où sa propre puissance le dépasse et où tout bascule... Mais que peut-on contre le volcan qui vient de se réveiller ?

La première saison d'une trilogie qui, à l'instar de la série Dexter, offre aux jeunes adultes l'un de leurs fantasmes : être dans la peau du méchant.

Déconseillé aux âmes sensibles et aux moins de 15 ans.

Saison 2 : *Abigail*

Saison 3 : *Fusion*

de Lissa Price

Vous rêvez d'une nouvelle jeunesse ?
Devenez quelqu'un d'autre !

Dans un futur proche : après les ravages d'un virus mortel, seules ont survécu les populations très jeunes ou très âgées : les Starters et les Enders. Réduite à la misère, la jeune Callie, du haut de ses seize ans, tente de survivre dans la rue avec son petit frère. Elle prend alors une décision inimaginable : louer son corps à un mystérieux institut scientifique, la Banque des Corps. L'esprit d'une vieille femme en prend possession pour retrouver sa jeunesse perdue. Malheureusement, rien ne se déroule comme prévu... Et Callie prend bientôt conscience que son corps n'a été loué que dans un seul but : exécuter un sinistre plan qu'elle devra contrecarrer à tout prix !

Le premier volet du thriller dystopique phénomène aux États-Unis.

« Les lecteurs de *Hunger Games* vont adorer ! », Kami Garcia, auteur de la série best-seller, *16 Lunes*.

Second volet : *Enders*

VERSION BETA

Rachel Cohn

Elle est l'absolue perfection.
Son seul défaut sera la passion.

Née à seize ans, Elysia a été créée en laboratoire. Elle est une version beta, un sublime modèle expérimental de clone adolescent, une parfaite coquille vide sans âme.

La mission d'Elysia : servir les habitants de Demesne, une île paradisiaque réservée aux plus grandes fortunes de la planète. Les paysages enchanteurs y ont été entièrement façonnés pour atteindre la perfection tropicale. L'air même y agit tel un euphorisant, contre lequel seuls les serviteurs de l'île sont immunisés.

Mais lorsqu'elle est achetée par un couple, Elysia découvre bientôt que ce petit monde sans contraintes a corrompu les milliardaires. Et quand elle devient objet de désir, elle soupçonne que les versions beta ne sont pas si parfaites : conçue pour être insensible, Elysia commence en effet à éprouver des émotions violentes. Colère, solitude, terreur… amour.

Si quelqu'un s'aperçoit de son défaut, elle risque pire que la mort : l'oubli de sa passion naissante pour un jeune officier…

« Un roman à la fois séduisant et effrayant,
un formidable page-turner ! »

Melissa De La Cruz,
auteur de la saga *Les Vampires de Manhattan*

Tome 1 d'une tétralogie bientôt adaptée au cinéma
par le réalisateur de *Twilight II – Tentation*

GLITCH

de Heather Anastasiu

L'amour est une arme

Dans une société souterraine où toute émotion a été éradiquée, Zoe possède un don qu'elle doit à tout prix dissimuler si elle ne veut pas être pourchassée par la dictature en place.
L'amour lui ouvrira-t-il les portes de sa prison ?

Lorsque la puce de Zoe, une adolescente technologiquement modifiée, commence à glitcher (bugger), des vagues de sentiments, de pensées personnelles et même une étrange sensation d'identité menacent de la submerger. Zoe le sait, toute anomalie doit être immédiatement signalée à ses Supérieurs et réparée, mais la jeune fille possède un noir secret qui la mènerait à une désactivation définitive si jamais elle se faisait attraper : ses glitches ont éveillé en elle d'incontrôlables pouvoirs télékinésiques…

Tandis que Zoe lutte pour apprivoiser ce talent dévastateur tout en restant cachée, elle va rencontrer d'autres Glitchers : Max le métamorphe et Adrien, qui a des visions du futur. Ensemble, ils vont devoir trouver un moyen de se libérer de l'omniprésente Communauté et de rejoindre la Résistance à la surface, sous peine d'être désactivés, voire pire…

La trilogie dystopique de l'éditeur américain des séries best-sellers *La Maison de la nuit* et *Éternels*.

Tome 2 : *Résurrection*

Tome 3 : *Insurrection*

PARALLON

de Dee Shulman

Tome 1

Un gladiateur romain
Une jeune fille du XXIᵉ siècle
Deux mille ans les séparent
Un mystérieux virus va les réunir...

152 après J.-C.

Au sommet de sa gloire, Sethos Leontis, redoutable combattant de l'arène, est blessé et se retrouve aux portes de la mort.

2012 après J.-C.

Élève brillante mais rebelle, Eva a été placée dans une école pour surdoués. Un incident dans un laboratoire fait basculer sa vie à jamais.

Un lien extraordinaire va permettre à Sethos et Eva de se rencontrer, mais il risque aussi de les séparer, car la maladie qui les dévore n'est pas de celles qu'on soigne, et leur amour pourrait se révéler mortel...

Leur passion survivra-t-elle à la collusion de deux mondes ?

Tome 2 : *Parallon 2*

Tome 3 à paraître mi-2014

Retrouvez tout l'univers de
Les 100
sur la page Facebook de la collection R :
www.facebook.com/collectionr

Vous souhaitez être tenu(e) informé(e)
des prochaines parutions de la collection R
et recevoir notre newsletter ?

Écrivez-nous à l'adresse suivante,
en nous indiquant votre adresse e-mail :
servicepresse@robert-laffont.fr

Composé par Nord Compo Multimédia
7, rue de Fives, 59650 Villeneuve-d'Ascq

MARQUIS

Québec, Canada

Dépôt légal : janvier 2014
N° d'édition : 53524
Imprimé au Canada